国家出版基金项目
NATIONAL PUBLICATION FOUNDATION

李文信考古与文博辑稿

陶瓷研究卷

李文信 著 李仲元 辽宁省博物馆 整理

北方联合出版传媒(集团)股份有限公司
万卷出版公司

ⓒ 李文信　李仲元　辽宁省博物馆　2019

图书在版编目（CIP）数据

李文信考古与文博辑稿.陶瓷研究卷 / 李文信著；
李仲元，辽宁省博物馆整理. — 沈阳：万卷出版公司，
2019.10
　　ISBN 978-7-5470-5211-2

Ⅰ. ①李… Ⅱ. ①李…②李…③辽… Ⅲ. ①瓷器（
考古）—中国—文集 Ⅳ.①K870.4-53
　　中国版本图书馆CIP数据核字（2019）第228385号

出 品 人：刘一秀
出版发行：北方联合出版传媒（集团）股份有限公司
　　　　　万卷出版公司
　　　　　（地址：沈阳市和平区十一纬路25号　邮编：110003）
印 刷 者：辽宁奥美雅印刷有限公司
经 销 者：全国新华书店
幅面尺寸：170mm×240mm
字　　数：320千字
印　　张：24.5
出版时间：2019年10月第1版
印刷时间：2019年10月第1次印刷
图书统筹：李仲元　冯顺利
责任编辑：赵新楠
责任校对：张希茹
装帧设计：冯顺利　张　莹
ISBN 978-7-5470-5211-2
定　　价：145.00元
联系电话：024-23284090
传　　真：024-23284448

常年法律顾问：李　福　版权所有　侵权必究　举报电话：024-23284090
如有印装质量问题，请与印刷厂联系。联系电话：024-44871130

专家及编辑委员会

[目录]

关于我国陶瓷的几种新资料

　　我国古代劳动人民创造了精致而实用的瓷器，这在人类文化史上是伟大的贡献之一。但我们过去对瓷器发展历史的研究，因受科学发掘较少和资料缺失不全的限制，还存在着很多一时不能解决而又亟待解决的问题。这次"全国基本建设出土文物展览会"的展品中，出现了不少足以充实瓷史的新资料，大可以弥补一些过去的缺陷。当然，这些新材料有的还需要经过整理研究，始能得出可靠的结论，现在仅就个人观感所得，试举几例，作为问题提出。

（一）商周高温硬质釉陶是瓷器的原始阶段

资料两种

　　商褐绿釉陶尊1件。器形侈口小底，腹稍膨大，恰如现在的大口痰盂。高约13厘米，口径约23厘米。器胎不厚，土质较细，含有细小石英砂粒。破口露胎现正灰色，极致密坚硬，已无吸水性。手制胚胎，器体圆正，棱角整齐，技术比较纯熟。在极细方格纹器面上满涂闪黄的褐绿釉，这种釉层遍布到器体内外周身和底足下。釉层稍薄而不匀，有较弱的光泽，与胎骨密接，毫无剥离脱落现象。出土地是河南省郑州市南郊二里岗。据近年考古工作的了解，郑州全市是建筑在规模宏大、年代较安阳小屯还古老的一处商代遗址上。二里岗地下共分四层：下两层代表着商代中前期文化，上两层代表着晚期文化，此器即出土于上层。据工作人员说这一土层并未经过后代天然力或人为的扰乱翻动。与这件陶尊同层出土的东西有：卜骨、骨器、贝器和深灰色粗绳纹的陶制鼎、鬲、豆、罍。又出土了形式做法与它完全相同，只是没有涂釉的赭红色陶尊一件；当然，与它同时也出土了为数很多的各种有釉陶片和白陶片。这些具备殷商文物特征的共存遗品，有力地肯定了这件釉陶尊的年代和文化史上珍贵的资料价值。

过去研究我国瓷器发展史的人，对于瓷器究竟是什么时期萌芽，由哪种窑器演进而成，很少有人谈到。对低温软质釉陶器的制作使用，也仅仅推测到汉代为止。并有一些外国人说这是由西方传来的窑业技术。因此有些人对1929年春秋两季在河南安阳小屯与刻字甲骨、白色刻花陶片一起出土，三千几百年前的高温硬质薄胎有釉陶器片（请参看安阳发掘报告第二期《十八年秋工作之经过及其重要发现》一文），抱着过分的怀疑态度。有人说"殷人使用了灰青釉料的坚致陶器，然而这种瓷料，是偶然发生的，不是人工发明的。孤立的资料，实在是不好拿来解决问题的"。据现在所有的材料看，分布得这样宽，发现得这样多，地点、层位和年代又是这样明确，再不应该也不可能说是孤立的资料了，是可以拿来解决问题的了。至于这种釉料究竟是偶然发生的（自然灰釉）还是人工发明的（人工涂釉），我们也曾考虑过，但经过对少数器片和印刷图版详细观察的结果，还没发现器物向上一面结釉，向下一面无釉，也没有发现自然灰结釉特征之一的不平不匀现象。这次展出的釉陶尊不分内外面和上下面以及底足下面，都满挂有明显釉料，更毫无疑问地证明了这是人工敷釉而不是偶然发生的（当然它的最初出现也很可能是由于自然灰结釉的启示），今后我们再不必过分谨慎地怀疑这个先民遗留的伟大奇迹了。也许会有人说殷商时期虽已大量制造并使用人工釉陶器，但有什么理由说它是瓷器的原始阶段？因为这次二里岗发现的胎质不厚，细密坚致，刀割不破，已无吸水性，釉层跟胎骨混化一体（有几种釉层脱落殆尽的恐系久埋地下所致），实已具备了一些瓷器应有的条件。所以说它是我国瓷器发展过程上的原始阶段。

过去我们许多人曾这样考虑过：如果说殷商釉陶真是人工的敷釉，何以此后的一千二三百年的漫长时间里，没有这等材料的发现，也没这类文献记载呢？这种反证说法的错误，也由这次大会的展品得到有力的证明了。

周灰青釉陶豆二件。器形是盘大足小束腰式的矮身豆。一件盘边立壁外面作瓦沟纹一道，一件有三道。高约8厘米，口径约16厘米。陶车拉坯，造型安定，边缘棱线做得很规矩整齐，线条组织得很遒健美丽。器胎很薄，土质很细。露胎外现淡灰色，硬度很高，破口边缘很锋利。器体内外面满挂灰青釉，釉层薄而欠匀，但无点片缺釉和露胎现象。色调极沉静雅致。两件足座部分都有一片因火力高致使胎质将现颓裂，釉层变质不平而现焦黄不洁的颜色，这是不用匣钵，直接烧成，还没掌握准火候的标志。出土于河南省洛阳市合作社内的周代墓葬中。和它一起出土的东西有：灰色雷纹陶壶、弦纹陶罐和玉璜形贝器四五片，因有土锈，还粘连在一件陶豆里不能取下。由于墓葬结构、葬法和共存物的证明，这两件陶豆虽还不能识别它是西周器抑东周或春秋器，但可以肯定它绝不是战国以来的遗品。

最重要的一点是这两件东西的胎釉质料和烧造技术，都和殷商的釉陶尊相似，它的出现，给中国瓷器由殷商到周代的发展史上，添了一个重要链环。将来地下材料日益加多，不难找出它与汉魏瓷器一脉相关的线索。

（二）广州发现大量汉陶

资料四件

南越陶尊1件。器形如战国式铜壶，直口大腹，圈足有盖。肩有水平式半环状两耳，两耳间各有凸起兽面花纹一个。肩部上下有刻线双绹纹，腹部三线纹装饰。盖顶漫圆隆起，圈足不很高，也有刻线一道。全高约40厘米。

陶车拉坯，规矩圆正，刻印花纹也一丝不苟。器胎较薄，作灰白色，细密坚致。表面部分现有紫褐色，为若干极细的密集色点，如喷雾器喷染而成。盖上及肩腹向上部分有大块釉滴斑多片，每片中常有粗粒渣块，在向上平面的尤为显著。釉斑向下垂流的方向，凡在器物前后面的皆垂直，左右两侧的皆向一方斜流不垂直。釉色或青绿或草绿，斑片外缘每有一圈白蓝色，有的黑褐釉上现熔流的浊白色，恰如窑变色调。出于广州东郊木椁墓，同墓还出土有秦汉两种半两钱、青铜剑、战国式铜镜等，其年代当在西汉初期。

东汉四耳陶罐1件。圆形稍矮，上有弇口圆盖。肩腹部有双线纹两道，与上一道并行处有水平式横耳四个。高约17厘米。胎质、釉斑、火法各特点均与陶尊同。出于广州东郊木椁墓。

东汉陶屋1件。房屋两间，纵横相连，后有短墙围成一小院落。胎质与上二器同，刻划精致，门上有含环兽面铺首。屋盖上满结暗褐色釉，有的部分现窑变蓝白色。

出于广州东郊木椁墓。

东汉陶井1件。井栏缩口圆形，外有线刻锯齿纹。下有圆形基座，四面有柱础，四木柱支一陶质四阿式井亭盖，全高约211厘米。胎土、釉斑、火法与上三器同。井亭盖上全部有釉，基座有釉斑，井栏外釉斑斜流。出于广州东郊木椁墓。

这种釉斑陶器在广州近郊墓葬出土的为数很多，展览会陈列的约40余件，上述四种仅为其中的几例。由大会展品看，知湖南衡阳和长沙两市的两汉墓葬中也有发现，不过数量较少，长沙尤少。根据胎、釉、造型、装饰、火法诸特点，知是出于一个窑系；由于广州发现较多，它很可能是广州境内烧造的陶器。这种釉斑在当时还不是人工有意的加工，恐怕是自然釉的一种，不过它与窑灰着器的自然灰釉不同。这种釉斑的特点是滴滴着器，每滴中往往有粗渣，并且只出现在器盖上或器物向上部分；因此可知它是窑室顶部凝聚的自然釉（俗呼窑汗）点点下落着器结成的。广州有此大批汉陶的出土，在中国陶瓷史上是极为重要的一页。

（三）在广州发现唐代邢州白瓷器

资料一种

白瓷碗2件。器胎稍厚，纯白色，细如澄泥。瓷化程度较高，约与定窑器胎相仿。器外镟削刀痕明显。圈足宽而低平，实为由平底向圈足过渡的形式，足底外缘角旋切斜棱一道，作风规矩素朴。釉色白中微闪淡青，滋润不透明。釉层稍厚而不匀，有的部分现堆脂及蜡泪痕。器内满釉，外面挂釉不到足边。釉面有温和光泽，无任何纹片。除微闪青色外，都和北宋定器（曲阳窑）相近。一件碗壁微内曲，一件唇外有漫圆高棱，口径都约在12厘米上下。胎釉造法全同，当是一窑产品。出土于广州市北郊建设村唐墓，墓室砖筑，内有木棺。同出有漆器、陶器、铁器等。据墓志知是唐广州都督府长史姚禔一长女潭墓，葬于大中十二年（858）二月十三日。毫无疑问，这两件白瓷碗是大中十二年二月十三日以前的产品。据唐李肇《国史补》说："内邱（邢州属县）白瓷瓯，端溪紫石砚，天下无贵贱通用之。"可知当时邢窑产量很大，分布极宽，因此，在广州亦能发见。

（四）唐岳州瓷器的标本

资料两种

划花青瓷盖壶1件。高身小足细颈盘口，上有如倒置高足杯形壶盖。颈基部及肩腹部各有双线纹一道。腹下部刻莲葩形花纹，造型极雄健雅丽。胎较厚，土稍粗，现黄白或灰白色，瓷化程度不甚高。拉坯草率，旋削刀痕及细线纹清晰明显。足矮而下边稍外侈，平足多不挖圈足。胎上先挂白土一层，多不到底，然后挂灰青釉，也多不到底。釉层薄而平，面有钝光。釉薄处现黄色或微红色，厚处也有现透明黄绿色的。釉面有细碎开片纹，纹路往往作并行方向，裂纹中有的现灰白色，有冷脆感觉。

青瓷花式大碗1件。碗身稍高侈口，口边刻作五花式，外腹部与花瓣相适应处各压一纵沟，使全碗造型具现一花朵形。胎质、釉色、纹片、做法与盖壶同。圈足较高而直，旋削痕极为整齐。二器均长沙唐墓出土。

这种瓷器出土于长沙唐墓的数量极多，此次展出的约20余件，器形有注壶、唾壶（渣斗）、带托茶盏、印花盒、划花小罐、各种花式盘、碗、光素瓶罐。胎釉作风虽有精粗的不同，但大体都是一个窑系的产品。它在湖南省内发现的独多；与唐陆羽所记岳州瓷色相合；湘阴古窑址出土瓷片多与此相近，定为岳州窑产品，似无可疑。

（五）唐画花瓷器

资料一种

画花双耳青瓷罐1件。大腹小足，短颈，口稍侈，肩部有横立耳二，器形雄浑端重。胎较厚，呈黄白色，土质纯细坚硬，瓷化程度较高。成型规矩圆正，旋工细致，里外挂乳白青釉，浊不透亮，釉调与钧窑天青月白各色为近。釉层较厚，光泽钝弱，无开片纹。挂釉不到底，足底漫平。釉面上粗笔画褐绿色叶纹，叶柄相连。构图自然，笔姿雄健，口边及口内也画有点片花纹。花纹釉面上多有浊白蓝色的窑变现象。出土于河南省舞阳县板桥水库工地。

（六）唐广州地方一种精致的青瓷器

资料两种

青瓷横梁盖罐1件。器身做心脏形，小足平底，上有漫平顶天压地器盖。盖中连一仿木式板状横梁，两端有横孔，夹置于肩部直立有孔的双板状短耳中；若一端孔中贯一横轴，器盖即可自由关闭，两端同时贯入横轴，则瓷罐密闭不开。肩部两侧别有水平式圆孔短耳，可以系绳。造型精巧端丽，别具风格。高约17厘米。胎质细硬，瓷化较高，作黄白色。胎面有显著旋削线纹，平底别无装饰。釉色淡青而微闪黄红，部分褐色斑条纹上，杂有流垂的灰蓝色如窑变状。釉层清澈，光泽极强。有细碎开片，有的纹路中现淡红色。出土于广东省番禺县石马村唐代砖墓，同墓出的同样瓷罐及灰绿釉、黑绿釉各种有耳罐约八九十件。

青瓷四耳盖罐2件。器形、胎釉、作风、火候与前器同，当是一窑产品。唯盖上仅有一便于握持开闭的圆钮。肩上都有四耳，一作水平式，一作垂直式。直耳的高约22厘米，横耳的高约18厘米。出土地与前器同。

这三件瓷器制作工致，胎釉精美，别具风格，较之宋瓷，毫无逊色，是过去没见过的新标本。现在我们虽还不知道它是何处窑厂的产品，也不了解它发生发展的历史情况，但它充分地告诉了我们，中国瓷器的发展，在唐代已不仅是文献上所记的几处窑厂，而是普遍发展到所有的地方了。它的质量很高，技术很熟，绝不是一种时间短暂小规模试烧的窑厂所能有，它将是研究唐代陶瓷的一种新对象。

随着中国大规模经济建设的发展，地下文物宝藏也将日益大量出现，对中国陶瓷方面的发现与研究的作用，将是无法估计的。今后的问题只是如何整理研究，提出问题，讨论解决，使祖先几千年前辛勤劳动创造发明的真实情况再现出来。

关于辽瓷编写的一些意见

关于辽瓷编写上的一些肤浅意见，供你参考。

开首似应说明解放以来由于党和政府对历史文物的重视，考古工作的发展，积累了大批年代明确的辽瓷，这给研究辽瓷奠定了科学基础。（看契丹人生活习俗，其风格）

1. 说明辽代陶瓷的发生发展，首先它保存了传统的皮革和木材，木叶烧样瓷器，进而使用陶器，和陶器和瓷器，这种情进还投在器皿上保存了一些痕迹，如渊源于皮袋的鸡冠壶，可能与木盘有关的方形碟，与金属器有关的海棠长盘，与桦皮或木镟器有关的筒式瓶等，都反映了一些契丹族早期生活面影。陶瓷器在契丹人生活中占有逐步重要位置，特别是在统治阶级的贵族中，由于民族生活方式的异连，产生了契丹人独自适用的陶瓷器。因而从这些种陶瓷器的种、组可窥出土群中，反过来又可借以了解契丹人的物质文化生活面貌。（兔脑盂、羊角盂等！）

2. 说明辽代陶瓷的发展以及与中原先进陶瓷文化的关系，一方面闸术契丹陶瓷的诚谦特色，同时也说明不时某共进瓷对辽陶瓷发展的影响，总结起来这件陶瓷文化是（也许不能略去西域的影响，如凤头瓶口等）祖伟大光辉的陶瓷史中别具特色的一支浪（流）派。（辽瓷器此世器物）

3. 中原各窑产品大批输入辽来（特别是长江流域的景德镇）越窑瓷等，反映了契丹与中原各国，后来主要是宋辽两国的经济交往关系。当然除交易外也括包契丹人南下掳掠和在和平时期辽宋礼赠往内。

4. 著录的器皿口瓷以我馆藏品为限，思量都是种较以来的新出土品，次是过去的考古品，每次是一些传旧品。但有代表性的器皿尚另行酌酌。

5. 著录的器皿，似可以辽土烧造的粗陶和瓷器为限，素陶可收，石不收，收，也只可一二件，中原各窑瓷可割爱不录。

6. 说明文字可分二部分：总的说明文字一篇，提要的但比较全面的介绍辽代陶瓷器的特点；器皿说明，每件一段，概括的介绍本品在图版上不能表明的各点，如大小、特造、出土地点、共同出土物，与其他器物的组成关系及功能等。可长可短，不必太死板一律。

7. 辽代陶瓷器研究的意义，可否少加介绍：了解契丹族物质文化生活特点；了解中原先进文化对契丹社会发展的影响；对辽代历史研究和辽代田野考古工作也有一定裨益。

8. 时代断限和地域概念的说明。

9. 资料采录范围的规定。

　　　资料来源介绍

1. 这以解放以来新发现的墓葬为主，过去的发现为补，或只限棺葬器皿的墓葬，书中没采有器皿的墓葬就不提。太历九年驸马墓、重熙七年晋国夫人萧氏墓、清宁微妃墓、寿昌三年王蜀妻墓、齿年法库营子、碎碾科、新民巴图营墓、凌源山咀子墓都重要。过去发现的墓葬材料，以大安六年郑恪墓三彩器最先出土，挺重要。其次是太康元年萧德温墓，但无完器，其中有红定片和耀州瓷器片、兰花圈叙片。

2. 几座陶瓷窑址都是过去调查的。江官屯在解放后曾去看过一次，仅是地表调查和采集，采集品在考古资料中。新发现是该窑烧造瓷器不用匣钵，使用障火墙。同时采得"石城县云云"款陶砚残片和宋钱，是断代有用资料。完整品在陶瓷中有大盆等。赤峰缸瓦窑可能与辽官窑馆有关，在松山州西南十七八里（松山州址今名城子村）。

见《大元大一统志》（《热河志》引文）上都路古迹条："宫窑馆、松山州等处有瓷窑"又"松州西二十里有瓷窑，西北有磁瓷窑"。可见乾瓦窑到元仍存。又元一统志著录的瓷窑有："利州有细瓷窑一所，在州西南豪业务多；有麁瓷窑一所，在州东南感化庄。兴中州有白瓷窑一所，在州北二十里，笠子褐"。可作参考。这些瓷窑虽见元志，但都有可能是辽金已有的。其次是上京窑，已见拙文。发掘时都未出土官款器，但不能执此认定非官窑，我的估计非官窑仅就原有材料而论，如有瓷质作风相同而有官字款器也不可死不承认。如上述松州即北松山州西二十里的瓷窑，即乾瓦窑，确有辽官窑的可能，盖有宋人纤程录和元一统的记载，但发掘时也未出土官字款窑片。揣测其原因，当时辽统治阶级改府造窑，可能是一批一批的烧造，平时则烧造一般民用器。官字款器装置既少，又不经长烧造，碎片不多，是理所当然的。所以我觉得乾瓦窑大有可能是官窑，但这也不排斥上京窑也烧官器。又中京也出有官字款白瓷器，这不能认为是辽器，可能在五代和北宋初期中京也有官字款的烧瓷风气。最后论断尚误是将官字款器作综合比较之后才能得生，现在仅之是些揣测而已。乾瓦窑瓷片和成品我们都有所蒐录。

3. 在窑业技术上乾瓦窑、上京窑、江官屯窑都是长圆形窑。前二处用匣钵、支足烧造，江官屯却不用匣钵，只用降火垛支座烧造，这是一大特点。上京窑不烧三彩种器而烧瓷瓦。乾瓦窑既烧瓷；也烧釉陶、又有琉璃圆器。江官屯烧瓷为主，即偶尔烧过琉璃烧瓦，出述琉璃瓦盏。这是三窑不同之处。瓷器以上京最精，乾瓦窑次之，江官屯最粗。

辽陶瓷分类问题

一、窑别分类

1. 陶器类：日用容器居多；

2. 釉陶器类：容器、杂器、明器；

3. 瓷器类：容器、杂器；

4. 疏动器类：多建筑材料；

5. 砖瓦类：建筑塔瓦吻兽等。

二、功用分类

1. 日用器皿：盂盘盘碟瓶盆盏瓮壶罐炉盒等；（又可细分为普通式和契丹式两群）

2. 其他杂器：陶砚、棋子、陶乐器、玩具（小人、小马等）佛像、明器（如小五供、小床等）印陶范模、烧窑工具等。

3. 建筑材料：塔瓦、鸱尾、鸳鸟兽首、瓦脊人兽、瓦当等；有陶质、釉陶、瓷质、砖瓦等各种材料。

辽陶瓷装饰

一、坯胎装饰

1. 拉坯装饰：如弦纹、旋线、竹节、瓦沟、凸棱、折唇等花纹。

2. 搅胎 " " ：用白置或白呈紫瓷土揉搅作胎，形出褶曲花纹，外挂无色透明釉，纹如行云流水极自然。农安已塔曾出香盒一枚，辽遗址中也出过碎片（俗名野鸡翅）

3. 印胎装饰：范印器全形或一面或部分，有时印成部分然后粘结成器。别有用整式印花器捺印散点花纹。三彩釉和单色釉陶用多此法。白瓷用者较少。

4. 塑贴装饰：塑出或印出立体和半立体部分花纹，粘贴器上，如小人、云龙、花朵、器盖头、皮钉、皮条、堆绦等。这种装饰手法在辽瓷中较为发达。

5. 彫刻装饰：彫花、划花、透彫。彫花线有粗细、刀姿候斜，划花大致分为二种：一在器作阴细线素描花纹，多在器物肩部，有时在盂盘外面。

另一在器作浅粗线阴花纹，多用于三色釉陶器，好划花小碟多用此法，然后挖花填彩釉。

二 釉色装饰（透明无色釉石釉陶本色，粉浆也是装饰）

1、单色釉装饰：多石黄、绿等釉陶单色器，偶有白釉上少加绿彩的。有的一器里、外用两色釉，或在露胎近足部另挂一色，但都较少见。

2、多色釉装饰：有两种手法：一种在素胎器上，加挂三色或两色釉斑片花纹，辽陶中较少见，是浇陶手法；另一种在印胎上挖膛印出花纹的姿势部位加挂色釉；最后一种专用于一种划花器上，用色釉精填于划好的花纹中，不得淋漓越纮，花色整齐严净。（这类器皿没有明确出土例，不明晓）

3、画花装饰：多用黑色或灰色在白瓷器上描画花纹，用色较少，有时只画黑口、黑圈或梅花、草叶、画文等简单花纹。乾瓦窑、江宾屯一窑都有这种作法

4、彫彩填釉等装饰：此种彫镂留花或填空留花作法，发现的较少。作法大致与宋窑同。在辽代墓葬和窑址中还没发现过这类作品，如果确是辽瓷，也当在最晚期出现。

以上粗略分析不够详尽，每项后头最好举出图版器以例，内容就更觉具体充实了。

装饰部位·手法与画材

1、瓷瓷的装饰部位：（文字和底下花押不作装饰）

①整体装饰：一件瓷品所有的造型·画饰·加彩都为一个总形相为服务。如鸡形壶的造型画饰·头尾·羽翅的画面；凤头壶的凤头·长颈·环纹·宽肩·瘦足·凤尾宽展的底足，有时足部镟削成有节的环纹很有凤鸟的感觉。龟形偏壶，荷叶盘中盛鲤鱼一尾，附加花饰，三彩美丽，形象逼真。印花复瓣莲三彩釉碟，全器内印为一朵莲花，有莲蓬·莲瓣·花须等嫩很真形。落花游鱼三彩印花的凉盘，实际也属此画类，总的表现为：一长盘中满注清水，波纹荡漾，游鱼三五尾在荷花丛采或一枝，用勾出画的手法，大有名人鱼藻真迹的神味。此外有瓶式瓶，莲式印花大盘，也都是此种装饰，在瓷中是很发达的。另外整体看应是一项的必要，因它整体整体特点。

②部分装饰：在拉坯或印胎器的一定部位加以装饰。瓶罐等立体器皿在肩部，用带状模样装饰，但用西端反复式花纹的较少，用孤立的几朵花纹和成枝花纹的较多，上下多加圈栏。有的把带纹区分为几个开光，中加花纹，但装置较少，时代也属晚期。鸡冠壶多在扁平大面加饰花纹。盘盆碟绝大多数在内部加饰，丰富细致的花纹多分三段组成：器心作成圆形花纹，用转轮菊花的较为普遍，或单层·或双层。有极别致的画为木极图式的复线圆珠形。次多为卷草或缠枝花，展什层多作缠枝花。也有的次层用成朵的散点花纹三朵，什层在三朵花间加以蝴蝶。另一种刻花装饰，多在碟心碟壁仅加釉色。花纹多用自由画，由一边观看，如菊花·卷纹·云鹤

等。用图案模样的很少。小人物也属一部分的装饰。

（3）散点装饰：用印模的多为圈纹、点纹、分散的加在器皿果部。色釉多在白陶瓦器造型的部位（如罩、法口、基部、穿环、堆纹、敛圈等处）少加绿彩釉，造成两色釉性质的装饰。白瓷多用黑釉打底口、墨圈、梅花朵、兰花、竹叶、草花、复线等。总之，多作简略装饰，而全面丰富的大作品很少见。前一种的实例有穿带壶，皮条装饰鸡冠壶、三彩釉鸡冠壶等是；后一种更多，小瓶、小钵多有之，乾氏窑出品最为典型。

2、瓷的装饰手法

①自由画手法：印花、划花和色绘都有这种作法。其特点是所有花纹不取模样化，纯用自然写生画的描画法，画出成幅的瓷画。有时采左右对称式，有时则采取平衡式而不用对称法。如牡丹蛱蝶（海棠长盘）花底游鱼、成株牡丹（鸡冠壶）、白云仙鹤、秋菊、秋草伏兔（石枕）白瓷黑花瓶（五棵松出土）、类此的作品很多，是辽代画瓷的突出杰作，在构图和设色上都有独创精神。

②图案画手法：在印、划、刷画的各种装饰中也都有这种画法。主要是物象自然，经过艺术加工适用于受面装饰用的种种画面、大片的小块的、长条的图案画。一枝花可以连续生长不断；一朵花也可反复再现。如卷草、缠枝花、流云、水波浪、花蝶等都是。其中有一小部分为纯几何花纹，如三彩釉小床、三彩釉温盘等是，但在辽陶瓷中是较少的。白瓷中加缀朵、点文也属此类。

一器采用两种手法的也很多，如垂边卷草、中分牡丹；或全体波浪文地，上加三朵图案莲花等，都是。

3、 [?] 陶瓷装饰画材

① 自然景象：波浪、云文最多●用格地文，有硬纹软纹两种。上加克饰主文。用流云作主文的较少。云朵有时配画格自由式装饰中为云鹤碟。

② 花草：牡丹花最多，莲花也是爱用的。梅花、茶花、菊花、兰花、竹叶、草叶、萱花、菇草、荇草、葡萄、卷草、百合等；

③ 动物：人像、龙、凤、鱼、鹤、兔、蝶、鸡等；

④ 其他：皮彩、皮缸、流苏、绳结、连珠、羽文等。

中西名瓷器输入辽土问题

1. 越器，当由吴越钱镠使节礼赠而来，辽史所记不少有
关参考材料：

　　①阿保机（太祖）九年十月吴越王钱镠遣滕彦休来贡.

　　　　神册　元年六月　　〃

　　　　神册　二年二月　吴遣使来贡.

　　　　神册　五年三月吴越王遣滕彦休贡犀角玛瑙

　　　　天赞　二年四月吴越王遣使来贡.

　　②德光（太宗）天显七年二月吴越王遣使献宝器，复遣使持
　　　币缯报之。

　　　　会同三年七月·九月　吴越来贡

　　　　会同四年十月　　〃　　〃

　　　　会同六年三月　　〃　　〃

　　契丹早期与吴越往来次数不少，越器的输入辽土大体当
在此时。赵宋逆国后越瓷犹仍烧造，也有北输放可能，但以
应历九年驸马墓在宋有国前，肯定所出越瓷是钱镠所
赠，再由辽主转赐给他的臣下（辽史多有某国贡品分赐臣下的
记载）才作了随葬品的。

2. 邢窑和定窑器：一方面于由梁晋等国礼赠，有时辽
国兵力又达到邢窑的内丘（唐李肇国史补所谓内丘白瓷）和
曲阳定窑所在的、（当时曲阳很可能已有窑坊），辽白瓷窑
在烧造技术上非常近似定窑，这很可能是掳辽邢窑定工
人，技术才北来的。宋辽和好以后，定器由礼赠和贸易
的辽自然更多了。种类除白器外有黑定·红定，不过它二种极少。

　　①阿保机天赞2年（923）润四月竟冒抵镇州·拔曲阳。

②耶律兀欲（世宗）天禄二年（948）十月自将南伐，攻下安平、内丘、束鹿。

3、汝州窑和耀州窑：先期的当由梁晋礼赠，宋后当由宋使赠送，或由榷场交易而得。因陕西耀州同官和河南汝州（今临汝）均在梁唐晋周四国境内，梁晋与契丹交多往来，输入机会较多。贡使往来记不胜记。宋辽和好后输入量当更多。耀器出土于萧德温（萧孝穆孙，陈王萧知足子）墓（大康元年·宋熙宁八·1075年）。辽遗址古城中出土过器片。过去多不知烧造窑场所在，因多发现于华北山陕一带，故概称作"北方青瓷"。

4、景德镇瓷：为输入辽土最多的中原瓷器，早期产品可能由吴，即后来的南唐输入，后由北宋输入。辽上京、祖州、庆州和永庆陵，都有多数瓷片出土；墓葬中发现的更多。

5、不详烧造窑场的几种中原瓷器：在辽代遗址墓葬中出土的青瓷数种，迄今不知烧造地点，如清河门西四墓划花大盘和另一种划花青瓷片，估计是中原产品，不是辽土瓷器。这种相类似的瓷器片也有出于遗址的。这只好等将来出有明确材料再行鉴定了。

编者附记：此"意见"计10页，写于红栏信纸上。因其中有"解放以来""江官屯"字样，故写作时间或在1955年之后。首句中"供你参考"之"你"，或为朱子方先生。

林东辽上京临潢府故城内瓷窑址

一、序说

东北三省和内蒙古自治区发现的古代陶瓷窑址较中原地区少得多，制造技术和窑业规模也差得很远。但它是中国古代陶瓷窑业在东北边疆上的发展，它们的面貌不但有好多地方和它的母体（中原陶瓷业）不同，表现了某些地方特点，而且有的还浓重地具备着一种民族特色。因而发掘研究这种窑址，对丰富祖国陶瓷发展史的内容上来说，是有一定重要意义的。

东北各省已发现的古陶瓷：汉有绿釉器，魏有黄釉器，高句丽有黄釉、褐釉器，这都是低温釉陶性质。渤海的黄绿琉璃砖瓦和三色釉器（所谓渤海三彩），在生产制造上可说是接受了唐代先进窑业技术的文明的结果。这几种窑器不但不具有突出的地方性和民族造型特点，而且发现的资料很少，又都不知窑场所在，目前也就很难进行比较全面而有系统的研究。

到了辽国时期，情况就大大不同了。契丹人初起于西拉木伦和老哈两河一带，统一八部，并灭两奚，接着北略室韦，东平渤海，在南方从石敬瑭手中取得了中原的燕云十六州，占有了一片很大的领土。他们又利用中原避难的流民和异族俘虏进行生产，这样就大大地加速了契丹文化的发展。像社会经济生活上由游猎畜牧进而兼营农业和手工业；统治手段上采用了南北面官分治番汉的两重机构；由氏族公有制社会很快地经历了奴隶制阶段，而接受了中国封建社会文化，这都是很明显的事实。与此相适应，在生活日用器皿的制造使用上，也就由木器、革器、金属器、陶器的低级阶段，很快地进入了釉陶器和瓷器时期。他们在烧瓷技术上虽然学习中原，或直接由中原工匠制造，但在造型和装饰以及使用上，基于生活方式要求的不同，却表现了不少契丹民族陶瓷风格的特色。所以辽国陶瓷的研究，不仅是中国陶瓷发展史阐释上不可缺少的一部分，而且对整个契丹文化发生、发展的了解上也有一定作用。

辽瓷研究工作是近二十年来的新事业，因为研究资料缺少和文献不足，要进行这一工作只好由考古学上建立基础（一切古代陶瓷业的研究基础都应如此），而瓷窑址的发掘调查就成了主要手段。东北三省和内蒙古自治区迄今所知的辽代古瓷窑址有五处：烧造时间较长的首推辽阳县江（音刚，该地读音）官屯窑，赤峰县缸瓦窑屯窑则规模较大，本文介绍的辽上京窑及其附近的两个窑址也是比较重要的。

这个辽上京瓷窑址是1940年8月在林东勘察辽上京临潢府城址时发现的。1943年作过一次勘察和试掘，确定了窑址的性质和规模；并由地表采集了窑具和瓷片，对附近作了更广阔的深入了解，这些工作给后来的发掘提供了很多便利条件。正式发掘工作是在1944年5月进行的，前后历时16天。现把我手中保存的发掘材料略加整理，以介绍辽国瓷窑的大概情况；不过我个人对这方面很是外行，又没有经验，观点方法很难对头，希望得到指正。

二、窑址

　　窑址位置在内蒙古自治区昭乌达盟巴林左旗林东镇南三里，辽上京临潢府故城的皇城内。临潢府城在乌尔吉沐伦河西岸的肥沃平原上，原分汉城和皇城两部分；皇城在北面规模较大，略呈方形，中有大内宫阙遗址；汉城与它南壁相接作横方形，规模较小。皇城西壁中段跨于一小漫岗上。上有规模宏大的寺院址一处，寺址山门前适当漫岗东趋平地的缓缓斜坡上，就是窑址的分布地点（图一）。

　　窑址分制造现场和烧成窑室两部分，规模不大，全部用地面积南北约80米、东西约50米。南部圆形漫岗上是窑室所在，地面保存着大大小小如馒头形的土堆六七个，残碎瓷器片、窑具片散乱遍地。北部地势稍平，有由西向东伸展的平岗两道，岗上都微现建筑物遗址痕迹，但无码瓦石块，估计当时工作场的建筑物似极简陋。南岗上瓷器片、窑具片、陶器片的散布很密，面积也较广；北岗上瓷片较少，原料石块、白色石英砂、普通小石块和铁渣块等散布较密。由此可知，南岗上当是制坯场，北岗上当是制料场的遗址。这不过仅由地面情形和遗物所明白显示出的现象而已，地下都无任何遗存，也不需要开掘（图二）。

　　探沟选择在窑室集中的地点挖掘，因为那些馒头形的土丘，仅由地面上种种现象估计，还没有理由能决定哪个确是窑室，哪几个不是，所以必须采取探沟的做法。先在各小丘中央作东西方向的探沟甲：长27米、宽1.4米、深1.2~1.5米。东端约长10米的一段，上半部是夹有瓷器片、窑具片的土灰层。在此层深约30厘米处发现"元丰通宝"铜钱一枚，当是烧窑时堆弃窑渣废物一同遗入的。下部全是未经搅动的原生黄土层，没有窑室痕迹。西端长约17米的一段。上部夹杂物与东端略同，下部中央出现一个大灰土坑的断面层，直径约6米，越深越小，下为平底。为了彻底了解灰土坑全部情况，就在它中心部分作了与大沟成十字形的探沟乙。长约7米，宽、深与大沟相等。及

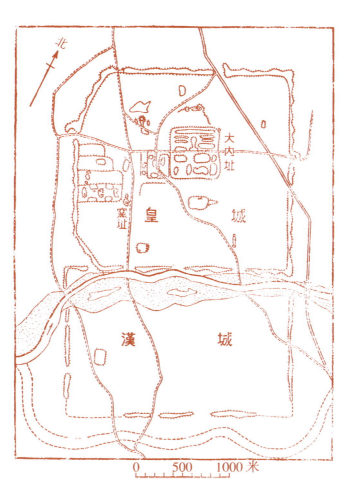

图一　辽上京临潢府潢故城内瓷窑址图

1、2、3.窑址　　甲、乙、丙.探沟
A.制坯场址　　B.制料场址

图二　辽上京窑址略图

掘出后，知是一个直径5.8米、深3.4米的圆形灰土坑。土灰中夹杂有瓷片、窑具、黑釉瓦片、陶器片等。这些东西的分布是：上部较多，下部较少，及到坑底几乎全是灰层，绝少遗物。由出土物及圆坑形象看来，知是一个把耐火砖取走了的废窑坑，后来又填满了灰土和窑渣（图版壹：1）。

又在甲沟东段中央部挖掘了长约6米的探沟丙，也与甲沟成南长北短的十字形。沟南段发现一小窑址，耐火砖虽被取走，但仍存有零星碎块，有的变成一小堆一小堆的大粒砖末。土灰中夹杂物情形与大窑坑约略相同，但上部瓷片较多。圆坑直径3米强，深入地下2.60米；周壁直立，底略平坦。窑坑西边上部延伸出一小方形坑，当是窑门的遗迹。甲沟西墙北方约5米处有一较高土堆，发掘之后现出一个直径2米、深不到1米的小窑室残坑，内部充满灰土，仅出少数瓷片，中有绿瓷一种，是产量极少的出品。这些窑室当时是半在地下的（图版壹：2）。

此外，根据地形和遗物分布情形，单做了几处掘坑，证明有的是当时堆积的窑渣和灰土；有的似乎是窑室残存的一小部分；也有的是自然土堆，都没有找到窑室的明确迹象。这样，把认为必要发掘的地点做完了，对窑址的情形也大致知道了一个轮廓。

三、窑艺

现在根据出土遗物和窑室遗址情形，把有关此窑的各种设备和技术情况略加介绍。

在这个遗址中虽仅掘出三个大小不同的废窑坑，原建筑物各部分已不存在，但它是一面有出入口的圆形窑室，与今日河南彭城镇、山东博山两窑场的窑室相同，是北方常见的圆室窑；与华南的长洞窑和江西景德镇介乎长圆之间的窑室完全不同。和当时热河赤峰缸瓦窑屯辽瓷窑、辽宁抚顺大官屯金瓷窑相同，与近年在鞍山和辽阳两市发现的辽代瓦窑窑室的构造也一样，这可能是当时通行的一个窑室结构。

原料仅存有黄白色矿石一种，虽没经过科学分析，但凭肉眼观察，知是一种质不太纯的长石类。外表很像石灰石，但硬度很小，质细滑而岩层多呈厚板状，是制造器胎的主要原料（图版捌：2）。据调查所得，这种石料在巴林左旗白塔子村（辽庆州址）附近、满其克（独石山，在辽祖州前）附近及此窑西方五里的白音戈勒村后岭都有岩层露出，而后一处又存有古代采石坑，或者就是由那里开采来的。

燃料方面，由于窑址中植物灰的大量存在；由于没发现煤和煤焦渣；由于以林东为中心的二三百里以内至今没有发现过煤层，可知此窑是用草木而不是用煤作燃料的。

火性方面，虽没经过覆烧试验，但瓷釉系一般铁盐质的无色透明釉料，正常的发色多纯白，偶然有（烧坏的尤多）作淡青或闪青色的，釉厚处更为明显，可知是用氧化焰烧法，由于木柴火焰长或通风不多，一时或某些部分的火性就起了还原作用，这就使瓷色不纯白而偶有现出青色的原因。

窑具出土的有：装烧瓷器的匣钵两种、垫烧瓷器的支足、渣饼、垫环三种。均作正黄或红黄色，发金属光泽，系用耐火黏土制造，胎中混有多量石英粗粒。辘轳、技工都很规整，硬度很高。

第一种匣钵作平底圆筒形，圆径30~40厘米，高28~32厘米、厚4~6厘米。底部较厚，绕底外缘有深约2厘米的指窝多个，似备装窑搬运时着指以免滑手的。钵中可累装制作好的瓷坯多件，器中各垫支足、渣饼，以免烧成后两器釉面粘连，其盛装量应视瓷品高低形状大小而不同。满窑时可将装好的瓷坯的匣钵，一个压一个地高叠起来，二钵之间放一泥条，以便烧成出窑时易于分开（图三：1；图版捌：1）。

第二种匣钵作釜底圆筒形，圆径约22~23厘米、筒部高约10~14厘米、底部高约8~10厘米、筒部厚2.5~3.5厘米，底部稍薄。每钵可容二三器，渣饼、泥条的用法和第一式同（图三：2）。

各种支足的渣饼，使用的耐火土较匣钵稍细，色彩也较黄白，都是手制品，但规格也很整齐。

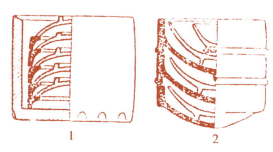

图三　匣钵使用方法推测复原图

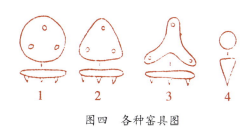

图四　各种窑具图

第一种支足作圆锥式,平面直径由2~3厘米、锥尖至平面高2~3厘米不等。同时每器三个以大平面附着器底圈足下,以尖端接于下一器中,所以盘碗内底上往往留有三个微小的钉痕(图四;图版柒:2)。

第二种支足作渣饼式,有正圆形、正三角形、边线内凹三角形三种。每角一面都有如鸡距形的一小支钉。这种渣饼放置于将烧的侈口器物内,其上可任意叠置圈足大小不同的瓷坯,较圆锥式支足便利得多。大的直径约8厘米、小的约4厘米、厚不到1厘米,支足高也在1厘米以内。出土量约较圆锥式多五倍以上(图四;图版柒:2)。

垫环是覆烧器物时支垫口边的窑具,一切口边无釉的覆烧瓷器都是用它装烧的,在工料的成本上说是一种进步的方法,北宋定窑是这种装烧法的代表者。环体正圆,断面作磬折形。环径约小于第一式匣钵4厘米上下,宽2厘米余,厚1.5厘米。体甚薄小,是用于圆筒式匣钵内的,其作用与各式渣饼同(图三:1)。

此外出土了一些大小样式不同的耐火土球、泥环、泥条,原则上说也是烧成窑具,但都不是主要的,又都很简单,并且由瓷器上和它本身上都得不出具体了解,所以就不加说明了。除了这些烧成工具以外,没发现在什么制造瓷坯和原料用的工具。

成型上有两种基本方法:一用辘轳拉坯,皆为圆器。辘轳右旋,痕迹极为显著。旋工也极为熟练工整;二用模型印坯,皆非圆器或器物的部分品。如海棠长盘、壶把、棋子等。印出的器物极为规距均匀,棱线圆正,平面也都清楚光滑。印范当是瓷胎精雕的,而印出的技工手法也很为熟练。接胎、粘把也都牢固自然,如水瓶颈、壶把等,没有易于脱落断裂的毛病。圈足不高,而厚薄适中,挖底与足外壁同高而近平。瓷瓦一种,制法与普通瓦相同。筒瓦内模外敷细布,上端有接榫瓦尾。按弧度看是刀划圆筒内面,一筒分为筒瓦两片,外面局部也有刀修痕迹,制造得整齐美观。

瓷器胎土很细,表面、破面都不见颗粒痕迹,色纯白,少有作闪灰白色的。虽不透明,但瓷化程度较高,毫无吸水性。质极温润滑腻,碳裂纹路多不正直，或做锯齿状，裂面有光泽，而不做白砂糖样麻面。釉层与胎质不易分别，硬度较高而不脆弱。唯瓷土搅揉不匀，火法操纵不甚得宜，常有暴釉纹起的现象。大器厚胎中往往含有少量杂质，所以现有杂色微点或灰白色，但这都是从较少数的碳片中看出的现象。完整瓷器必当减少这些毛病。若与北宋白瓷胎质比较，仅次于河北曲阳县涧瓷村定窑上品，比巨鹿出土的白釉器好得多。

　　釉料属高温度的有黑、白两种，较低温度的有绿釉一种。白釉为含铁质釉料之一种，因胎质细白，故胎外不挂白粉衣而釉色纯白，此种优良瓷质不但为辽瓷所仅见，即在北宋白瓷系中也是较少的（图版贰、肆）。釉层薄而堆脂现象，光泽强而温润，少寒冷脆硬感觉。挂釉多到足底边，间有底足满釉的覆烧品。黑釉较白釉质料稍粗，釉层稍后而有不匀现象，器口缘及棱角凸起部分釉薄而色淡。釉色黑而闪暗绿，偶有小开片纹。挂釉亦多近足底边，下部釉厚而现蜡泪成堆脂状。釉调沉厚温润，光泽较强，无冷硬感与白瓷同。此种釉色与宋代一般黑色釉不同，与建窑黑色釉更不相类。即与当时辽阳江官屯和金代抚顺大官屯两窑出品也无相同之点（图版叁、陆）。黑釉瓦的釉调特征与黑瓷器同，不过瓦较平，釉色较匀而黑（图版捌：3）。绿釉一色，稍混浊不透明，作正绿色，光泽不甚强，釉层不薄不厚，亦无裂纹。胎较白黑两种瓷器稍粗松，但较一般辽的釉陶器精纯相多，硬度也较高。究是先烧素胎后烧釉的两火器，抑或一火烧成，因遗片较少，很难确定；但它属于一种中等温度釉质是无疑的。这在宋辽瓷品中是比较少见的。

　　瓷器的装饰部分极少，似以素瓷为主流。印胎器有海棠长盘及一种方器残片，都只有高起边棱而无任何花纹。圆器装饰法有三种：第一种划刻圈线纹最为普通，刻线较深而锐，往往用双线或三线，多用在瓶、壶肩部或上腹部。长颈瓶颈部多横划浅线十余道，瓶、壶把手表面也有划线三道（图版肆：12、14、15、17、20）。突起的堆线纹亦多在器物肩部，断面呈三角形。这一种也是辽国特殊瓷器鸡冠壶上所常见的。第二种在盂、洗类口唇外边，先作横出鳍状宽边，然后以较密的距离向下压与胎连，造成蜂窠孔形的一道花带（图版肆：13、18、19）。这种装饰器在河北钜鹿出土宋瓷中是常见的，在数量比重上说仅不过占全器的十分之一二而已。这两种装饰都是在成坯后挂釉前做成的。第三种刻线龙纹（图版伍：2），亦在大瓶的上部，划为火焰五爪行龙纹，其形式与一般辽代石刻中的龙形略同，鳞鬣森然，极为有力。不过是雕于挂釉以后，器已较硬，所以刻线生硬，并有时刻线超出上下双线栏以外，可见技工颇不熟练。所发现的九片虽不能拼合，但似属一器，别无此种器物。这种做法在北宋雕釉装饰法中是有过的，而挂釉后作素描式的刻线纹，实不多见。此外造型上的装饰法，仅有碗、碟口部作缺刻的花边而已。

　　器底刻有记号印，是本窑瓷品的一个特点。此种实例在辽墓出土的鸡冠壶中曾发现过三器，并且似乎出于一窑。最近内蒙古自治区赤峰发现辽应历九年驸马卫国王墓和辽宁建平砾硌科辽墓出土瓷器中有几件刻"官"字的，建平张家营子辽墓出土一件"新官"二字款白瓷。此外以个人所见过辽瓷、辽窑和辽都市址出土瓷片中，都很少发现。本窑黑白瓷器底划有印纹的仅占十分之一。印纹均刻划于圈足部，形状简单而不统一，但很明显地可以看出是很细心的刻纹。形式有 Ⅰ、Ⅱ、卅、∧、∧、π、开、〇等八种（图版伍：1），纹路有深峻阴刻线和圆底阴刻线两种，这是雕具不同所产生的结果。这种刻纹窑印的用意，我们认为有两个可能的推测：一是生坯定货的记号。就是有钱的人在窑场先出现金廉价定得生坯，等烧出后取货，这与旧社会农村中高利贷者用以剥削人的"买青苗""包果树"是相同的，故未烧前必先刻画上记号以资识别；二是合伙搭窑烧造的记号。财力小的造瓷作坊或手工业者，自己不一定都能设窑，做好生坯，只好出租金，托大窑户代烧或几家合伙搭窑烧成，因此就必须各自有各自的记号。据文献记载这种窑业经济上的事例，曾很流行于古代的大窑场。如果这种推测近于事实，那么这种刻纹倒是应该注意的。除了这两种推测以外，由于刻号瓷器数量少，又不是几种统一的印纹，所以就不能认为是窑家或窑工私款如"河滨遗范""玉堂佳器""壶公吴为制""葛明祥造"一样。

四、窑器

根据出土瓷片来说明此窑出品的种类和器式：从釉色上说，有白瓷、黑釉、绿釉三种。白瓷出土量较多，胎釉质量很精，制作也较精致。有装饰的器物也都是白瓷。黑瓷较白瓷稍少，胎质较粗，但也不很松厚。釉层厚而色不匀，制作也粗杂些。但其中又有一部分胎质器形和白瓷完全相同的；所以概括说两种只是釉不同，其他方面基本上是很难分别的。绿釉瓷片出土极少，只能知道此窑也烧造绿器而已。黑釉瓦出土也只两大片，但由胎釉作风上都十足地表明是本窑出品。若从瓷器功用上说，三种多是日常饮食使用的小型器物，未见50厘米以上的大器。白瓷有杯、碗、盆、碟、盂、盒、瓶、壶、坛、罐各种。黑瓷种属较少，仅有瓶、罐、盂、瓦数种。绿釉仅见瓶、罐二式而已。

器形上表现了两群不同的形态：一是普通形式，即中原固有形式；二是特殊形式，即契丹独有形式。这两种类型的瓷器和一般辽国遗址和墓葬出土的瓷器有共同性，不是此窑独有的。

属于普通形式的器物有碗、盘、瓶、罐、盂、盒等，代表形式如次（图五）：

1.盘　尺寸大小不等，最大口径不过25厘米。口无外卷唇，作刀刻葵花式。盘壁外张度较大而微鼓，底较小而有微向外张的圈足。足壁较厚，旋底深度多与外壁相等，偶有较浅的。平底满挂白釉的极少见。

2.碗　形式大小很复杂，最大的口径不超过22厘米。口唇有两式：较小的多薄唇向外微曲，较大的多作外面半圆或椭圆突起的厚唇口。器壁外张度不很大，上部较直，下部较鼓。前一式底较小，圈足作风与盘同；后一式圈足矮而壁很厚，足内挖底旋痕也较浅。以上两种皆白瓷器（图五：15）。

3.盆　尺寸相差不很多，最大口径不超过30厘米，形式也大同小异，口唇有三式：一式作外卷圆形突起的厚口唇，最为多见；二式作口上外张平板

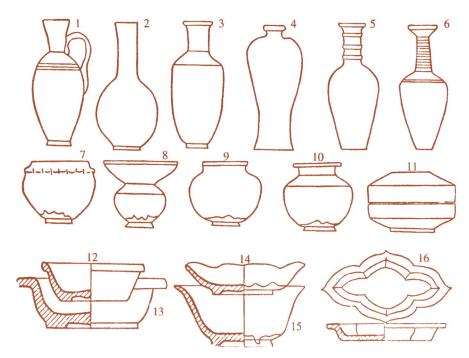

1.执壶　2、3.瓶　4.梅瓶　5、6.长颈瓶　7.盂　8.渣斗
9、10.罐　11.盒　12、13.盆　14.碟　15.碗　16.海棠式长盘

图五

宽边，平边外缘又向下微垂一小段；三式作口上外张平板，平板外缘与第二式相反的向上高起一段。立壁外张度较碗更小，而多直或中段微鼓。圈足矮而厚。白釉的较多，黑釉的较少些（图五：12、13）。

4.瓶　数量较少，尺寸也都较小，最高的约为25厘米。约有三种类型：一种管口直颈，体高圆作通常所谓胆瓶式；另一种为肩粗腹足渐瘦的梅瓶式。胎薄，下有圈足，圈足作风与盘碗略同，多黑釉器；第三种皆黑瓷，有较粗的圆筒颈，上唇外起圆线。肩部作直线笠顶状，瓶身也作筒状而足部渐瘦，圈足与前式同（图五：2—4）。

5.罐　数量较多，大小不一，最大腹径除黑瓷外不超过25厘米。形式有两种：一种大口外卷圆唇，全体正圆形，肩部有二重或三重刻线及线雕龙纹装饰，圈足矮而厚，多白瓷；第二种肩上有很短的直筒式颈，上为向外直折的窄平唇口。正圆器体及圈足均与一式同，白瓷较少，黑瓷最多，且多大器（图五：9、10）。

6.盂　数量较少，腹径多在15厘米上下。有两种形式：一种上作喇叭式大直口，体小而圆，下有圈足，即一般所谓唾壶或渣斗的；第二种体圆而矮，口唇向内微敛，口边外接近肩部作鱼鳍边下压的蜂巢形装饰带。底小于口，圈足做法与各器略同。黑瓷的较少，白瓷的较多。这种器形是五代以来中国北方白瓷盂最典型的形式之一（图五：7）。

7.盒　数量很少，最大的腹径不超过20厘米。都是白瓷。盒盖为一短圆筒上接截断圆锥形，口唇内部有恰容盒体子口的凹沟。盒体形式与盒盖同，口上内缘有高起的子口。多数底部外无圈足形，而底内有较浅的旋涡。侧面看恰作扁平的八方形，面线直硬。形态古拙。有圈足较少（图五：11）。

特殊形式器皿有海棠式长盘、方形盘、长颈杯口瓶、长把器等：

1.海棠式长盘　长径约26厘米、宽约15厘米、高3厘米上下。口唇作外折板式平宽边，立壁微外张，平底无圈足。瞰视全形做海棠花头状，与常见的辽三彩印花长盘的形式相同。全体光素无花纹，唯板平口边内外缘各起突起线一道为饰。仅见一残器，胎质细腻，釉色纯白，是最上品（图五：16）。

2.方盘 仅存方盘的一部分,不详尺寸大小。平底立壁高才2.1厘米余,光素无花纹,白釉较粗。形式与辽三彩印化方碟毫不相似。

3.长颈杯口瓶 有两式:一种瓶颈作长圆筒形、下粗上细,满划横纹十余道,上为杯形瓶口,瓶身肩宽足瘦,肩上有阴刻线纹二道为饰,下有圈足;另一种瓶体相仿,颈长而粗,颈上有突起横线三道,口唇外卷而不作漏斗形。这两种形态也都是辽釉陶器中常见的形式(图五:5、6)。

4.长把器 存把手及口唇各一部分。口唇做喇叭状,把手很长大,推测它的原形,当是一种有长把手的注壶,壶身虽不全存,它的形式特殊则一望可知。瓷色纯白,是此窑的上品。

此种特殊形器皿数量较少,不过胎质釉色都极好。另出白瓷围棋子两种,形式与近世扁平棋子同。唯尺寸稍小。

以上是仅由残片中可能窥见的器式种类,此外还有些残片,推测不出器物全体形式,也当有些器物还没有遗留下残片。由此可见,此窑出品的形式当必更多于此数。

五、结语

临潢府瓷窑址的发掘情况和出土遗品,大致如上所述,今就个人的初步估计,作如下说明:

(一)不是官窑,不是自由瓷业窑,可能是贵族或寺院等奴隶主的生产事业

有人主张窑址出土了与林东满其克山辽祖州城祭殿上相同的几片黑釉瓷胎瓦,就说这是当时辽统治朝廷经营的官窑,但以我发掘殿址的情况看,出土的黑瓷瓦何止万枚,果全系此窑烧造,窑址上就不能仅存残瓦两片。如属官窑,必有大批俘虏的汉人窑工为他们生产,规模也不应如此狭小简陋。但也不可能是自由瓷业窑,据《辽史》所载皇城中除契丹皇帝居住以外,只

有各种官署、贵族宅第和寺院，一般人民，尤其是被统治的汉人劳动者没有入居的可能，公然设场开窑，营业谋利更谈不到，所以说不可能是自由瓷业窑。这样它只有两个可能：一个是契丹贵族从中原掳得的奴隶窑工为他们进行的生产事业；另一方面，由于它和大寺址相连来看，或者就是寺僧们经营的副业，这由中后期契丹皇帝崇信佛教的事实上看，也很有可能。

（二）年代不能在辽初，可能在1078年稍前或以后的40年（宋神宗元丰、辽道宗大康）

决定此窑绝对年代的资料有两种：第一种是黑釉瓷胎筒瓦。它的确是与此窑出品的黑瓷胎质釉料相同，而另一方面又确与祖州城辽太祖祭殿址出土的瓷瓦同质同式，辽太祖祭殿是建于辽初的，依这一连串事实看，似乎应定此窑的时代为辽初，但这是不正确的。第一因为无法证明祖州祭殿在辽初就用瓷瓦，即便是辽初就使用瓷瓦，但也很难肯定说这万余片瓷瓦就是这个生产规模很小、仅出土与它同质同形两片瓷瓦的上京窑所烧造。所以我们才说年代不可能在辽初。第二个是"元丰通宝"铜钱。它的出土层位虽不太深，但确与窑具、瓷片共存，并且是原来层位，没有被搅乱过。不过窑址耐火砖已均被拆走，不余一块，把瓷片、灰土杂填窑坑里时，也把这一铜钱混入，显然，这都是窑业停止后才能有的事实，因此它的年代，就很可能是在1078年不久以前或以后的40余年中了。

（三）烧造时间最久不过二年，可能是由别处迁来，后又迁走了

由于窑室不多，出土的瓷器片和烧成窑具很少，工场建筑址很简陋窄小，都证明烧造期间很短，估计最长不超过二年。由祖州辽太祖祭殿瓷瓦的胎质、釉料与此窑黑器相同来看，可能是别处烧造过祭殿瓷瓦的老窑的一支迁来了上京。由耐火砖的全部拆走、完整匣钵一个不存、原料矿石剩余很少来看，可能是全窑又迁走了。

（四）窑工可能是俘虏来的定窑工人

此窑窑工是什么人，从哪来的？我们从当时历史事实上看，一方面契丹人历次侵入中原的目的，主要是为了掠夺财宝和生口（奴隶），手工业的技术工人更是他们迫切需要的。这些被携的男女老幼，归契丹皇帝、皇后、太后的，就编入他们的宫分作奴隶。分给皇族贵成的，或他们自己在战争中俘虏的，就迫使居住在他们私城郭的头下州里，为满足他们的奢侈生活来劳动。当时对窑业工人，当然也是他们掠虏来迫使生产的对象。另方面汉人窑匠自设窑场于上京，又是当时情势所不许，所以说这些窑工可能是被俘虏来的汉人。由制瓷技工上看，拉坯留有细线纹，有器底满釉的覆烧器。瓷质细而胎薄，釉层薄而均匀，所谓普通的器式更与河北曲阳定窑和巨鹿出土瓷品接近，这些特点都表现与定窑的传统作风相接近，而与辽当时其他窑场——赤峰缸瓦窑村古窑、辽阳江官屯古窑——有根本上的区别。所以说可能是定窑系工人的北来。

（五）本窑瓷器的分布状况尚不明了，辽上京城址内除窑址附近也很少见

本窑所烧瓷器，以我们仅有的经验说，在以上京为中心，二三百里以内发规过的古墓中从未有过出土，各州县城址中（如祖、怀、庆、饶各州及其附近各小城址）也未曾发现过遗片。这虽然是考古工作尚没普通展开，不能遽下肯定说分布无多，但上京城址内也不见有多少瓷片，就不得不归结到制瓷时间短暂，产量不多上面去了。

这个窑址的发现对祖国文化史上很有意义：1.可看出中国陶瓷的丰富多彩；2.可看出辽瓷具体内容和独特性；3.可看出当时汉辽两文化的密切关系。

附　录

林东白音戈勒辽茶绿釉瓷窑址

　　宫址在内蒙古自治区巴林左林东镇西方约2.5里的白音戈勒。白音戈勒村是由一条同名小河得名的。村后有由北向南来的漫岭，至村前逐渐低平。村前一小河由西向东流，注入由辽上京临潢府皇城汉城之间穿过而流入乌尔吉沐伦河的一条小河中。其地正在辽上京故城西，村前有大道，东可到林东镇和临潢故城，西可通辽祖州故城和西拉木伦河上的巴林石桥，也就是北宋使臣到辽上京时必经的官道（图六）。

　　窑址是1944年夏我发掘林东辽上京瓷窑址时发观的，当时曾前往进行了勘察和试挖。认为它很重要，有调查发掘的必要；但因预定有赤峰缸瓦窑屯辽代瓷窑址发掘工作的安排，所以当时没有进行。窑址在该村孙姓宅后山坡上，窑场面积很大，多已垦为田亩，窑室址多被破坏，有的埋没地下，地面上分布的瓷片非常稠密。试掘几处观察的结果，地下瓷片、窑具残渣积层很厚，有的厚达1米有余，都是灰绿色茶末釉和黑釉大型瓷器片。根据烧造的器物看，可以肯定这是辽代当时一处缸罐杂器窑，烧造规模是不小的。窑址北方岭顶上的几处采长石的古矿坑，并有不少掘出的碎石块，估计可能是上京瓷窑和这个粗瓷窑的原料产地。此窑烧造的瓷种、窑室构造和技术情况未得全面了解，现仅将采得的少数标本的特点条列于后（图版玖：1、2）：

　　（一）茶末绿釉瓷器胎质粗黄厚重，硬度高而坚致。釉色灰绿而闪黄，釉层厚而光泽较钝，即属清代的所谓厂官釉俗称茶末绿的一种釉色。器形绝大部分为鸡腿坛，器身高如圆柱，肩部稍宽，小口平底，高约70~80厘米或1米上下，形式规格多一律。此种器物在辽代住地和墓葬中发现的极多，而金元遗迹中少有，可知是契丹人使用最多最普遍的一种最富特色的瓷器。这种口小身细而高、放置不易安稳的瓷坛，装什么用？如何用法？人们有过不少

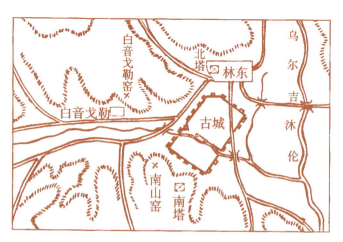

图六　内蒙古自治区巴林左旗林东附近简图

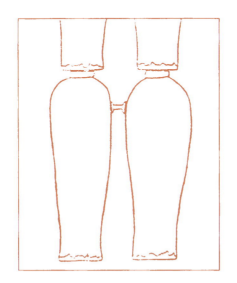

图七　白音戈勒绿釉鸡腿坛装烧法

推测：有人以为是做酸牛奶用的，因器身细高易被日光晒透而便于发酵；有人以为口小身长是便于驼马车辆取运水泉；有人以为器身细高不占空间，便于契丹人庐帐生活；也有人以为半埋土中在沙土地带使用方便。这些估计虽都有些道理，但迄今尚未发现任何科学上的有力证明。

（二）黑釉瓷器　胎质与上述灰绿釉瓷器同，釉色纯黑而欠光润。器多瓮罐，而两耳小罐更多，盆钵不多见；在总的出土量上说，这些器物却比前一种灰绿釉器为少。技工作风也较为粗率。

（三）窑具及装烧法　这种坛罐大瓷器在烧造过程中，是直接装入窑室，而不用任何障火设备的。据发现的瓷器片和烧窑工具看来，装窑方法很简单，都是器物上下叠积的，故器口多有泥渣，器底常有釉迹。为了避免器物左右前后倾倒粘连，在两器的器腹之间横支以线轴形窑具。这种窑具有的粘于烧坏的器片上，有的器腹片留有圆形支具疤痕，是研究装烧法的良好参考（图七；图版拾：1）。

林东辽上京南山三彩轴陶窑址

窑址在内蒙古自治区巴林左旗林东镇南约8里的小山上。林东镇前约2里就是辽上京临潢府故城，城在乌尔吉沐伦河右岸的平原上，离城西南角不远处有一群不很高大的颓山，窑址就在一个东西走向的山梁上。窑场所在地，地势高敞，东南不远当地称作南塔的砖塔，西南可望见别鲁大坝（《辽史》上也叫马盂山）；东北方为林东盆地，辽上京故址都了然在目。地面已垦为大田，窑址都破坏不存了。地表上有窑具和各色釉陶器片，但分布面积和遗物量都不大，此窑规模不大，烧造不久，是由此可知的。根据器皿残片看，当是辽代的遗存。此窑址没有发掘必要，地表上的遗品有下列各种：

（一）三彩釉陶器　陶胎淡红色，较为细软，粉衣上挂绿、黄、白三色釉或单色釉。釉色不甚鲜丽，釉层易于脱落，器片多有釉彩脱尽只存素胎的。器物多盘、碟小器（图版拾：2）。

（二）白色低温釉陶器　胎土色性同前，乳白色釉不很润泽。有的在白釉或黄釉上加少许绿彩，极为美观，是唐陶常见的釉法。作风粗率，陶车右行。粉衣及外釉仅及口边下，器多盘、碟。

（三）窑具及装烧法　烧窑工具中未见匣钵等障火器物，仅发现爪状垫烧具一种，形如鸟足（图版拾：2），当是放于两个器皿之间以免粘连用的，故器皿中心每有三个疤痕，器底圈足上也往往有支垫痕迹。

白音戈勒窑址未知何日发掘，南山窑址仅存残迹，这两处辽代陶瓷窑址，对研究辽国陶瓷发展有一定作用，故附录于此，供作参考。

1957年12月整理

（原载《考古学报》1958年第2期）

见李文信：《陶瓷简述》，《文物参考资料》1958年2期。

图版壹

辽上京瓷窑址的发掘沟

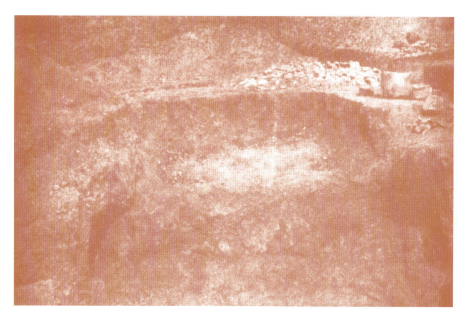

辽上京瓷窑址的窑室址

图版贰

辽上京窑白瓷片群

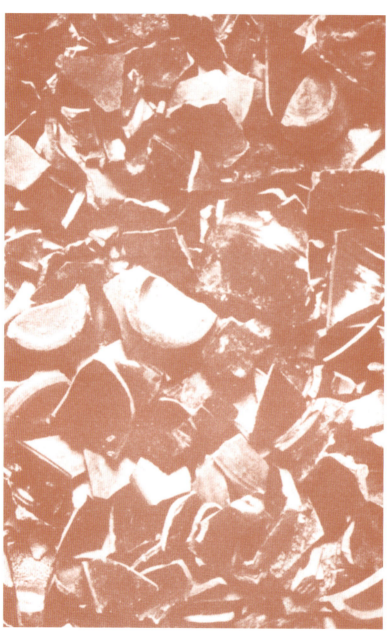

辽上京窑黑瓷片群

1—10.白瓷片　11—20.装饰白瓷片　21—30.白瓷器底部

辽上京瓷窑瓷片

图版伍

辽上京窑白瓷片（雕花于淋釉后）

辽上京窑器底的印记

图版陆

辽上京窑黑瓷器底部

辽上京窑白胎黑瓷片

图版柒

辽上京窑窑具（渣饼四种）

辽上京窑址出土的灰陶片

图版捌

辽上京瓷窑窑具（匣钵二种）

辽上京瓷窑瓷器原料

辽上京瓷窑烧造的辽太祖陵祭殿瓷胎黑釉瓦

图版玖

林东白音戈勒辽茶绿釉瓷窑址瓷片层

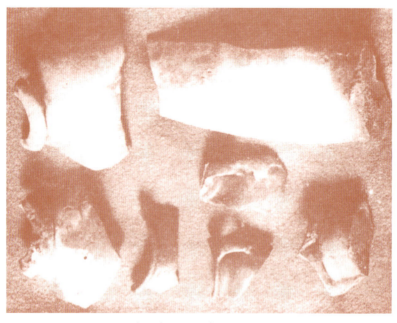

林东白音戈勒辽茶绿釉瓷器片

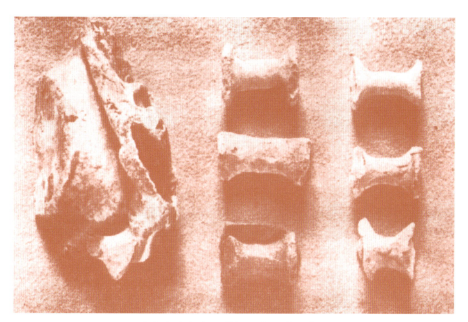

林东白音戈勒辽茶绿釉瓷器片及窑具

林东辽上京南山三彩釉陶窑址陶片及窑具

关于"官"字款瓷器的资料

　　编者说明：此批资料装在河北省文物管理处所寄一信封内，信封上的截记为"1970（？）.2.26."。共有7件瓷器的13张照片和另外两张草图。

　　照片背后或下方书写的文字分别是：1.大官款青瓷碗，五代，长沙出土，湖南文管会藏；2.官字款白瓷碗，湖南文管会藏。1952年长沙文物管理委员会清理工作时，在长沙市救济分会民工队搜集回来的，出于长沙南门外黄泥坑，共存物不详。3.定窑花式碟，北宋，定县塔基（冀101）；4.白釉花式口托盏，高7.4厘米，盏盘径17.5厘米，底有"官"款，定县五号塔基；5.定窑白釉葵花口浅暖大碗，高5.7厘米，口径23.3厘米，定县五号塔基出土，底有"新官"款（定33）；6.定窑白釉镶鋈金银口瓷洗，高3.7厘米，口径9.7厘米，底有"官"字（52）；7.义县出土"官"字款碗。两张草图上有"（19）57年调"字样。

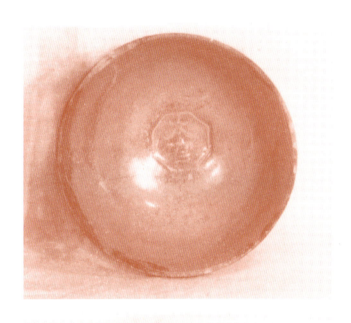

湖南出土五代大官款瓷器

湖南出土五代官款瓷器

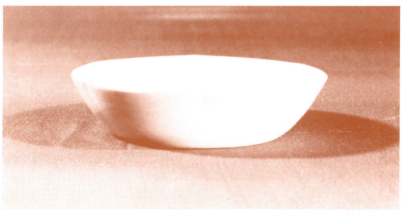

河北定县塔基出土花式碟

定县五号塔基出土白釉花式口托盏

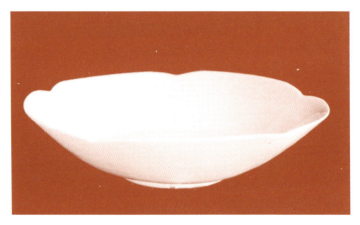

定县塔基出土白釉葵花口浅暖大碗

定县塔基出土白釉镶鎏金银口洗

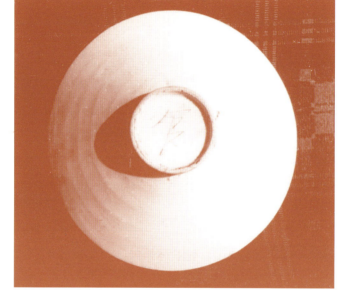

义县出土"官"字款瓷器

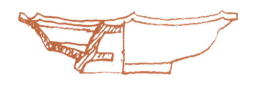

白瓷划花盏托 官字款

　白瓷胎火候较高，旋痕细密，釉色白而闪黄，有空窑釉感，底心划官字。林东洽达莱格吐墓址。　57年调

白瓷器底残片（原注珍平认为是鸡冠壶）

底胎上写官字款。外部釉白内专灰。胎白瓷化较高，与上　　　　赤窑为近。

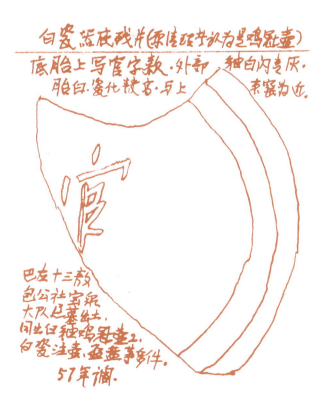

巴左十三敖包公社宅张大队已墓出土。同出白釉鸡冠壶2，白瓷注壶、盂盏等多件。　57年调.

"官"字款瓷器草图两张

辽瓷简述

　　辽陶瓷资料的搜集和研究是近二十多年来的事，过去中国陶瓷史中没有辽瓷之说，遇有辽陶瓷器也多以宋瓷称之，有时以为是元代遗品。沈阳东北博物馆最先开始积累辽代陶瓷器，又由于近年来东北地区考古工作的日益开展，新资料也不断发现，这样就给辽瓷研究工作打下了物质基础。东北博物馆一馆收藏的辽陶瓷总计就有500件，此外旅顺博物馆、锦州文物陈列馆、安东文物陈列馆、长春吉林省博物馆、哈尔滨黑龙江省博物馆、呼和浩特内蒙古自治区博物馆、保定河北省博物馆和北京故宫博物院也有部分收藏，再加私人收藏和流出国外的，估计总数当在千件以上，这些材料是可以充分进行辽陶瓷的系统研究的。

研究辽陶瓷有什么重要意义

　　一、研究辽代陶瓷工艺文化的渊源特色，借可考见契丹族一般文化的性质，有助于对契丹族文化的全面了解和辽史的研究工作。

二、契丹由石晋得燕云十六州，占有今日河北、山西北半部，并一度入据洛阳。后与北宋为邻又南通南唐、吴越，使节往来频繁，公私贸易发达，故五代各国瓷和宋瓷入辽的数目极多，辽国遗迹出土陶瓷的研究，实即五代和宋瓷研究工作的一部分。

三、契丹俘汉人工匠和汉户为他们生产陶瓷器，对辽国陶瓷技术上的深入了解有助于中原陶瓷技术史的研究。

四、女真继辽而有华北，元代又以北族统一了全中国，两代陶瓷各有特色，研究辽陶瓷可以知其渊源有自。

五、唐宋以来中国各色瓷器极为发达，单色釉陶器如俗称唐三彩的东西，在中原逐渐衰微消灭，而辽国却盛用这种器物。进行整理研究，对了解低温单色釉陶技术的发展演变很有益处。

六、辽代古城郭古遗址多荒废不为后人所用，文献记载不多，考证不易，由陶瓷器和陶瓷片上可以鉴定年代，故辽瓷研究特有助于北方田野考古工作。

此处所谓辽陶瓷，系指辽土烧造和辽人使用的输入陶瓷器而言，包括硬质日用瓷器和单色或三色釉陶器，素陶器不录；在时间概念上是以契丹建国开始到灭亡为止，即由907年（唐天祐四年、后梁开平元年）至1124年（北宋宣和六年）的二百多年间为限，若建国以前和西辽时期，因无资料，皆不讨论。在地理分布上说，是以东北辽、吉、黑三省及内蒙古自治区和河北、山西两省北部出土物为主的。本土烧造的瓷器应视为辽瓷正品，而中原传入的瓷器虽也是辽人日常用物，但它不具备辽瓷特色而为中原各窑所烧造，故只能算作辽土使用的瓷器，不能用它们来代表辽代陶瓷技术文化。

本文欲以明确的考古材料作研究辽瓷的标准，从工艺学和陶瓷鉴赏的角度出发，然后综合研究传世的辽瓷资料，概括地说明其情况和性质。误谬地方希望得到指正。

研究材料

辽瓷研究工作的进展，有很多不便之点，既无当时文件记载可查，研究历史较短，也没有较多的资料参考，欲作科学的整理研究，得其真相，只好以地下出土的实物为准。

现就历年发现主要的辽窑址、古墓、城郭出土的陶瓷器和器片加以说明，绝对年代明了的按年排列，年代略可估计或虽系辽代而不能指定早晚的，就排在后边。每个遗迹出土的陶瓷器都略加说明，也记述一些遗迹和陶瓷器以外的重要遗物，作为比较研究的参考。

一、辽墓出土陶瓷器

（一）辽驸马赠卫国王娑姑墓出土陶瓷器

（应历九年，后周显德六年、959年）

墓在赤峰西大营子村西山，1953年发现，1954年发掘清理。墓室砖筑，内有华丽的木质构造。驸马卫国王娑姑可能是辽太祖阿保机的女婿、述律皇后弟，即《辽史》中的室鲁（也作实鲁），死葬于辽应历九年。此墓主人是辽国最高贵族之一，殉葬物品极多，虽早期经过两次盗掘，但发现的遗物总计仍有2000多件。陶瓷器约60件上下，可分3类。

1.官字款白瓷器

官字款花式大碗2件、官字款镶铜口花式盘2件、花式白瓷大碗2件。胎质均极细腻，作牙白色，瓷化程度很高，白釉温润而闪微青色。器底划刻一官字款。两件口镶银镀金扣。瓷质和技工都极好，可能是邢窑系统的早期定窑产品。

2.细白瓷器

此类器皿较多，有白瓷罐5件、长颈白瓷小罐1件、扁圆白瓷小罐1件，胎质细而白，罐腹部有弦纹，内外施釉，制作较精美。小碗1件、托盏1件、白瓷盆1件，均胎薄而匀，挂亮白釉。这都可能是辽土自烧的仿定产品。

3.粗白瓷器

白瓷执壶1件，施釉不到底，肩腹有弦纹。白瓷壶1件，胎粗，有砂眼，呈褐白色，肩有弦纹二道，釉层薄而不润泽，有细开片纹。白瓷大碗3件，胎质粗糙，挂淡米黄釉不到底。此类瓷器多为一般日用品，当是辽土一般民窑烧造的。

4.白瓷鸡冠壶

平底白瓷鸡冠壶4件，胎质较细，呈淡褐色，瓷化程度很低，白釉厚而有较细开片纹。圈足白瓷鸡冠壶8件，胎土细而闪黄，白釉微现淡青色，下部有大开片纹。壶上近口处都有一个鸡冠形有孔的大鼻，所以呼作鸡冠壶，有人称作马镫壶是不合适的。这种白瓷当是辽土烧造的。

5.白瓷朱彩画龙贴金盘口瓶

2件，盘口细长颈，宽肩瘦足，胎灰白而松软，白黄釉透明有强光。朱彩画龙贴金彩，惜多脱落。这种器形是辽瓷常见的，当系辽土烧造的。

6.茶末绿瓷罐

瓷罐1件，缸胎赭红色，肩部有弦纹二道，内外挂有灰茶绿色釉，釉层厚而不匀，为一般常见的杂器。

7.越窑青瓷器

青瓷平底花式小碗2件，胎灰白色，外施绿青色釉，釉不透明，无任何纹片，底下有一圈支烧的痕迹。青瓷碗1件，敞口圈足，胎釉较厚，釉绿青色，器底也满施青釉。

青瓷小碗2件，胎质釉色与上列两种瓷品同。根据瓷质和窑艺看，很可能是越窑产品。

8.青瓷器

青瓷敛口小碗6件，胎灰紫色，青绿色釉亮而透明。青瓷敞口小碗6件，胎质同前器而釉稍厚，但也透明，有方块状开片纹理。此种器皿非辽土产品，但现尚不能指明确切窑厂。

9.绿釉陶鸡冠壶

绿釉鸡冠壶5件，形与白瓷鸡冠壶同，胎赭红色稍粗软，深绿釉部分已现银色。此种单色釉陶器极为普遍，系辽土产品。

（二）辽晋国夫人墓出土陶瓷器

（重熙七年，宋宝元元年、1038年）

墓在辽宁省阜新县腰衙门村，1949年11月发现，即行清理。晋国夫人是法天皇后妹，嫁耶律元，兄丞相大国舅萧孝穆，一族极为贵显，死于重熙六年，七年葬显州北。

出土物有汉文墓志铭一合，现藏沈阳东北博物馆。铜铁器及装饰器散失。出土陶瓷器四五件，可分两类，有的已破碎。

1.景德镇青白瓷碗

中碗2件，大口小底，胎质细而薄，圈足薄而浅。周身挂青白釉，温润细腻而无清澈透明性。口边和圈足边都有釉，只底足内中部无釉，并现出焦黄和部分灰黑痕迹，显然是渣饼支烧的遗迹。是景德镇当时的一般产品。

2.单色釉陶器

器物数件，都已破碎，据器片看有鸡冠壶和长颈瓶两种。胎稍粗，现粉红色，拉坯痕明显，硬度较低。黄釉和绿釉均不明艳。挂釉不到底，釉面似易脱落。

（三）大辽国左金吾卫上将军兰陵萧公墓出土陶瓷器
（太康元年，宋熙宁八年、1075年）

墓在辽宁省阜新县车新屯西山上，墓室砖筑，甚大，内有木质构造，墓拱门内有壁画。此墓系1925年前后发现，出土墓志铭一合及遗物若干，多被破坏散失，清理时只发现少数器皿残片。萧公为大丞相萧孝穆孙，陈王知足子，汉名德温，番名别里剌，太康元年葬于辽水西黑山先茔墓。出土陶瓷器4种，均为碎片。

1.定窑红瓷

器形正圆，口径约30多厘米，厚如粟粒，胎质白润如玉，釉作深柿红色而有光彩。表面无纹片和花饰。这种精致定器是从所未见的。

2.景德镇青白瓷

器多碗碟，有的作花式口。胎薄而质白润，釉色青白莹澈。釉厚处现有细小气泡，色尤青碧可爱。无开片花纹，即世俗所称的影青器——实即景德镇窑较细路的产品。

3.临汝青瓷

器为小碗，口径约10厘米。胎较粗厚，破面现灰白色，露胎面现焦黄和铁棕色。碗内印缠枝花纹，外为刀划纵条纹。釉灰青色，厚处现青绿而多气泡，釉面莹亮无开片，即外国人称作北方青瓷的。

4.黑花白瓷

一瓷罐腹径约30多厘米。胎黄色稍粗厚，挂白粉衣而后上釉，釉色乳白微黄而不开片。肩部和腹部釉内绘铁赤色双线圈为饰，此类器皿出于东北辽金遗址墓葬中的极多，当是辽本土烧造的日用器皿，在技术上是和磁州窑器相近的。

5.单色釉陶器

皆黄、绿单色釉器，有鸡冠壶、长颈瓶等。胎土淡红而硬度较低，釉层薄而不匀。

（四）大契丹上京临潢府盐铁副使郑君墓出土陶瓷器
（大安六年，宋元祐五年、1090年）

墓在辽宁省建平县张家营子东山后谷中。郑君名恪，父汉人，母渤海相国女申氏。郑氏能契丹语，通契丹小简字，大安六年葬于老哈河东古羖水之阳，今建平河北山中。墓室砖筑，中有木构，出墓志铭一方及陶瓷器多件，现藏沈阳东北博物馆。出土的陶瓷器中以三色釉器为最多，白瓷次之，素陶多件不录。

1.三色釉陶器（辽三彩器）

三彩釉印花花式圆碟4件、印花方碟4件。器胎淡红色，质粗而稍硬，较唐器显然不同。碟内皆印水波纹地，上加宝莲花、牡丹花等凸起花纹，然后依花纹部分的需要而涂挂白、绿、黄等三色釉。釉面莹亮而无明显开片，细看可见有极细碎开片。器底内外均有支钉痕而底下不挂釉。

2.仿定窑白瓷器

大碗2件、小碗2件。大碗内印胎作缠枝牡丹花，碗心印出转轮菊花纹。胎色黄白，不甚厚重。釉色乳白而温润。素碗也都胎釉相同，制作精好，具备定窑风格，当是辽土仿定窑的产品。

3.黄釉陶器

侈口渣斗1件，器形如小罐，上有大喇叭口，与现行痰盂同形。胎质同三彩器而稍粗，硬度较低。釉作深黄色，有目力难于看出的细开片纹。

4.赭红釉瓷罐

罐体宽而低，大口短颈。胎黄而质粗硬，即俗称缸胎的。釉赭红色而无光泽。通体无花饰，肩上一圈无釉，似挂釉后旋削去一环，以便上坐它器入窑烧造用的遗痕，为日用杂器。

（五）辽太子正字王翯妻高氏墓出土陶瓷器

（寿昌二年，宋绍圣三年、1096年）

墓在辽阳市车站西大林子，1955年发掘清理。系一砖筑小型墓，中葬一石棺，棺内有盛火化骨灰瓷罐1件，上覆盖白釉碗。棺盖内刻墓志一段，后附梵文警觉陀罗尼咒。出土瓷器2件。

1.黑瓷罐

大口、短颈、鼓腹、圈足，胎质较粗而不瓷化，火候稍差，露胎灰色。胎上挂有粉衣，罐内满淋赭釉，罐外挂漆黑色釉，圈足部分无釉。为当时日用杂器。

2.白釉大碗

大口，圈足，胎质细腻，半瓷化，火候较高，露胎处现淡的粉红色。胎上先挂粉衣，外施黄白色釉。碗内全釉，外部半釉。当系地方窑厂产品。

（六）赤峰大营子二号辽墓出土陶瓷器

墓在赤峰西大营子村西山，在辽驸马娑姑墓南300多米的崖沟中。墓室砖筑圆顶八方形，内有木板护墙。出土瓷器五件。

1.白瓷侈口尊（渣斗、唾壶）

胎质粗糙，釉白而透黄，大口而小腹，为一种大口唾壶，是辽代墓葬中常见品，单色釉陶尤多。

2.白瓷盆

橙黄粗缸胎，火度较高，白釉层较薄。

3.白瓷平底花式碟

胎质细腻而薄，外施白釉，口做花瓣式。似仿定器。

4.白瓷雕花暖盘

盘下有座，座内可装热水，口外有一周乳凸纹，周身刻牡丹花。瓷质同上器。

5.白瓷鸡冠壶

胎粗，底无釉，釉色白而透黄，釉层厚而有开片纹，口部和梁部蘸绿色。壶体稍扁，左右各一大页，中加一条，有条状凸起线表示皮袋缝线形。

（七）建平叶柏寿车站辽墓出土陶瓷器

墓在叶柏寿车站路南百余米的山北坡上。圆墓室，砖筑，出土马具、武器、日用品和装饰品数十种。陶瓷器两种。

1.茶末绿釉鸡冠壶

壶仿扁皮袋形，上部近口有鸡冠式单孔鼻。胎土黄细而厚重，旋制精致。釉灰茶绿色，很细腻，近似清代厂官釉的菜尾黄色。器底刻画有似字非字记号。

2.二彩釉陶器

白釉绿彩花式盏及盏托各一件。胎质细薄而软，类唐三彩器。盏托内壁左右分划牡丹花两朵，不很工细，外挂白釉而间施少许淡绿彩，技法亦与唐器为近。唯此种低温软陶入土过久，釉失光泽，器面已大部银化。

（八）巴林左旗兴隆山一号、二号辽墓出土陶瓷器

一号墓在内蒙古自治区巴林左旗林东镇乌尔吉村兴隆山屯北山脚下，该地为一小型辽墓群。出土铁器、念佛珠、小仪刀等多件。出土瓷器仅白瓷一种。

1.白釉盘口长颈瓶

2件同型，胎质略粗，色白而透黄。釉乳白色燥暴而不匀。盘口不大，下连长颈，肩宽，下瘦，底有圈足。胎外挂白粉衣而后施釉，此种做法是辽土常见的。器品较俗称土定的为佳。

2.白釉雕花盆

口径约30多厘米，形与巨鹿出土的白瓷盆相近。瓷质技工和火候与上器

同而稍细，盖一窑产品。盆内底上线雕缠枝牡丹，刀工粗率。出土时盆中盛兔骨，可见契丹人葬俗。

二号墓在一号墓东不远，墓室相同而建筑较好，遗物也较多。出土有"开元通宝"钱、漆器、木椅、钗环、耳饰、陶器等，都反映了契丹人生活特点。

1.绿釉鸡冠壶

高约30厘米上下，属扁体单孔式。胎质白而微黄，火候较低，外挂粉衣，施淡绿釉不到底。釉亮而不易脱落，面无纹片。是一种较好的单色釉陶器。

2.仿定白瓷器

把壶1件、大碗2件、盏2件，均有盏托（有人认为是灯盏，此墓同型两件并陈于饮食器中，另有灯盏和灯台出土，肯定这不是灯盏），连碟2件、唾壶1件，共8件。

胎略粗而微白，技工作风也粗糙。胎挂粉衣，上淋乳白釉，釉面多酸化脱落或失亮，即俗称土定之类，当是辽本土一窑的产品。

3.开片纹白瓷器

大碗1件，技工精整，胎细而微黄，外挂粉衣，釉薄而莹亮，面有开片纹理。

4.黄白釉陶器

系一灯盏和灯台，器形高大。胎细白而与前几种不同。胎挂粉衣，后施一种闪黄的白釉，釉厚处往往透出一种珍珠色黄绿虹光，极为美观。此种光彩不知是否因釉面银化而来，但在辽代故城中也常见到，窑厂不知何在。

（九）巴林左旗四方城辽墓出土陶瓷器

墓在内蒙古自治区巴林左旗林东镇北40公里的四方城屯北山中。墓室砖筑八方形，规模宏大。墓地上有石筑墓墙基址，旁有雕花方形石经幢座。墓东南方不远处有辽咸雍二年（宋治平三年，1066年）岁次丙午五月甲寅朔二十七日大横帐故曷鲁（下残）款八方形石经幢一座，后移林东保存。墓在1939年被掘，墓内有未刻字的墓志石一方，可能是书写后未及刻即入墓中的。瓷器有如下数件。

1.三彩陶砚

砚体圆而中空，径约20多厘米，高不及10厘米。全体印花，上面凹洼为水池，池前留粗体无釉处为墨盘。陶胎淡粉红色外挂粉衣，上涂白、黄、绿三彩釉，光色鲜艳而无开片纹。内底里有墨书字一个，似花押又似契丹字。根据陶质、釉调、印工、火候上看，可能是赤峰缸瓦窑屯辽窑产品。

2.绿釉凤首瓶

器高50厘米以上，是此式器中最大的。上有葵花式杯口，下为节状长颈，颈与杯口间一凤鸟头，口目皆具，下为宽肩瘦足瓶身，全体看来极似一只头顶花杯的凤鸟，为辽瓷中代表形式的一种。其造型来源可能与西域有关，唐代西域壁画中曾见有此种器式，唐器亦有此样，可能互受影响。从陶质上看，胎粉红色，硬度较高，外挂粉衣，上施粉绿釉而加黄色釉斑数片。釉色稍燥而不匀，无任何开片纹，为辽墓中常见器物，但在故城居址中极少有破片。

3.黄彩大陶盘

器有厚唇，圈足较高，造型与一般盘形不同。胎厚重，呈粉白色，内满挂深黄釉，外面下半无釉。底足中有黑笔字一，不知是押是字。圈足外围无釉处墨书契丹字十余个，笔画简单，与辽永庆陵壁画题字略同。此种器物也常有出土。

4.白釉陶器

圆式提梁鸡冠壶1件、唾壶1件。胎土细白而透黄，外挂粉衣，釉色银白而有强光，附着力强而无脱釉处。此种白色釉陶器在辽器中是较少的。

（十）巴林左旗林东西门外辽墓出土陶瓷器

墓在内蒙古自治区巴林左旗林东镇西门外300余米的北山坡下。墓二座，皆砖筑八方形圆顶单室墓。村公所墓石灰壁上有墨画竹鹤图及契丹人物与器什等，系契丹人墓无疑。出土有鎏金小铜佛像3尊，铜鎏金佛龛万佛扉1枚，铜鎏金佛光1枚，香泥塑佛残件若干，瓷器数件。军营后墓砖筑斗拱涂有黑红彩色，出瓷器数件。

1.翠绿绞釉墨彩瓶

每墓各出2件，同型同窑。胎质细白而闪黄，外挂粉衣，上加绞彩黑花，如行云流水，极为自然，后挂翠绿釉，釉面有细小开片纹，易于脱落，是先烧器胎后再一次烧绿釉的。此种做法的器皿在金元两代遗址中多有发现，传磁州窑也有这种做法，但在辽墓中还是较少的，时代或在辽末金初亦未可知。

2.白定印花小碗

小碗如莲子杯，小底口唇露胎，内印莲花水草纹，极繁琐，近口边有雷纹一道，内底莲花一朵。胎质细白而莹腻，釉色乳白而温润。

3.白定葵式大碗

碗印胎作六花式，内底上划莲花一朵，技工形式均极精致，胎釉瓷质同上器而更加精薄。釉色微现牙黄，温润莹洁。

4.白定雕花小碗

矮身、小底而敞口，口不露胎，通体精薄，外雕成转轮菊花式，给人以流利轻快之感。技工、材料、火法均同前品而更精，皆河北曲阳定器上品。

（十一）沈阳市南市区辽墓出土陶瓷器

墓在沈阳市南市区回民中学操场东方，共3墓，皆圆形砖室。出土物如篦纹陶器、三足鏊子陶明器、唐"开元通宝"钱、刻熨斗、剪刀、执壶、杯子、花纹砖等，皆为辽墓常见的。陶瓷器有以下数件。

1.嫩绿釉瓶

器已破碎，胎细白半瓷化而硬度较高，釉色粉绿而微闪黄，光彩极鲜艳。器圈足尺寸不很大。

2.糖黄釉陶罐

器小而做瓜棱形，口唇薄而外面作三道凸起线。平底有绳切纹。胎灰色稍粗软。釉色暗黄而混浊，无光泽，其技法与今日通行的黄绿釉盆相近，火度也很低。

3.白瓷器

盘1件、大小碗各1件、黄白碗3件。胎粗黄而燥，外挂粉衣，上挂透明亮釉，无粉处釉色暗黄，釉层脆弱很易脱落，黄白碗的瓷质、器形、火法也相同，当是一窑产品，唯釉色稍黄，都较俗称土定器稍精细而已。

（十二）义县清河门萧慎微祖墓群出土陶瓷器

（重熙、清宁间，宋明道、治平间，1032—1064年）

墓在辽宁省义县（按：现属锦州市）清河门西山村西山中，1950年调查发掘。墓4座均砖筑，有的留有契丹人物等壁画，出土遗物甚多，并有汉字和契丹字墓志铭。兹将陶瓷器介绍于后。

第一号墓，即佐移离毕萧相公墓，出瓷器9件：

1.白瓷鸡冠壶

2件同质同式同窑产品。胎粗硬，很坚致，黄白色外挂粉衣。釉层较厚，作牙白色，光泽强，有细开片纹。在鸡冠壶中属扁体提梁式，器作两大整页前后加条缝合的皮袋形，下有圈足，上有管状口和环状提梁。

2.白瓷长颈瓶

2件同质同式同窑，与鸡冠壶同窑产品，瓷质、作风也同。小杯口，长颈，肩宽足瘦，薄挖圈足，具契丹高体瓷器的特色。

3.白瓷唾壶

胎质、技工、火候与上两种瓷器同，当是同窑产品。形如今日痰盂，上有漏斗形大口，下作小罐形。

4.定窑白瓷盖罐

胎质较薄，细腻纯白，露胎处如罩了一层釉水，微有光泽，器内尤显。釉色乳白，表面有极细的细点痕，所谓竹丝刷纹的拉坯痕也很明显，辘轳右行，为研究技法的好参考。

5.景德镇青白瓷莲式碗

形式大小相同，同窑出品。胎土稍粗，作干白色，富于透影性。釉色青白，但雕刻沟线釉汁深厚处都现深青色。釉面平细，偶有开片作较密的直线纹。碗外雕成十二瓣莲花式，圈足中的黄焦痕，当是渣饼支烧痕。系宋景德镇湘湖窑产品（我于该处古窑址曾采得过同形器片）。

第二号墓，即契丹文墓志墓，出陶瓷器较多：

1.绿釉陶鸡冠壶

2件同质同形同窑。壶身下圆上扁，上面一方有管状口，一方为指捏纹环状提梁，下有圈足。胎土细软，淡红色外挂粉衣。釉色淡绿不匀，釉层薄脆易脱落。

2.绿釉凤首瓶

2器同质同形同窑。胎土稍粗硬，黄白色，外挂白粉衣。釉较厚而绿色稍淡，光泽较弱。花式杯口，凤首长颈，肩足均有弦纹，下有圈足。

3.绿釉陶小罐

有2器形式相同，另1件尺码稍小而釉极淡。胎土、釉色、技法、火候都和鸡冠壶相同，当是一窑产品。另有绿釉罐盖1件，罐已不存，可知当时也有绿釉陶盖罐一种。

4.定窑粉白瓷花式大碗

胎细腻莹白，极坚致。釉色纯白滋润，内外底下均挂釉，釉匀而光泽。口做深刻六花式，圈足厚重，看形式及与执壶同出，可能是执壶连（即托）。此种两器为一套的情况可于古代绘画中见到。

5.定窑粉白瓷执壶

胎质、釉色和作风与上器同，唯釉色浆白不太润泽，有的地方闪微青色。壶体圆而微高，直颈盘口，一面有长把手，相对一面有壶嘴。

6.定窑粉白瓷瓶

胎质细白瓷化,釉色浆白,不很润泽。拉坯辘轳右行痕明显,挂釉法似先上一层淡白釉而后再上亮釉,这种做法是前所未知的。

7.定窑白瓷小盖罐

胎质细白而微黄,釉如敷脂,色如新象牙。圈足小口有盖,肩部双线纹。

8.白瓷残器

一为银白色瓷执壶,器体很薄,圈足直管口,长把手。胎质精细,色灰白而瓷化。银白色釉有青冷之感,刻线中有乳浊的淡青色。一为印花方碟,胎骨白润,瓷化程度极高,釉作牙白色,极莹泽,内印花鸟细花。此式三彩器常有,此种定窑系白瓷制品不多见(曾见瑞典某收藏家有一件)。一为雕花瓶,胎质细腻,釉色牙白而莹润。二器当是定窑系产品。

9.白瓷雕花盆

胎质厚重,黄色粗硬而不纯,粉衣上挂无色透明釉,釉白而闪灰黄,光泽很强。周壁雕莲瓣荷叶为饰,盆内底上雕四出花头一朵,并有垫烧它器的渣饼痕四个,是当时窑艺上特点之一。

10.景德镇青白瓷器

计大碗8件、盖碗2件、盏托2件、斗笠杯4件、卷唇小碟5件、小碗3件、矮碗1件、花式小碟2件等27件。各器瓷质大致相同,胎质纯白可透影。釉薄而青白,温润光泽,釉汁厚处作青碧色,含多量气泡,尤娇艳可爱。挖足皆浅,用一种含有铁质的渣饼垫于圈足中烧成,故足底里有一圆形烟熏状黄褐色斑痕,为当时景德镇烧瓷一大特点。

第四号墓，即嵩德宫款铜器墓，出土的陶瓷器：

1.白釉陶鸡冠壶

2件同质同形，一窑产品。胎淡红，质细而稍软，粉衣上挂低温浊白釉，光强微闪红而有鱼子状细开片纹，釉层脆弱，易于脱落。壶体下圆而上扁，上有管状壶嘴及鸡冠状单孔鼻。

2.白釉陶长颈瓶

2件同质同形，胎质、釉调、技工和上项鸡冠壶同，像是同窑产品。瓶体较高，颈粗而长，上有侈口，肩宽而足细，平底，颈有弦纹装饰。

3.黑瓷弦纹瓶

2件同质同形，一窑产品，胎质纯细，露胎作赤黄色，破碎面作淡黄色而有细小黑点。硬度高而无吸水性。上部黑釉闪绿，下部黑中透褐。肩上釉被旋削去一环，系叠坐它器以便入窑烧成，非作装饰用的，实系当时缸罐杂窑的日用品。

4.茶绿瓷鸡腿坛

缸胎稍粗硬，作黄赤色，破口处色呈暗褐。釉色暗黄绿如淡茶末，结晶点子稍粗，釉面光泽较弱。瓶体高如圆柱形，小口平底，是契丹人专用器式之一。此种坛片在故城居址出土也多，专烧此器的古窑址已发现两处。器肩上有的刻有辽乾统年号或人姓名。

5.定窑白瓷器

雕花盖罐2件，同质同形。胎质腻白，露胎现黄白色。釉层薄而作牙白色，釉汁厚处现微黄色。足底和器内都挂满釉。短筒罐身，有微缩的器口和圈足。罐身精雕平起的缠枝牡丹花三朵，配以枝叶。肩部有简单花纹带，上盖雕复瓣莲花极工整，为定窑精品，极不多见。

6.景德镇青白瓷器

莲花式执壶1件、同式壶连1件、大碗6件。执壶、壶连瓷质技法相同，当是一套。胎质纯白坚致可透影，釉青碧滋润，满身细开片作蟹爪纹，纹路微黄。壶身正圆，管口，圈足，环把较短而壶嘴较长。壶身及壶连外面均雕有凸起莲瓣形，极为美观。大碗6件同式，胎白坚致，器壁极薄，釉白而厚处微青，圈足作风烧法等均与当时一般景德镇器同，唯釉色较白而光不强烈。

7.汝窑粉青瓷器

盏托1件、划花碟1件。胎细腻，露胎暗黄色，破口灰白色。釉层较厚，混浊无透影性，面现极细的小白点。釉法色调和钧窑相近。盏托如花式碟，中有杯座台。碟做圆荷叶形，线划叶脉，中划伏龟纹，头足宛然。圈足薄而外卷是少见的特点。底下满釉，有5个长条形渣垫疤痕。

8.青瓷划花大碗

胎质细而坚致，露胎处如黄土，破口正灰色。釉色绿青，釉面光滑透澈，遍体细碎开片纹作闪白色。侈口大足，圈足直立而薄，碗底足里平而满釉，圈足边贴细白砂粒一道，当是不用支足渣饼而铺砂垫烧的遗痕，这也是此器特点。这类瓷器在辽墓中以大口小足碗为最常见。碗心内线划转轮菊花一朵，壁内划番草花纹。现尚不知属于哪类青瓷窑的产品，但非辽土烧造则为不必争辩的事实。

9.淡青瓷划花小碗

器存一片，依口部曲度估计口径当在10厘米上下。器壁薄而微曲，胎质腻白而坚致，破口面不显颗粒状，破裂纹路不作直线纹。釉层极薄，作闪绿的淡青色，釉中气泡细小均匀。瓷质优良，釉调温润，刻工精巧，较景德镇器尤美，当出北宋名窑，可惜不知出处。

（十三）辽宁省凌源县山嘴子辽墓出土陶瓷器

墓在凌源县山嘴子区三台乡西山根下，1956年发现清理。墓室绿砂岩板支筑成平面八方形，迎门一块壁石上雕有浮雕牡丹花，门楣上有云纹装饰。出土遗物有银碟、面具、铜镜等。陶瓷器有如下数件。

1.绿釉陶鸡冠壶

壶为圆高身指捏纹提梁式。淡红土胎有粉衣，翠绿釉只到腹部，管状口有指捏纹环状提梁，圈足无釉。

2.黄釉陶长颈瓶

2件同质同形，淡红胎稍软，有粉衣，淡黄釉到腹部下。长颈喇叭口，肩宽足瘦，圈足无釉。

3.黄釉陶钵

器身矮圆，缩口圈足。淡灰红胎有粉衣，挂黄釉不到底，器内也有薄釉一层。

4.黄釉陶花式大碗

圈足曲壁，口微外敞，花式口，碗心有支足疤痕三。淡红胎有粉衣，淡黄釉光泽明亮，腹下部有薄釉一层。

5.黄釉陶盘

2件一大一小，皆圈足曲壁矮身，淡红胎有粉衣，深黄釉，作风烧法与上器同。

6.黄釉陶盏托

器身如碟，上连杯形，杯口与托底贯通。胎釉做法同上器。

7.黄釉渣斗

器身如小罐，上有大喇叭口。胎釉做法同上器。

8.三彩釉陶印花海棠式盘

器为八曲海棠花式，平底，口有宽边。中印牡丹双蝶，口沿卷草纹带。胎釉性状与技术作风同黄釉陶。白釉地，黄花绿叶黄蝶极美观。

9.白釉二彩釉陶花式碟

2件同质同形。胎细较硬，是釉陶中较好的。粉衣上挂白釉，散有绿斑，细开片纹，碟中支足痕三。

（十四）建平张家营子辽墓出土陶瓷器

墓在辽宁省建平县张家营子乡勿沁图鲁村后山坡上。1956年发现，同年10月进行发掘清理。墓室正方形，系大板岩支筑而成，内镶柏板。出土文物300余件，有刻契丹字银碟，匙、箸、玛瑙碗、金冠、金耳饰、金镯、银鞍、马具及铜镜6件。出土陶瓷器有：

1.黄釉陶鸡冠壶

壶属扁方式，作两面大页中加条幅缝合，上有管口鸡冠式单鼻的皮袋形。胎淡红色，稍松软，外挂黄釉，薄而透明，有细碎冰裂纹。身有沟道纹及卷云纹装饰。

2.褐釉陶鸡冠壶

2件同形同质，形式同上，唯系轮制圆器然后拍扁捏合而成，身有沟道纹和圆点纹装饰而无凸起缝合线。灰陶胎含粗砂，外挂褐釉。

3.褐釉陶罐

圆腹，侈口，圈足，胎质釉色与鸡冠壶同，当是一窑产品。

4.黄釉陶器

执壶1件（即注壶）。红色土胎较软，外挂较薄黄釉，呈红黄色，深浅不一，有细碎开片纹。器形近圆，管口小嘴有把，身有沟道纹和云卷纹装饰，圈足下有支烧渣垫疤痕三个。托盘1件、盏1件，当是一套。托盘如圈足碟而中有盏座，盏广口深腹圈足。胎釉、技工、渣垫痕都相同，当是一窑产品。

5.白瓷碗

胎粗糙而呈黄白色，不瓷化。施乳白釉浊不透明，无纹片装饰。斜直腹壁，口边有沿，圈足砂底。

6.白瓷花式碟

碟较深，花式口，圈足。胎质细白，半瓷化。挂较厚的白釉，有蜡泪痕而现微黄色。挂釉不到底。

7."新官"款白瓷碗

器残破仅存底部。胎质细腻纯白而坚致，瓷化较高，器壁薄而技工精细。釉暗白而温润。圈足中划"新官"二字款，为前所未见。

（十五）建平朱碌科辽墓出土陶瓷器

墓在辽宁省建平县北朱碌科乡王胡子沟西沟里，1956年6月发现，同年10月清理发掘。墓室砖筑圆形，内镶柏板。出土遗物36件，有刻8个契丹字的银匙、错金剪刀、金镯、金耳饰、装饰珠佩、"开元通宝"钱等。陶瓷器有：

1."官"字款银扣白瓷长颈瓶

出土当时器身满涂朱漆，口镶银扣，和驸马墓出土的涂朱画龙长颈瓶情况相近，它在契丹人的礼俗上当有特殊意义。盘口长颈，宽肩瘦下，圈足中刻划"官"字款。胎质较粗，硬度较高，外挂闪黄白釉，厚处混浊。

2.银扣白瓷执壶

出土时器身涂朱漆，口镶银扣。胎质细腻，瓷化很高，釉色牙白而闪黄，挂釉不到底。壶身圆形，平底口有盖，把、嘴工整。有弦纹一道。

3.白瓷双耳罐

出土时口镶银扣，现已脱落。胎质细，挂白釉混浊而温润。技工精整，左右肩各一耳，并有四乳钉，肩有弦纹。

4.白瓷花式大碗

2件同质同形。胎质细腻，露胎米黄色，表里施釉，釉色匀净而外釉不到底。口做五花式，外有弦纹四道。另有同质同窑小碗1件，胎釉特点相同。

5."官"字款大碗

釉色纯白，器体较薄，全挂白釉，釉层较厚处现蜡泪痕。器底下刻划有

"官"字款。

（十六）新民巴图营子辽墓出土陶瓷器

墓在辽宁省新民县（现新民市）东南方辽河左岸平原巴图营子村西。1956年6月发现，随即加以发掘清理。墓室砖筑，主室圆形，甬道左右有二小室。出土遗物主要有鎏金铜面具二、破地狱真言鎏金铜胸饰、金银钗簪、各式珠佩、鎏金冠、铜洗、铜执壶、铜镜等。陶瓷器有：

1.绿釉陶长颈瓶

2件同质同形，陶土较粗，灰白色，未瓷化，外挂粉衣。施绿釉不到底，色有深浅而都现细碎裂纹。大口长颈圈足，肩有弦纹二道。

2.绿釉陶鸡冠壶

2件同质同形。壶为圆形高体指捏纹环梁式，管状口，圈足，与长颈瓶系同窑出品。

3.三彩釉陶印花海棠式长盘

胎粗硬现黄白色，印胎作牡丹花双蝶，盘边有饰纹。外挂粉衣，上依花式加涂黄、绿、白三色釉，如黄花、绿叶、白地等，极为美观。盘式做八曲海棠花头式，平底，边有宽沿。

4.三彩釉陶印花暖盘

胎质釉色与上项海棠长盘同。器为大盘下连于筒式盉，盉沿边也可装沸水使盘中食物常温，与俗呼诸葛碗的温碗相同，北方寒冷，契丹人理应喜用，赤峰大营子第二号墓曾有出土。盘施黄釉，座满印图案细花纹，涂黄绿釉。

5.黄釉鼓式陶砚

砚圆鼓式无底，砚面留胎无釉，即研墨处，侧有弦纹乳钉装饰。胎质釉色同三彩釉器。

6.黄釉陶器

大碗1件，胎粗，作淡红色，挂粉衣，施黄釉，釉面薄厚不匀而有细裂纹。小盆1件，展唇平底，胎釉相同。以上各项釉陶器可能是一窑产品。

7.褐釉瓷器

花式小碗1件、花式盏托1件，二器当是一套。盏托圈足六花式，上有盅形盏座，小碗花式口圈足。作风工整，白瓷胎施黑褐釉，釉有堆脂现象。罐1件，大口折肩圈足，灰色粗缸胎，露胎处紫色。外挂褐釉不到底，内底有渣垫疤痕四个。皆缸、罐杂器窑出品。

8.白瓷器

瓷碗1件，瓷胎细白而硬，内外白釉。口沿沟道纹一道，内底上有渣垫痕四个。花式小碟10件，同形同质，胎釉与上项器同。碟口六花式，小圈足，内底上有渣垫痕三个。小罐3件，同形同质。胎稍粗，作米黄色，挂白粉衣，白釉浊而闪黄。罐身扁球形，底有圈足。此种白瓷虽有粗细之别，但胎釉作风基本相近，当是辽土一窑产物。

9.景德镇青白瓷雕花葫芦式执壶

壶身葫芦形，前有细长嘴，后有扁宽把手，下有圈足，肩下细雕暗花，造型极为秀丽。胎质莹白，瓷化度强。满挂青白釉，刻线及釉厚处青碧光澈，是宋景德镇窑少见珍品。

以上列举的仅是历年发现的辽墓出土陶瓷例，足作我们研究参考的，若古墓年代难定及似辽瓷而出土情况欠确的都未采入。

二、辽故城出土陶瓷片

此次把辽代营建而后世未长期使用的故城出土的陶瓷片列后，因当时该地居民所遗陶瓷片，对研究辽瓷的种类数量、分布、百分比、瓷质、瓷法等都有重大意义，虽系瓷片，其文化价值实不亚于古墓出土的全器。而且破碎残断，对瓷胎、釉质、硬度、耐久力等项的深入观察更为方便。

（一）辽上京临潢府址陶瓷器片

临潢府是辽国京城，故址在内蒙古自治区巴林左旗林东镇前。城分两部分，规模宏大，北为皇城，是宫阙、官署、寺庙和贵族宅第所在；南为汉城，是契丹及汉工商市民所居。出土瓷片极多，就我几次采集的统计数字，依数量多少为序列下：

1.定州窑白瓷器片——约占总数50豫。素白的最多，划花的次之，印花的较少，画铁彩的一件。大内址中分布较多。

2.磁州窑黑花瓷器片——约占1豫。胎粗而黄，大多挂粉衣后再画黑色花纹，上罩半透明釉汁。

3.仿上二窑瓷器片——约占总数30豫。淡黄或淡灰土胎，挂粉衣然后上透明性釉，釉层有的易于脱落。汉城出土较多。

4.灰绿釉（茶末釉）瓷器片——约占总数10豫。黄粗缸胎，颇厚重。挂灰绿色茶末釉，多粗杂大器，高圆柱形鸡腿坛片尤多。

5.黑釉瓷器片——约占总数3豫，胎粗硬，分灰黄二色。釉色正黑或黑而透绿，有强光。与上项器物同，都是日用缸胎粗器。

6.赭釉瓷器片——约占总数1豫。胎灰白，粗糙，赭色釉，光泽较强。亦为日用杂器。

7.低温绿釉陶器片——约占3豫，淡黄胎，不细腻，粉衣上挂不透明的娇绿釉。此类单色釉器和三彩陶在古墓中发现较多，故城居址中极少见，京城中更少见。

8.景德镇青白瓷器片——约占总数1豫。胎质细腻莹白，釉多青碧光泽，厚处色重而有气泡沫。雕刻花纹的也常见。

9.灰青瓷器片——约占总数1豫弱。胎细硬，色白而灰暗，釉色灰青，厚处气泡显明，有印花、划花的，当是临汝窑产品。

（二）辽祖州城址陶瓷器片

城址在内蒙古自治区巴林左旗林东镇西20余公里的满其克（独石）山中，为辽太祖阿保机奉陵邑，城内有享殿及官署，南门外为市肆民居。瓷片以内城西北部大石室右侧最多，南门外市址次之，城内官署址很少，享殿址极少见。

1.定州窑白瓷器片——约占总数80豫。有光素、划花、印花三种。城内西北和东北两方分布较多。

2.仿定窑白瓷器片——约占总数8豫。与上京址仿定器同。

3.景德镇青白瓷器片——约占总数10豫。胎薄质白而坚致，釉透明厚处青碧而有小气泡。城内西北部出土的多杯盘器片，最精美。

4.灰青瓷器片——约占总数1豫弱。瓷质特色与前记萧德温墓出土品西方人呼为北方青瓷的临汝窑器同。

5.灰绿釉（茶末釉）瓷器片——约占总数1豫。缸胎黄硬，外挂茶末绿釉，多日用大器。

（三）辽庆州址陶瓷器片

在内蒙古自治区巴林左旗林东镇西北方100余公里的白塔子（蒙语名查干苏博尔罕）村。辽初为黑河州，后为圣宗永庆陵奉陵邑。当时极富庶，夏季皇帝有时驻此，金、元均废。瓷片分布以城内中央为最多，城外较少。

1.定州窑白瓷器片——约占总数70豫。光素的最多，雕刻花的较少，印花的最少。

2.定州窑红瓷黑瓷器片——各见一片，胎细白而坚致有光。红柿色釉，有宝光，器薄而规整，黑釉层薄而黑如点漆，均为少见珍品。

3.仿定州窑白瓷器片——约占总数5豫。多粗土胎挂粉衣，上淋无色透明釉，种类较多。

4.景德镇青白瓷器片——约占总数10豫。刻雕花纹的较多。

5.灰青瓷器片——约占总数10豫。灰白瓷胎，暗灰绿色青釉，有的微闪黄褐。划花、印花品较多。

6.赭黄、灰绿、黑瓷器片——约占总数2豫。多粗缸胎大型杂器。

7.低温绿釉陶器片——约占总数3豫。多黄白胎，体略粗厚，粉衣上挂半透明绿釉，釉层极易脱落，有时一片仅存绿釉少许。

（四）辽永庆陵陶瓷器片

去庆州北方17.5公里，蒙语名瓦儿满罕（汉语名有风沙陀），山中有辽圣、兴、道三朝帝后陵，殿址宏大，瓷片很多。三陵瓷片大致相同，且确为辽中期后所遗，年代准确，是研究辽瓷情况最好的遗品。

1.定州窑白瓷器片——约占总数45豫。素白瓷又占十之八九，雕、印花纹的较少。

2.仿定窑白瓷器片——约占总数35豫。一般较粗黄，但也有数等，唯精品较少。

3.灰绿茶末和黑瓷片——约占总数5豫。多粗杂大器。

4.景德镇青白瓷器片——约占总数5豫。多影青之极精薄的，较前各地出土的更精。

5.灰青瓷器片——约占总数5豫，即外人俗称北方青瓷的。

6.青瓷器片——约占3豫。类世传北宋官窑瓷和龙泉瓷，有的青而闪黄绿，与越窑为近。因器片较少一时很难确定窑别。

7.三彩釉陶器片——约占总数2豫。多红褐胎，有粉衣，挂三彩釉或黄釉。也有白釉陶器加绿彩的，但数量极为少见。

此外，辽代古城如中京大定府址、高州、懿州、辽州、开州等多数古址虽亦有大量陶瓷片，但这些古城都经过金元利用，时代性不太明确故未采入。

次将迄今已知辽代古窑址出土的陶瓷略加介绍。

（一）辽上京瓷窑烧造的瓷器

窑址在内蒙古自治区巴林左旗林东古城，即辽上京临潢府故城内。瓷窑规模很小，烧造历史较短，但烧出的瓷器质量很好，技术上受定窑很大影响。产品有两类。

1.仿定窑白瓷器胎细白而稍暗，破裂面有光泽，现玻璃裂破状。胎粗厚的白中每含灰黑杂质。釉白而闪微黄，极温润。个别的偶现淡青色，当是以木柴为燃料易出还原火性所致。器底往往有刻划的各式记号。器多杯、碗、盘、碟、瓶、罐、盂、盒之属。其中也有为契丹人喜用的盘口长颈瓶、八曲海棠花式长盘、方碟、长把执壶等。素器为主，雕花器较少。

2.黑釉瓷器胎质与白瓷同，釉色黑而微闪绿褐，极光亮温润。瓶、罐、壶等器皿为多，并烧制灰白胎黑釉瓷瓦，用于祖州城辽太祖阿保机祭殿上，可知此窑的重要。

（二）辽上京南山三彩窑烧造的釉陶器

窑址在辽上京故城西南1.5公里许的山坡上。窑室址已破坏不存，地表上仅存散乱窑具和各种器片，但分布面积和遗物量也不太大，此窑当时规模不大，烧造不久，由此可知。

现存遗品有两类。

1.三彩釉陶器胎粉红色，颇松软，绿、黄、白三彩釉不很光艳，釉层易脱落，器片多有釉彩，但多脱尽只存素胎。

2.白色低温釉陶器胎土色性同前，釉为干白色，不甚温润，时有于白釉或黄釉上少加绿彩的做法。在同地并有不少三爪形支烧窑具。

（三）辽上京白音高劳窑烧造的瓷器

窑在辽上京临潢府故城西2.5里白音高劳屯后山坡大田地中。窑址多破坏，有的埋于地下，器片和窑渣散乱的面积很大，地下瓷片层有的厚达一米深。此处专烧茶末绿釉和黑釉大型粗器，是当时一种缸罐杂器窑。

1.茶末绿釉瓷器胎粗而黄，质颇厚重坚致。釉黄灰绿色，即俗称茶叶末的一类。器多高圆柱状鸡腿坛，小口平底，器身高如圆柱，是辽瓷中较多的，也是较别致的。有人说此器装奶易于发酵，也有人说置于帐中少占空间，故为契丹人所喜用。

2.黑釉瓷器胎质同前，釉纯黑不细润。器多瓮罐，唯数量较前种为少。烧窑不作匣钵和各种障火设备，器物直接入窑装烧，器物中多用耐火土球、土条支垫，互相间用线轴形窑具支持，故器口、底及腹往往有疤痕。

（四）赤峰缸瓦窑屯辽窑烧造的陶瓷器

窑在内蒙古自治区赤峰西60公里猴头沟乡缸瓦窑屯。窑厂很大，窑址很多，遗片分布面积约2平方里。该处有梵文经幢，辽式宽边兽面纹瓦当及砖瓦，窑渣瓷片中也出有辽代特有的鸡冠壶残器，其为辽代古窑毫无可疑。陶瓷器有：

1.仿定窑白瓷器胎白而微黄，时有杂质黑点，大器胎中尤多，破碎口面无光泽。精品瓷化较高，白而且可透影，硬度亦大，与真定器为近。胎外均挂粉衣，釉色乳白光洁，大器粗品多带重黄混浊不透明的白色。器以日用品的杯、碗、盘、碟、壶、罐为多，棋子、玩具次之，犬、马、小象、兽头瓷笛也有出土。装饰法有印花的凤、鱼、莲花、人物、流云、水波等。画铁色黑花的多粗器，花纹以黑边、复直线、复交叉直线、点纹、梅花、草叶等为多。入匣垫器的渣饼多三足，或直用三个耐火土小圆球为支器，故器物内底上往往有三个疤痕。

2.三彩及单色釉陶器胎粉红色，颇细软，先烧素陶胎，次挂粉衣，后施色釉再烧成。三彩釉黄、绿、白均娇艳光洁，单色黄绿器也釉调厚重雅致。烧时用三爪形支足入匣，故器中都有三个小圆钉痕。器多印花盘碟、三彩印花陶砚、三彩小佛塔、黄釉圆式环梁鸡冠壶、花式杯口长颈凤首瓶等。三彩陶和黄、绿单色陶均同窑烧成。

3.茶末绿鸡腿坛缸胎黄而粗硬，多含黑色杂质。釉灰绿如淡茶末，有时闪灰黄色，混不透明。小口平底，器身上粗下细呈高柱形如鸡腿，肩部每有类似姓名的汉字刻款。传世品曾有刻"乾……年"（按即乾统某年）的，也有刻一花纹的。此器产量很大，有专窑烧造，而白瓷窑则往往也烧三彩或单色釉陶器，但因所需温度高低不同，不得掺杂同烧而已。

（五）辽阳江（音"刚"）官屯辽窑烧造的瓷器

窑在辽宁省辽阳县江官屯。窑厂极大，窑址很多，以屯后太子河南岸为最多最密，屯前南山根和屯西南大道东都有保存，而河北岩州城城门口屯后的一处黑釉瓷窑则可能是元代的。此窑厂中曾出土过"石城县"款陶砚一方和北宋铜钱。按金改岩州为石城县，元废，可见窑厂在金代是很兴盛的。从烧造的瓷器上看，此窑当起于辽代。大致仿定窑白瓷和仿磁州黑花白瓷为多，黑釉多大器，三彩琉璃器极少。此窑一大特点是烧瓷不用匣钵支垫入窑，而采用各式耐火砖障火入窑法，故广大窑厂中不见一个匣钵残片。窑室圆形，耐火砖体很大，规格也很多。产品有：

1.仿定窑白瓷器胎粗而燥暴，色白，往往夹杂红黑色杂质细点。釉色白而微黄，无粉衣处釉汁浊黄半透明。器多杯、碗、盘、碟、瓶、罐等日用品。小玩具如犬、马、骆驼、小人、兽头笛等种类极多。雕划花器极少，未见印花器。

2.仿磁州黑花瓷器胎质同上，每于粉衣上黑画横线或简单花朵、草叶纹，其色黄黑，技工草率拙稚，恐是晚期遗品。

3.黑釉瓷器胎质同上，更较粗杂。黑釉虽有佳器如小瓶、小罐、大碗等，但数量不大，最多的仍为日用较大的粗糙大器。挂釉多不到底。另有一种胎质粗红釉色灰黑无光的，当是晚期产品。

四、部分辽塔发现的陶瓷器

此外在辽代佛塔中也有陶瓷器的发现，如辽宁省阜新县腰衙门村附近和内蒙古自治区宁城县大明城附近都有过辽代塔基地宫的发掘清理，出土品有的在河北博物馆（原在热河博物馆），有的在锦州文物陈列馆，未经研究，暂不列入。现把吉林省农安辽塔和沈阳市北门外辽塔出土的瓷器简介于后。

（一）吉林省农安塔出土瓷器

塔在农安县城外，砖筑八角十三层，系辽代建筑，上部多颓坏，1953年重新保护修理。在塔上部中心一小砖室中发现铜佛、银牌、瓷香炉、瓷香盒、木盒、银盒、舍利子等件。瓷器两件：

1.白釉香炉器形如高足杯，筒式杯身上口有外展而微向下垂的宽沿。此类器物在河北巨鹿曾出土过不少，有人称作供杯。此次发现于铜佛前，中有香灰，又和香盒同出，是香炉最确的出土例。胎质黄白，硬度较高，釉浑厚乳白，挂釉于粉衣上，下不到足底，流釉有蜡泪痕。高仅4.7厘米。

2.搅胎瓷香盒圆形，上下平齐，中有子口。高4.4厘米，直径7.9厘米。做法是用黑白两色瓷土揉搅为胎，然后旋削周正，外挂无色透明釉一层，可以明显地看出胎上花纹，花纹的特色是变化多端，不能想象，如云行、水流、木理，非常自然。唐器有此做法，宋瓷已不多见。俗名野鸡翅，也是象形的称呼，这是很珍贵的一个资料。这种器物残片曾在沈阳市塔湾附近辽代遗址中发现过。

（二）沈阳市崇寿寺辽塔出土瓷器

（辽乾统八年，宋大观二年、1108年）

崇寿寺塔俗名白塔，在沈阳市北门外。塔砖筑八角十一层，高22.88米。1956年因塔身将倾倒，不能修理，于当年拆除。地宫中出土物有铜佛像和铜镜多件，刻"乾统八年三月二十三日"石函一件，铁盒、铜盒、银方盒、圆盒、铜钱、琉璃瓶和舍利子等。

瓷器有：

白瓷小盖罐罐体扁圆，缩口圈足有盖，通高10厘米，腹径9.5厘米。胎质粗硬微黄，外挂粉衣施乳白釉，圈足无釉。盖釉深褐色，上有把手。罐出于刻字石函中，内原装香木小佛塔。

辽陶瓷种类与窑艺情况

辽代陶瓷器种类繁多，形式新奇复杂，一时很难作一精确概括；但由产品窑厂、器皿造型和特殊器物上看，还是可以得出较为清楚的概念的。

（一）辽瓷窑系的区别

一、中原各窑烧造品多为高温硬瓷，青、白、黑、红各种釉色兼备，虽系辽贵人使用的器皿，但系外来品，非辽土烧造，又非一般人所能使用，故不能作为真正辽瓷看待。

其中最多的是定州窑瓷器（自然也有少数唐、五代的邢州器）。白瓷最常见，红定、黑定器极少。光素的最多，雕划花的较少，印花的更少，且多在晚期，描灰黑花的定瓷则偶一见到而已。器皿有瓶、罐、盂、盒、杯、碗、盘、碟等。

其次多的是景德镇青白瓷器，多集中发现在贵族居住地和陵墓中。器物有精粗之别，粗品作风草率，釉色不甚清澈，除雕为花式而外，多无任何装饰。精品胎薄而莹白，釉色青碧如冰如水，雕纹釉汁深处尤美，故有影青俗称。

复次为青瓷器。迄今所知，契丹境内尚未发现烧造青瓷的窑址，辽土发现的青瓷应该都是来自中原的。其中最常见的是灰青闪黄的临汝窑器，也就是老汝窑器（与宋人所称的新汝器和传世的官汝器不同）。杯、碗、盘、碟最多，多有印花。

较少的有越窑和类似龙泉窑的器物，胎釉特征当然和中原发现的相同。

此外还有在辽遗址发现的三四种青瓷器，因为资料较少，中原陶瓷器考古工作还没有大力展开，暂且不能肯定窑别，此后应加注意。从未发现过钧窑青器和窑变器，可能是钧窑晚起之证。

磁州窑黑花白瓷器和黑釉加斑如建窑、吉州窑之类的器物，在辽土也很少发现。按磁州窑与辽土接近，该窑产量又大，所以少见的原因，是不是磁州窑晚，也是值得注意的。至于黑釉器虽也偶有出现，但多黄白薄胎，小底大敞口，有的口边无釉或镶金属扣，与建、吉两窑作风不同，当是河南一带产品，即世俗称为河南黑釉的器皿。

二、辽土各窑烧造品，此类是辽代陶瓷正品，既在辽烧造，也是辽国广大人民普遍使用的器皿，技术虽受中原很大影响，但它又有很浓厚的契丹文化特色。在窑业技术和陶瓷量上看，又可分为三种：

第一种是高温度细胎白黑瓷器。此种以仿定白瓷为多，产量也最大。一般都胎质较粗，挂粉衣而施乳白釉。复烧法不大通行，支足多用土球。雕划印花器较少，晚期渐多黑花白瓷器，以黑口黑箍及草率的花纹为主，雕釉、剔粉、填黑诸作品尚无发现。黑釉细瓷器产量较少，小件器皿更少。

第二种是高温缸胎茶绿、黑、赭杂色釉大型瓷器。这种瓷器产量很大，普遍使用，多专窑烧造，如今日的缸窑专烧缸、罐的情况一样。器种以缸、罐、盆、四耳壶、两耳罐、鸡腿坛等为最多，雕划花纹和加刻文字的较少。

第三种是低温釉陶器。其中单色的黄釉、绿釉、白釉器皿较多，三彩釉或二彩釉器较少。陶胎多粗糙，现淡红或淡黄褐色。绝大多数胎挂粉衣经过素烧而后上釉。三彩器多印花小器。这类器物出土于墓葬的较多，故城址和居址中并不多有，有的纯系殉葬的明器（如三彩小床），当时是否为一般实用器，也还有待于今后的考古证明。翠绿釉器其本身本是高温硬质瓷器，然后加施一层低温软质翠绿釉汁，再入窑烧即成翠绿器，它实具备两次入火和软硬两种陶瓷的特性。但这种器物当在晚期出现，因金元遗址出土量更多些。

（二）辽瓷造型的特点

辽代陶瓷器从造型上观察，完全可以反映出辽国契丹与汉族杂居生活的面貌，因为陶瓷器皿的形式和装饰是适应人民生活要求和文化传统而产生的，所以辽瓷形式也可分为中原形式和契丹形式两种：

1.中原传统形式器类有：（1）杯、碗、盘、碟之属；（2）盒、盆、瓶、罐之属；（3）缸、瓮、砖、瓦之属；（4）棋子、香炉、陶砚之属。

2.契丹特有形式器类有：（1）杯口长颈、凤首、鸡形、瓶、壶之属；（2）鸡冠壶之属；（3）有系扁提壶、有流一面平背壶、鸡腿坛之属；（4）暖盘、海棠长盘、方碟之属。

（三）辽代陶瓷器装饰特点

辽瓷装饰有很多特点，从技术手法上看，可分素胎装饰和釉色装饰两种：在素胎装饰上使用着雕划花纹、模印花纹、塑贴花纹三法。雕划模印花纹手法与中原大同小异；其中塑贴花纹一项最为突出，最为普遍。有的印出或塑出部分花纹贴于胎上，如蟠龙、牡丹、人物小像等都有。塑贴皮条、皮扣、皮穗、皮绳仿契丹人传统的皮袋形象更为逼真，有的加以缝线针迹，尤为出色。釉色装饰有两种手法：一用多种色釉施于一器，如三彩器、两彩器、单色釉加彩器等做法；另一用色釉描画器皿，如磁州器做法，花纹简单，且多在晚期。

（四）辽三彩釉陶器

辽三彩器应称辽三色釉陶器。技术上受唐影响，与渤海三彩釉器也有相似之处。它属于低温釉陶类，一般都先烧素胎，后挂粉衣和色釉，入窑再烧而成。

1.胎质：胎较粗硬，色淡红或淡黄。

2.釉色：釉厚、色浊、光强、釉种少而无变化。

3.装饰：印花胎较多，塑贴花较少，雕划花也不多见。手法内容有三种：（1）印花器——陶范印胎，多平地稳起或半圆凸起花纹。花纹多以花草虫鱼鸟兽人物为主题，尤以落花游鱼、牡丹、宝相为最多。（2）雕划花器——胎未干时用尖头器雕出阴线花纹，也有与印胎合用的。花纹内容也多花草、虫鱼、鸟兽、云水、几何图案等，然后按花纹性质涂上色釉，造成一幅有色瓷画。（3）三色釉斑器——在光素胎上挂三色釉的斑片花纹，是唐三彩器的传统手法。或在单色釉上再上少许另一彩釉，使釉色变化美观。

（五）辽鸡冠壶

鸡冠壶是近年对这种陶瓷容器新加的名称，因它有的像鸡形，有的孔鼻像鸡冠形。它是辽瓷中最有特色的器皿之一，出土于陵墓的较多，在当时古城居址中是不多见的。从胎釉性质上看，它有瓷的和釉陶的两种，后一种数量较多。它是仿照皮袋烧造出的陶瓷器，有的把皮页缝线、皮扣皮条装饰、皮绳环把都逼真地表示了出来，充分证明契丹人容器如何由皮袋发展到陶瓷器；北族古代使用的皮袋形状、类型、装饰法等也由此略得梗概。从造型上看，可有五个基本类型：

1.扁身单孔式——一般形状是下圆上扁，肥身平底，上有鸡冠状单孔鼻，身有凸起缝合线。即仿照左右两大皮页，下加圆底，上加管口，缝合而成的皮袋形状。早期墓中多有出土，可能是早期形式之一。有陶胎瓷胎及各种釉色的产品，但有花纹装饰的极少。

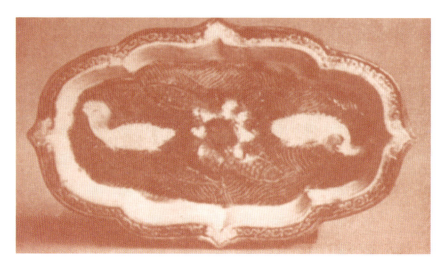

三彩印花落花游鱼海棠长盘

三彩印花方碟

三彩印花方碟

绿釉凤首瓶

圆身环梁深绿釉鸡冠壶

矮身横梁白釉鸡冠壶

矮身横梁黑花白瓷鸡冠壶

扁身双孔绿釉鸡冠壶

扁身环梁黄绿釉鸡冠壶

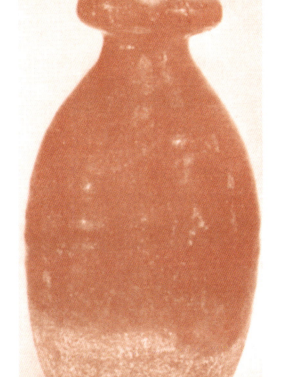

黑釉瓶

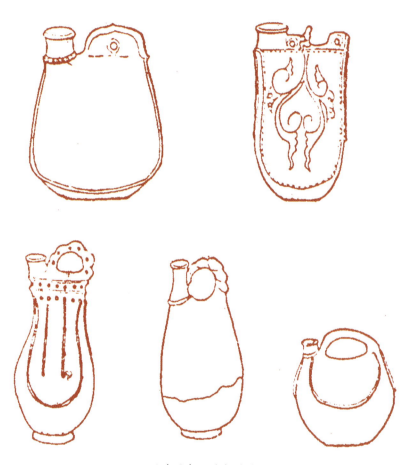

辽鸡冠壶五种类型图

2.扁身双孔式——一般形状是扁身较高而上宽，平底短管口，上有双孔鼻，有的有壶盖。仿皮袋形的缝线针脚很逼真。有三种装饰法：最多的是在壶两大面线划卷草花纹；有的塑贴浮起的牡丹花或云龙纹；极少数的是在上端双孔的中间或后方加塑人物小像。此类陶质绿釉的较多。也是较早较少的形式。

3.扁身环梁式——一般形状是高身圈足，口无颈，高环梁。身有皮条和皮扣装饰。把有两种做法，有的做皮绳状，有的做皮环状，上加皮扣形为饰，也可充分看出皮袋原形。陶质的较多，白釉加绿的尤为精美。

4.圆身环梁式——一般形状是高身圈足，拉坯圆壶捏扁上部，加长管状壶嘴及环状提梁，提梁上多加指捏纹为饰，很少皮袋形象。单色釉陶器为多，无任何装饰，是鸡冠壶中最普遍的一种。

5.矮身横梁式——一般形状是矮身，横圆如鸡形，平底，管口，上有横曲梁。有的表示皮袋缝合线，有的塑贴皮条皮花状装饰，有的直作像生鸡形，并画出口、鼻、耳、目、翅、尾，十分逼真。此式很少，且皆瓷质。

尾　语

辽代陶瓷器的概略情况大体如上所述，其中有几项事是应加注意的：
1.陶瓷界公认为北宋即已有名的磁州窑和钧窑器，不但在较早的辽代遗址墓葬中不见，即使在晚期也从未见到一片，对两窑开始年代不无参考价值。
2."官"字款和"新官"字款白瓷器在辽土陆续发现，当然在河北甚至远到长沙也有出土，它究竟是哪朝的官窑，产于何地，应进行深入的研究。3.为了更好地研究辽代陶瓷文化，河北、山西和内蒙古自治区的考古工作者和陶瓷研究家，对这些地区的古窑址和出土的古陶瓷，应尽早进行调查发掘和整理研究。

辽代陶瓷

一

　　中国的陶瓷工艺，发展到唐、五代和北宋时代，瓷窑分布南北，产品各具特色，出现了群芳争艳、相互辉映的繁荣局面。北方的辽瓷，是其中的一个分支，其造型和装饰，都有鲜明的地方色彩和独特的民族风格。因此，研究辽代陶瓷工艺，对于中国陶瓷发展史的阐释，对于了解辽代的社会、文化以及生活习俗等方面，都有着重大的意义。

　　新中国成立以来，在国家经济文化建设全面跃进的形势下，考古工作也得到了空前的发展。在黑龙江、吉林、河北、山西和内蒙古自治区等地都新发现了辽代的墓葬和遗址，在辽宁省境内调查、发掘的也不少。在大量的出土物中，有一大部分是陶瓷器皿。由于这些陶瓷器皿是经过科学发掘的，并有其他遗物作为旁证，因此年代基本明确，使用者的阶级地位和所属民族也比较清楚。

在新发现的辽代墓葬中，赤峰大营子应历九年（959）驸马卫国王娑姑阴墓是值得重视的一例。这座墓葬不但在已发现的辽墓中年代最早，而且出土的陶瓷器皿的窑种、器类也非常丰富①，其中仅鸡冠壶一类就有17件之多，壶里还存有茶色结晶物质；白瓷器占绝大多数，而"官"字刻款碗、盘的胎质釉色，又十分精美，可称上品。从研究辽瓷的角度来看，这些出土物都很重要。

义县清河门辽重熙、清宁间（1032—1064）萧慎微祖墓群出土的陶瓷器也是一个重要发现。其中有中原各名窑的产品，也有辽代烧造的器物②。确属辽代烧造的有白、黑、茶绿釉瓷器和单色釉陶器。白瓷中细的有注壶、壶连、印花方碟及刻花器片；粗的有鸡冠壶、长颈瓶、渣斗等，后者在辽瓷中比较常见。黑釉弦纹瓶和茶绿釉鸡腿坛则为当时缸罐粗瓷器中较好的产品。单色釉陶中绿釉的有鸡冠壶、凤首瓶、小罐等。白釉鸡冠壶及长颈瓶虽属釉陶，而胎釉比一般黄釉和绿釉器的制作精致，是辽代釉陶中烧造质量较高的一种。通过这些多种多样的品类，使我们能较全面地了解到辽代中晚期瓷器的生产和使用情况。

锦西西孤山辽大安五年（1089）静江军节度使萧孝忠墓出土的釉陶器，是研究辽代釉陶，特别是研究"辽三彩"器极好的资料③。单色釉陶器有：黄釉鸡冠壶、长颈瓶和绿釉凤首瓶。凤首瓶特别高大，鸡冠壶为圆身环梁式，其造型的发展变化，可作为辽瓷分期的参考。三彩釉器有：印牡丹花方碟和印落花游鱼海棠式长盘，釉色滋润明艳，是辽三彩器中的上品。另外还有陶胎印菊花纹黑、白二色围棋子78枚。

① 窑种有：釉陶器、茶绿釉瓷器、白瓷器、青瓷器、越窑器。器类有：鸡冠壶、长颈瓶、小罐、注壶、台盏（盏和盏托）、盆、盘、碟、大碗、碗。详见前热河省博物馆筹备组：《赤峰大营子辽墓发掘报告》，《考古学报》1956年第3期。
② 萧慎微祖墓群三座墓葬共出土陶瓷器70余件。中原名窑产品有景德镇、定窑、越窑器和另一种青瓷器。辽代烧造的釉陶和粗、细瓷器，品种也甚丰富。详见李文信：《义县清河门辽墓发掘报告》，《考古学报》第八册，1954年。
③ 详见雁羽：《锦西西孤山辽萧孝忠墓清理简报》，《考古》1960年第2期。

以上各例都是契丹贵族的墓葬，出土的陶瓷器皿较多。驸马墓是辽代早期墓葬的典型，萧慎微祖墓群和萧孝忠墓则可视为晚期的代表。这几座年代明确的墓葬所出土的器皿，使我们研究辽代陶瓷的发展，有了可靠的依据。

　　另外，还有几座墓葬中出土的陶瓷器也很重要。建平朱碌科辽墓出土的8件瓷器[①]，都是上等白瓷，如"官"字款盘口瓶、"官"字款碗可与驸马墓出土的涂朱画龙长颈瓶、"官"字款碗、盘对照；白釉双耳罐出土时口镶银边，环状附耳下有四个扁扣凸起装饰，仍保留着皮囊加环的遗迹。建平张家营子辽墓出土有10件陶瓷器[②]，其中黄釉鸡冠壶为扁身双孔式，而褐釉鸡冠壶则为圆身环梁式。两种不同形式的鸡冠壶同出一墓，是很值得重视的现象。另有白瓷器4件，精粗不同，其中"新官"款白釉碗的发现，给研究辽代官窑提出了新的问题。新民巴图营子辽墓出土了陶瓷器28件[③]。这28件器物中除有景德镇青白瓷、定窑白瓷外，还有辽代烧造的黄、绿色釉陶器、三彩釉陶器、白瓷器和杂色粗瓷器。其中绿釉鸡冠壶为圆身环梁式。黄釉鼓式陶砚和三彩釉印牡丹花纹暖盘都是首次发现。从胎质和釉色看，和赤峰缸瓦窑屯辽窑产品很相似。白釉、黑釉等杂色粗瓷是辽代地方缸罐杂器窑出品，在辽瓷中是最粗的。这三座墓葬的年代虽不明确，但是，比较一下，朱碌科墓出土器物与驸马墓近似，当为早期；巴图营子墓出土器物与萧孝忠墓比较接近，时代可能较晚；张家营子墓两式鸡冠壶并存，可视为过渡阶段的产物。这些都给我们提供了较有价值的辽瓷断代资料。

　　新中国成立以后，对辽代窑址也曾进行过多次的调查，发现的窑址有5处[④]：

　　林东上京临潢府故城窑，是一座在技术上受定窑影响很深的瓷窑。窑址圆形，用圆锅底和平锅底两式匣钵烧成。窑厂规模小，烧造时间不长，但产

①②③冯永谦：《辽宁省建平、新民的三座辽墓》，《考古》1960年第2期。
④参阅李文信：《辽瓷简述》，《文物参考资料》1958年第2期。

品质量很好。产品有白釉、黑釉瓷器两种。做法以拉坯圆形器为主，方形、曲形的和印坯的都很少。器底圈足下常有划纹标记，是其特点之一。器皿造型有中原传统形式和契丹民族形式两种，后者制作精细规整，而数量较少。黑釉器皿以瓶、罐、壶、盂、钵为多。另有黑釉瓷瓦，制作也很精细，可能是专供祖州"二仪"殿上用的[①]。

　　林东上京临潢府故城南山窑，以烧造三彩釉器为主。窑场窑址都已不存，仅地面上散有爪形垫烧窑具及陶器片。三彩釉为黄、绿、白三色，不很鲜艳。造型仅有盘、碟等小器。单色釉陶有的在白釉或黄釉上加少许绿釉，极为美观。唐代流行这种做法。喀左县山嘴子墓和建平叶柏寿墓都出土过这种敷釉法的器皿。

　　林东白音戈勒窑是一座粗瓷窑，专烧茶绿釉和黑釉大型瓷器，鸡腿坛是主要产品。烧时不用障火设备，直接入窑烧成。根据瓷片和烧成工具看来，装窑法一般是：器皿上下叠积，一排排地密集窑中，为避免倾倒粘连，在器腹与器腹之间用线轴状窑具横向支顶。义县清河门萧慎微祖墓群第四号墓出土的黑釉弦纹瓶肩上一圈无釉，就是使用这类装烧法留下的痕迹。

　　赤峰缸瓦窑屯瓷窑的产品，种类甚多，而以白瓷器为主。这个窑辽时开始烧造，下限应到元代[②]。辽代生产的单色釉及三色釉陶器，盘碟类以拉坯、印花为最普遍的做法，方器、多角器和鸡冠壶等则多拉坯、印坯、镶接等法合用。单色釉器多黄、绿二色，色调厚重典雅；三彩釉器用黄、绿、白三色，娇艳光洁，可与唐三彩比美。新民巴图营子墓出上的三彩釉印牡丹双蝶海棠式长盘和三彩釉印牡丹花纹暖盘，可能都是这个窑场烧造的。白瓷器的造型与中原白瓷略同，精者和定窑上品相似。烧成多用各式环状装烧具和

---

①《辽史》卷三十七《地理志》："祖州，天成军，上，节度。本辽右八部世没里地，太祖秋猎多于此，始置西楼，后因建城，号祖州。……西北隅有内城，殿曰两明，奉安祖考御容，曰二仪，以白金铸太祖象，曰黑龙，曰清秘，各有太祖微时兵仗器物及服御皮裘之类存之。"今林东石房子祖州遗址"二仪"殿上所用的黑釉瓷瓦，可能就是这个窑专门烧造的。
②近年在赤峰缸瓦窑屯瓷窑址发现有红釉的三彩釉陶器和很多金元遗址中常见的产品，估计烧造下限应到元代。

线轴状、瓜状、圆球、扁饼、泥条、渣垫等，不见大匣钵。印花器多，刻花器少。北宋北方白瓷窑出色的雕填和雕粉剔花做法，此窑虽有烧造，但产品不多，也不如北宋精工。白釉黑花器是辽代晚期出现的新品种，种类很少，多在白器上随笔点画几株卷叶花草或各种点纹、条纹或器口画黑圈等。建平五十家子墓出土的白釉黑花瓶和这个窑址出土的白釉黑花双耳罐，就是这种装饰的代表。茶绿釉鸡腿坛也用专窑烧造，口外肩上每刻划有"孙""徐"等汉字，传世品也有刻划"乾年"（即辽乾统某年）及契丹字的。

辽阳江官屯窑在制造技术上略与磁州窑相近而稍粗糙。这个窑厂大抵始于辽，盛于金，到元代已废绝不烧①。产品有白釉、黑釉和琉璃器（数量很少）。烧成不用匣钵，而是在圆形较大窑室中采用各式大小、厚薄、方圆不同的耐火砖障火和支、顶、挤、垫工具装烧，说明窑业技术已很进步。白釉器绝大多数白素无纹，刻花划花的很少。有花的多是较大的作品，如最近出土的雕粉缠枝花大钵，尺寸高大，器物厚重，花纹刀法也很精工。白地黑花器，数量也较少，最近出土的长方形黑花瓷枕，当是辽晚期或金元遗品。黑釉器较好的有茶盏、小碗、小罐等，但数量最多的还是日用大器。各种人像、狗、马小玩具也都生动可爱。

从上述五处窑址综合观察，辽代窑室的构造是比较进步的。窑室平面做椭圆形，前后长约5米，左右稍窄，立体做馒头形，用耐火砖、石块和土墼筑造。前端为门，作装除窑器和烧火之用。内为火膛、窑床，后有四个或六个烟道，连通于窑后高立的烟囱。白釉等细品，入窑时用匣钵装盛或用耐火砖块遮障，以免器面遭受烟熏灰污而损伤光彩。釉陶和缸罐杂品，则直接入窑烧成，燃料都用柴草。

通过对辽代各窑址的调查和上述墓葬出土的大批陶瓷器，使我们能够较为全面地看到辽瓷的基本风貌和烧造技术的水平，以及它们和中原各瓷窑的密切关系。

①窑址在辽阳市东30公里太子河南岸，隔河与辽岩州、金石城县故址相望。近在窑群附近河岸颓土中发现有"石城县"刻款陶砚和多数北宋铜钱，都对这个窑址的断代有参考价值。

二

辽代陶瓷的品类很多，主要为酒器、茶具、盛食器、贮藏器和日用杂品等。这些器物的形制，有的仿自契丹族传统使用的皮、木等容器，具有独特的风格；也有直接沿用唐、五代和北宋的形式（主要是当时北方窑器的传统形式）。从大量的盘、碟、杯、碗、酒器、文具以及日常使用的渣斗的造型看，大都和汉族相似。

中原形式的陶瓷器皿，大都照原有样式烧造，毋庸在此另加说明。而契丹传统形式的典型器皿，其造型和装饰花纹，都与辽代的社会经济生活有着密切的联系。因此，略加介绍，是很必要的。

鸡冠壶①是由模仿契丹族传统使用的各种皮袋容器而来的，保留着游猎生活的形迹。壶的样式很多（详见下节），每个壶上都有仿皮革缝制的痕迹。有的甚至把上面的皮条、皮扣、皮雕花、皮绳环梁都如实地表现了出来，看起来确像一只皮袋。

凤首瓶的造型，很像一只伸颈直立的凤鸟。这种器形早流行于西域诸国，曾见于高昌壁画中。唐代也有类似的制品，称作"胡瓶"。辽瓷中的这种形制可能是直接受突厥和回鹘的影响。由这种瓶简化出来的长颈瓶和有嘴长颈壶，虽不见了凤头，但基本形式还是一样的。

鸡腿坛的造型，细高如鸡腿，平底小口，是契丹族专用的一种贮藏容器。

穿带壶，通称背壶，古代叫作携壶，有扁、圆和一面扁一面圆三种形式。多圈足小口，有的口旁有流。两侧通底有穿皮带或绳索的环鼻及沟槽，便于身上或马上携带奶汁、酒浆等饮料，是适用于游猎生活的贮藏容器之一。

---

①鸡冠壶，是对辽代模仿皮袋做成的上有鸡冠状孔鼻的一种陶瓷壶的新名称，也有人把这种壶叫作"马镫壶"。

瓜形壶、葫芦形壶，多为酌酒、注茶和调味品的容器。这种模仿自然物的造型，虽为中原旧式，但在辽代器皿可极为盛行。瓜形壶有圆瓜形和带棱瓜形两式，有的以瓜蔓为提梁，枝叶披拂，极为逼真。葫芦形壶以亚腰式注壶为多，有的上部仅存半个葫芦，有的只在口上存上个突起圆形。此外，鱼形、鸟形和扁把壶也有烧造，不过数量不多。

方碟，一望而知是渊源于木制方碟。多施三彩釉，但也有白釉的。

海棠花式长盘，平面像一朵海棠花。造型完全和唐代流行的金属槌制的曲边长盘相似，它的渊源可能与这种金属器有关。多印凸起花纹，涂三色釉，近年也发现有白瓷印花的。

筒式杯、瓶的造型，都是采用旋制木筒形器和树皮器的形式，有的以须弥座负重力士像为装饰辽代陶瓷器皿的装饰，属中原传统形式的器物，多取法中原，不外器胎本身上的拉坯、搅胎、印胎、刻划、塑贴、剔粉和釉色上的单色、三色、黑釉画花等种种手法；属于契丹传统形式的器皿，其装饰与造型都能表现出独特的民族风格。

仿皮革容器的装饰，最广泛流行的手法是堆线和贴花，在器物上饰以皮条、皮扣、皮穗、皮绳、皮雕花饰等，或与刻划、彩画花饰同时使用，达到很高的装饰效果。这种做法不但常见于鸡冠壶，也见于长颈瓶等其他器皿。运用中原传统的窑业技法来制作契丹民族形式的器皿，是窑业工匠们富有创造性的成就。

在塑贴装饰上使用人物小像和兽头，也是辽代陶瓷器中比较常用的装饰技法之一。人物小像也有的做骑马状加于鸡冠壶孔鼻部，有的塑贴几个力士像于筒式瓶上下。兽面多用于壶嘴基部，张口注水，意匠巧妙，形象可爱。这种装饰除用于陶瓷器皿外，也多用于当时的石雕器物上。

牡丹、野芍药是辽代最爱用的装饰，在当时的各种壁画、花饰、石雕中，这种题材甚多，陶瓷器物上更为普遍。印花盘、碗在三层花带中往往以牡丹为主，海棠式长盘和鸡冠壶多用成株牡丹，圆形瓶、壶则多作缠枝牡丹或野芍药。这两种花盛产在东北山野里，当时常被种植在庭院中①，因而也广泛地使用在装饰上。莲花、菊花虽也比较喜用，但都不如牡丹具有普遍性。

此外，在瓷器表面涂朱画彩加描金，也是辽瓷装饰上的一种手法。

三

近几年来，由于随葬陶瓷器物的大批出土和对窑址的深入调查，因此，在辽瓷研究中出现了一系列的新问题。深入探讨这些问题，不仅有助于了解辽瓷发展的历史，而且对了解契丹人的风俗习惯、丧葬制度的演变以及辽与中原的经济、文化关系都具有重要意义。

首先，是关于官窑的问题。近年出土的"官"字款器，为数不少。据我们所知，至少已有14件，器类也有碗、盘、碟、盘口瓶和鸡冠壶等多种。盘口瓶和鸡冠壶是辽瓷特有的形式。赤峰大窝铺辽墓所出土的"官"字款白釉印花三角碟②，为中原传统器形所罕见。根据《宋会要》记载，辽代设有"瓷窑官"，专职管理窑务。再证以宋元人关于"官窑馆"的记录，则辽代设有"官窑"专为统治阶级烧制高级瓷器是毫无疑问的③。至于官窑所在，

①关于辽人喜欢种植牡丹一事，见洪皓《松漠纪闻》渤海国条："……富室安居逾二百年，往往为园池，植牡丹，多至二三百本，有数十千丛生者，皆燕地所无。才以十数千或五千贱贸而去"。金王寂《辽东行部志》："己卯，予公余块座，因念旧年逐食于此，尝游李氏园，时牡丹数百本，方烂漫盛开。"洪皓和王寂所记，虽是金国见闻，而种植牡丹的风尚，当是由来已久。
②见《考古》1959年第1期第47—48页。
③《宋会要辑稿》第196册蕃夷一，契丹："（太平兴国四年六月）二十六日，幽州神武厅直卿（？）兵四百余人来归，山后八军伪瓷窑官三人以所授处牌印来献。"据此，辽代设有专官掌管官窑窑务，则确无可疑。另据宋人叶使辽行程录曳及《元大一统志》的记载，也可证明辽代确有官窑。《续资治通鉴长编》卷八十八载薛映记行："自中京正北八十里至临都馆，又四十里至官窑馆，又七十里至松山馆"。《文献通考》卷三四六四裔考二十三契丹中所载相同。曾公亮《武经总要》北蕃地理将"官窑馆"误为"官室馆"。《陈襄使辽语录》（《辽海丛书》本）亦载，治平四年六月三日宿中京北"临都馆"，四日至"锅窑馆"，五日至"松山馆"，则"锅"字显然为"官"字之讹。《元大一统志》上都路古迹门"官窑馆"条："松州西二十里有瓷窑，西北有砖瓷窑"。又："松山州等处有瓷窑"。则辽代官窑很可能就是赤峰缸瓦窑屯瓷窑。

近人曾作种种推溯，有人认为是林东临潢府故城窑，也有人认为是赤峰缸瓦窑屯瓷窑。此外，还有人因为湖南长沙古墓和河北也出土过"官"字款器，又主张是中原产品。关于临潢府故城窑为辽代官窑之说，因无明确的出土物可证，殊难置信。而赤峰缸瓦窑屯瓷窑为辽代官窑，则有《元大一统志》"官窑馆"条："松州西二十里有瓷窑"的记载可证。按元代松州为金松山县，辽松山州，其遗址今赤峰县猴头沟北方不远的城子屯古城。缸瓦窑屯正在城子屯西9公里，方位、里程与《元大一统志》所记基本符合。辽代的官窑很可能就是缸瓦窑屯瓷窑。但在这个窑址里，迄今还未发现有划"官"字款的器片，资料仍嫌不足，暂时难于最后确定。不过划"官"字款的盘口瓶、鸡冠壶等器绝非中原产品，一定是在辽"瓷窑官"的监制下烧造的，不能因为湖南长沙和河北曾经出土过"官"字款器，就否定辽代有官窑。

"官"字款器的时代，显然也有早晚之别。从建平朱碌科墓出土的"官"字款器来看，盘口瓶出土时，满身朱漆，口镶银扣，与驸马墓出土的长颈瓶的造型、彩饰都很相似，不过后者没有刻款，而"官"字款碗，又较驸马墓所出土的"官"字款碗、盘稍粗糙；但从胎质、釉色、造型、作风和烧成看，两墓所出白瓷器大体近似，可能出自一窑。大窝铺所出三角形小碟，由于碟心印凸起蝴蝶花纹，伴同出土的又有祥符、熙宁等北宋货币，其时代可能较晚。"新官"款器仅见一例，由它却可以肯定与"官"字款器必非一窑，时代当然也比较晚。这在辽代陶瓷研究上是一个重要发现。但究竟是哪个窑烧造，还有待于将来新材料的出土和古窑址的发现。

其次，随着辽代陶瓷出土数量的日益增多，辽瓷的分期问题也已被提到科学研究的日程上来了。鸡冠壶是契丹族贮藏液体容器的传统形式，它的发展和变化，正可以作为辽瓷分期的标准。

鸡冠壶的造型有五种基本形式：一为扁身单孔式；二为扁身双孔式；三为扁身环梁式；四为圆身环梁式；五为矮身横梁式。区分这五种形式的早晚，当以它所保留的皮袋形式的多少来推定。应历九年驸马墓是已经发现的辽代最早的墓葬，所出土的17件鸡冠壶，都是扁身单孔式，仅有平底和圈足之别。这种形式的特点是下圆上扁，肥身，上有鸡冠状单孔鼻，器身有凸起缝合线，系仿照左右两大皮页，下加圆底，上加管口缝合而成的皮袋形状，可以确定是早期形式之一。重熙、清宁和大安等晚期墓葬所出鸡冠壶，多为圆身环梁式，高身圈足，指捏纹提梁，大都脱尽皮袋的样式，而且数量较多，无疑是较晚的作品。其他三种形式，因为资料不足，尚难一一确定其时代的早晚，但扁身双孔式鸡冠壶，也是仿照两大皮页中加条幅缝合而成的，缝线针脚甚为逼真；扁身环梁式鸡冠壶，身有皮条、皮扣装饰，提梁作皮绳或皮环状，有的皮环上加饰皮扣，也可清楚看出皮袋的原形。这两种形式也应当较矮身横梁式和圆身环梁式为早。鸡冠壶的壶底有平底、洼底和圈足三种做法，大抵平底、洼底者较早，圈足者较晚。壶底的不同，也是分期应注意的一个方面。根据可以确定的鸡冠壶早晚两期的形制，就可以依之作标准来研究伴同出土的其他陶瓷器皿的发展变化，如早期墓葬出土的瓷器，以素白瓷占绝大多数，而大安以后，多三彩釉器，就是一个很值得重视的问题。

　　辽代墓葬中所出土的陶瓷，有一个基本特点，即大都是实用器而非明器。从上述各墓出土的器物来看，中原传统形式的碗、盘、杯、盏固不用说，而契丹民族形式的鸡冠壶、凤首瓶、长颈瓶、鸡腿坛等也都是实用器。有人因为在辽代城郭遗址中较少发现鸡冠壶，曾怀疑它为明器。但从鸡冠壶的质量高、品种多、形式复杂等方面看，可以肯定是实用器物，而不能因为在城郭遗址中少见就怀疑它的用途。特别值得重视的是，驸马墓一座墓葬中就出土了17件鸡冠壶，里边还存有凝固的茶色结晶物质，这就为鸡冠壶的用途提供了有力的实证。其他墓葬中也经常有两个鸡冠壶同时出土。根据壶里存有茶色结晶的情况，不但可以肯定鸡冠壶是实用器，而且还可以进一步肯定是贮藏容器，当然也可以作为马上或身上携带酒、乳、水的容器和作酌器、注器来使用。凤首瓶、长颈瓶、鸡腿坛的用途，虽然目前还缺乏实证，但大体上作注器和贮藏器是可以肯定的。当然，用实用器殉葬并不意味着契丹人没有殉葬明器，三彩釉印花小床，就是殉葬明器的一例。在辽代墓葬中也曾出土过陶五供、陶水斗、陶鏊子、陶海棠式长盘等模型，鸡冠壶也有胎釉粗糙，壶口实心的，无疑都是明器。在殉葬时，用实物或明器的多寡，与墓主的阶级地位有关，同时还与契丹文化和汉文化的融合，契丹人丧葬制度的逐渐改变，也有着密切的关系。

辽代除使用本土烧造的陶瓷器外，由中原输入的名窑瓷器的数量也是可观的，特别是在契丹贵族和统治阶层的汉人中，使用得最多。据今所知，辽代遗址、墓葬中出土的中原窑器有越窑、定窑、景德镇窑、耀州窑的产品。此外还有若干白瓷和几种青瓷，现在还不能确定其烧造地点。五代时期的越窑器，曾出土于应历九年驸马墓，这当是公元915—943年吴越王国与辽进行海上贸易时输入的。其余各窑年代较晚，当与石晋、后汉和北宋的"礼赠"、贸易有关，在早期当然也有大批是由军事南侵掠夺而来的。这类瓷器以景德镇湘湖窑产品为最多，次为定窑，其他各窑产品则不多见。器多盘、碟、杯、碗、注壶等食茶酒器，瓶、罐虽有发现，但多属小件精品，不见一般大器。

此外，在辽代废城遗址中，也偶有高丽王国的青瓷器和残片发现，这是辽代由外国输入瓷器的又一个证明。

四

新中国成立前，在帝国主义的侵略及封建主义和官僚资本主义的反动统治下，中国的古代文化遗产，遭受到严重的破坏和掠夺。新中国成立十二年来，在全国范围内广泛进行了科学的考古发掘工作，出土了很多珍贵的文物。这本图录就是在这种情况下编辑出版的。

这里所说的"辽代陶瓷"，是专指辽代烧造的粗细硬质日用瓷器和单色或三色釉陶而言（时间断限，从916—1125年），不包括没有釉的素陶。中原烧造的陶瓷器皿，虽然也被使用，但不能算作辽代陶瓷器，所以都未选录。

这本图录所选的一百余件器物，虽然只是辽宁省博物馆藏品的一部分，但从辽代陶瓷标本的品种上看，还是基本上具有代表性的。因此，对研究或鉴赏辽代陶瓷，将会有所裨益。

辽代陶瓷的搜集、整理和研究，是一件新的工作。由于我们掌握的材料有限，水平又低，仅能提出以上的初步看法，抛砖引玉，供作参考。希望得到同志们的批评指正！

绿釉贴花鸡冠壶

高29.5cm、口径5.9cm、腹径18.8cm×12.2cm、底径9.5cm×8.9cm

壶体近扁方形，双孔鼻，短管口，洼底。后上角有人形装饰，一面塑贴蟠龙，一面塑贴牡丹流云。塑贴花饰下划卷草花纹。红陶胎，绿釉深沉厚重。

白釉纽带装饰鸡冠壶

　　高37.8cm、口径3.6cm、腹径17.2cm×15.8cm、底径11.4cm

　　扁圆体，圈足，上有四角皮环状高提梁。通体作皮条纽扣装饰，上施绿彩。红陶胎，挂白粉衣，乳白釉，部分有细冰裂纹。

绿釉鸡冠壶

　　高28.1cm、口径2.6cm、腹径14.2cmX13.8cm、底径8cm

　　圆体圈足，鼓腹细肩，周身旋纹显著。前有细管口，后有环状指捏纹提梁。淡红胎，白陶衣，绿釉匀净，光色强烈。

黄釉印花葫芦形把壶

　　高25.6cm、口径3.1cm、腹径15.35cm、底径7.8cm

　　壶做亚腰葫芦形，环状扁把手，圈足。身饰弦纹，把外印凸起缠枝梅花。淡红细胎，黄釉光亮匀净。

三彩釉印花扁把壶

高21cm、口径3.7cm、腹径18.6cm×13.2cm、底径10.8cm×8.9cm

壶身做扁圆形，两面印同形凸起花纹，中心为太极图式复线花纹，水波莲花纹地，上加如意流云带。牺首嘴，环鼻，把外印蟠结绶带花饰。胎灰白微闪红，挂黄、绿、白三色釉，釉色极光艳富丽，形制优美，花纹别致而装饰性强，是辽瓷中的上品。

黄釉凤首瓶

　　高36.8cm、口径9.8cm、腹径13cm、底径7.6cm

　　瓶身做凤鸟形，八曲花式杯口，凤首张目曲喙。环纹长颈，宽肩瘦足，底足外展，极似凤岛敛翼而立的姿态。造型优美，制作工整，釉色亦温润可爱。

黄釉划牡丹花长颈瓶

    高36.3cm、口径10.3cm、腹径14.2cm、底径8.2cm

    喇叭口，长颈，丰肩，敛足，圈底。颈饰弦纹，肩腹划阴线牡丹花二株，极生动挺拔。

三彩釉印牡丹双蝶海棠式长盘

　　高2.2cm、口径30.8cmX18.3cm、底径26.2×13.5cm

　　盘做八曲海棠花冠式，平底宽边。胎质粗硬，呈黄白色。盘中印凸起牡丹一株，对飞蝴蝶两只，边饰卷草花纹带。白陶衣上依花式施黄、白、绿三色釉，有细开片。外壁黄釉，釉色莹彻，极为美观。1956年新民巴图营子辽墓出土。

三彩釉印牡丹花方碟

　　高2.8cm、口径13cm、底径7.8cm

　　方形平底，侈口曲边。碟里印凸起牡丹云钩纹图案，涂黄、绿、白三色釉，有细碎开片。整体设计美观大方，釉色光彩艳丽。

三彩釉印复瓣莲花花式碟

  高2.6cm、口径13.3cm、底径8.7cm

  碟做八曲花瓣式，淡红胎，平底，口微外张。全器内印复瓣莲花一朵，莲蓬、莲瓣、花须俱备，三彩釉色娇艳。

三彩釉印牡丹花纹暖盘

　　高8.4cm、口径21.1cm、底径20cm

　　通体做圆筒式，上承大盘，下连圆座，座内盛以沸水，可使食物保温。胎质粗硬，现黄白色。盘施黄釉，座壁满印对称牡丹图案花纹，涂黄、绿釉，色调温润鲜艳。平底，底部无釉。1956年新民巴图营子辽墓出土。

三彩釉印花小床

　　长15.4cm、宽7.8cm、高7.8cm

　　床为明器。一端上置长方枕，床沿有六个圆形柱头装饰，四周印凸起图案花纹。黄红胎上挂白粉，而后依花式施以三彩釉。釉色氧化，绿中闪蓝。

白釉皮卸装饰鸡冠壶

　　高19cm、口径3.3cm×3.9cm、腹径12.1cm×11.4cm、底径7.3cm

　　壶仿扁皮袋形，下圆上扁，管口圈足，鸡冠状单孔鼻。陶胎红而坚致，白陶衣上挂乳白釉，周身有细碎开片，皮扣装饰处施绿彩。

白釉鸡冠壶

　　高29cm、口径5.1cm、腹径27.5cmx26.3cm、底径12cm

　　壶体下圆上扁，平底，鸡冠状单孔鼻，管状嘴。淡红陶胎，质细而软，粉衣上挂低温浊白釉，现蜡泪痕，光泽强而微闪红，有鱼子状细开片牧。釉层脆弱，易于脱落。1950年义县清河门辽萧慎微祖墓群第四号墓出土。同时出土的还有嵩德宫铜铫及定、汝、越、景德镇等名窑瓷器。

白釉鸡冠壶

　　高26.5cm、口径4.9cm、腹径21cmx19.3cm、底径11.1cm

　　扁圆体，大腹圈底，身饰仿皮袋形凸起皮缝，管口基部皮条上有环状戳印。灰白瓷胎，白釉，细开片。底划有王形窑印。

茶末绿釉鸡冠壶

　　高27.7cm、口径3.8cm、腹径19.3cmx13.4cm、底径10.2cm

　　扁圆体，圈足。黄白瓷胎，质细而厚重。旋制精致，釉调细腻。圈足底划鸡爪形窑印。建平叶柏寿车站辽墓出土。

茶末绿釉长方口鸡冠壶

　　高22.8cm、口径3.1cmx5.9cm、腹径21.6cmx20.3cm、底径17.4cm

　　壶体做鸡形。长方口，单孔鼻，平底。淡红陶胎，挂白粉衣，绿釉大部氧化。此件是方形壶口唯一的一例。

绿釉划花有盖鸡冠壶通盖

高29cm、口径5.8cm、腹径17.3cm×102.cm、底径7.5cm×8.3cm、壶高25.5cm

壶为扁体，仿皮袋形，身由两片缝合，中加条幅，针脚清晰，极为逼真。上有马鞍形双孔鼻，腹侧划对称葡萄花纹。洼底。淡红陶胎，绿釉银化，略发虹彩。

绿釉划卷草纹鸡冠壶

　　高31.2cm、口径6.2cm、腹径16.3cm×12.1cm、底径7cm

　　壶扁方式，仿皮袋形。上宽下窄，洼底，卷唇。上有马鞍形双孔鼻，两侧划卷草纹装饰。红陶胎，挂深绿釉，釉面部分氧化。

黄釉划花有盖鸡冠壶通盖

高22.3cm、口径4.4cm、腹径15.6cm×11.3cm、底径7.3cm

壶体较矮，扁身双孔鼻，洼底。淡红胎，稍松软，黄釉薄而透明，有细开片。两面划沟道及卷云纹，线条流动。卷云纹上抹淡绿釉一条。1956年建平张家营子乡勿沁吐鲁村辽墓出土。同出土的还有"新官"款白瓷盌。

白釉划花鸡冠壶

　　高23.2cm、口径5cm、腹径16cm×10.1cm、底径7.7cm

　　壶身扁方，管口，卷唇，洼底。灰白瓷胎，白釉闪青。两面划对称卷草花纹，生动自然。

淡绿釉画花鸡冠壶

    高26.9cm、口径3.9cm、腹径121.2cm×9.5cm、底径19.1cm×7.9cm

    扁体，平底。鸡冠状双孔鼻，身有皮条纹装饰，后部突出角尖，象征鸡尾。两面淡绿釉上画黄绿色花朵，笔势潇洒明快。

三彩釉鸡冠壶

　　高20.4cm、口径3.5cm、腹径14cm×11.6cm、底径7.3cm

　　壶体下圆上扁。制法是先轮制圆器，然后将上部拍捏接合而成扁体。管口平底，颈、腹有皮条装饰。上部平直而穿双孔，较为少见。黄白胎挂嫩绿釉，腹部两侧现出老黄色花纹一环，口颈皮条纹装饰亦施黄釉，光色润泽，有细开片纹。

白釉鸡冠壶

　　高17cm、口径2.9cm、腹径15.3cm×15.1cm、底径7.4cm

　　壶体圆形，制作规整。上有横曲提梁，身做皮袋形缝合装饰。平底，白瓷胎。瓷质坚致细密，釉色温润，极似定窑产品。

白釉铁绣花鸡形鸡冠壶

　　高18.1cm、腹径12cm×14.1cm、底径7.5cm

　　全身做鸡形，头尾间有横曲提梁。鸡做昂首张嘴欲鸣状，饰以铁绣花纹，十分逼真。灰白瓷胎，牙白釉。釉透明而光强，周身细开片。图底有小孔，极不多见。

白釉刻花鸡冠壶

　　高28cm、口径3.2cm、腹径15cm×14.1cm、底径9cm

　　壶体扁圆，环梁圈足。黄白瓷胎，乳白釉。口基部有突起皮条装饰，两侧各刻牡丹一朵，构图丰满，纯朴自然。

绿釉绳梁鸡冠壶

　　高30.8cm、口径2.9cm、腹径13.6cm×12.6cm、底径9.2cm

　　壶体扁圆，上瘦下肥。仿皮绳环状提梁，颈、腹部有仿皮条装饰。圈底。胎质坚硬，呈淡红色，白粉衣上挂褐绿釉，有细开片，光泽较强。

绿釉鸡冠壶

    高47.6cm、口径3.3cm、腹径18cm×17.4cm、底径10.9cm

    壶体细高，呈扁圆形。管口圈足，指捏纹环状提梁。淡红陶胎，胎土细软。淡绿釉，较为薄脆，容易脱落。1950午义县清河门辽萧慎微祖墓群第二号墓出土。

黄釉鸡冠壶

    高23cm、口径2.6cm、腹径12.9cmx12.5cm、底径7.5cm

    圆体圈足，鼓腹瘦肩，细管口，环状指捏纹提梁。淡红陶胎，白粉衣。通体满施黄釉，釉色均匀明亮。

绿釉划花有臂长颈壶

　　高31.7cm、口径11.3cm、腹径15.5cm、底径9.4cm

　　杯式口，弦纹颈，直嘴，旋底。肩部划水波状花纹。红陶胎，通体挂绿釉，釉面银化。

白釉划莲纹有嘴长颈壶

高29.4cm、口径10.4cm、腹径14.8、底径8.3cm

形制同上器。黄白色缸胎，乳白釉。腹部划遣瓣花纹。

茶末绿釉印花把壶
　　高22.8cm、口径7.8cm、腹径11.9cm、底径7.4cm
　　长颈侈口，扁把短嘴。白闪黄瓷胎，茶末绿釉。肩腹布弦纹，把外印卷草纹。

绿釉瓜形把壶

 高14.3cm、口径5.7cm、腹径10.6cm、底径6.9cm（盖失）

 壶做瓜形，六棱，圈足。身印毛细篦纹，颈部贴花朵装饰，把外印凸起直线多道。黄白陶胎，通体淡绿釉，釉色匀净。

白釉黑花把壶

　　高18.9cm、口径4.5cm、腹径11.9cm、底径6.9cm

　　黄褐胎，灰白釉，釉厚，有堆汁状，开片细碎。釉里画黑花，把外印直线纹。

牙白釉喇叭口把壶

　　高25.3cm、口径12.3cm、腹径13.8cm、底径7.8cm

　　喇叭式口，圈足。青白瓷胎，挂白陶衣，釉稠温润典雅，有细开片。肩部旋弦纹，颈侧相对有印花叶状装饰，把外划沟道纹。

153

黄釉划花把壶

　　高16.2cm、口径3.7cm、腹径13.2cm、底径7.1cm

　　红陶胎，通体黄釉，浓淡不一，腹部有一片釉色黄中闪绿。肩饰弦纹，流侧划卷云纹。圈足底有渣垫痕二个，周边气泡甚多。1956年建平张家营子乡勿沁吐鲁村辽墓出土。

白釉刻花把壶

　　高17.2cm、口径3.7cm、腹径14.1cm、底径7.9cm

　　圈足。白瓷胎，乳白釉，光泽甚强。底、肩旋弦纹，腹部刻叶状花纹。把外印流云，下端有乳钉形装饰。

牙白釉葫芦形把壶

　　高11.6cm、口径2.6cm、腹径12.3、底径6.5cm

　　体做亚腰形，上葫芦扁小，与下部连为一体。圈足，扁把手。腹部旋纹清晰。黄红胎，白陶衣，施釉不到底。

暗黄釉印花穿带扁壶

　　高27.3cm、口径7cm×3.9cm、腹径25.4cm×9.1cm、底径9cmx5.7cm

　　扁圆体，长方口，椭圆形圈足，周边有洼沟，上加穿带鼻六个。腹部有星光状花纹二层，足际划鱼鳞纹。两面大同小异。灰红胎，暗黄釉，火候在釉陶、瓷器之间，当为辽代初期作品。传出土于内蒙古自治区宁城县杜家窝堡附近，同时出土的还有一个仿皮条装饰有盖长颈壶。

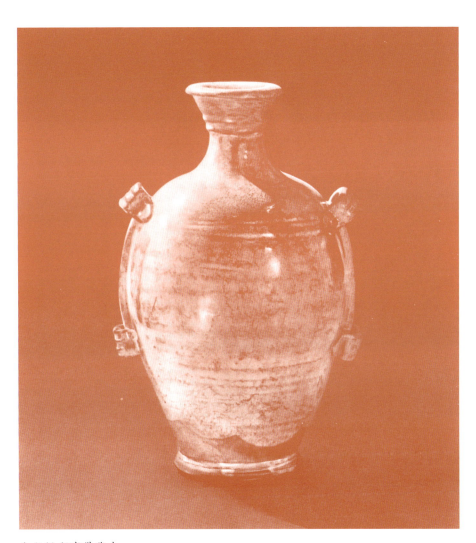

白釉绿彩穿带背壶

　　高29.3cm、口径7cm、腹径17.4cm、底径9.9cm

　　侈口圈足，颈部凸起弦纹二道，两侧加穿带鼻四个，鼻上印横沟纹。黄白色瓷胎，腹及底部旋制刀痕显著，白釉上间施绿彩，有细开片。

158

绿釉凤首瓶

　　高52cm、口径11.6cm、腹径17.5cm、底径10.4cm

　　花式杯口，凤首长颈，圈足，肩足均有弦纹装饰。胎呈黄白色，稍粗硬，釉较厚而绿色稍淡，光泽较弱。1950年义县清河门辽萧慎微祖墓群第一号墓出土。

绿釉凤首瓶

高37.5cm、口径10.1cm、腹径13.4cm、底径7.5cm

花式杯口，颈部较短。粉红胎，白陶衣，施绿釉不到底。

白釉长颈瓶

　　高48.4cm、口径12.1cm、腹径21cm、底径9.7cm

　　瓶颈粗而长，侈口平底，宽肩细足，颈有弦纹装饰。陶胎细软，略呈淡红，粉衣上挂低温白釉，有鱼子状细开片纹。1950年义县清河门辽萧慎微祖墓群第四号墓出土。

绿釉长颈瓶

　　高34.9cm、口径9.5cm、腹径13.5cm、底径8cm

　　喇叭口，长颈，宽肩瘦足，肩饰弦纹。胎灰白色，粉衣上挂深绿釉不到底。釉色洁净，光泽甚强。1956年新民巴图营子辽墓出土。

黄釉长颈瓶

    高36.4cm、口径9cm、腹径13.2cm、底径7.5cm

    喇叭口，旋底，颈、肩有弦纹装饰。淡红胎，傅白陶衣，黄釉色稠匀净。

白釉"官"字款盘口瓶

高40.3cm、口径14.3cm、腹径23cm、底径11.3cm

浅盘口,细长颈,阔肩敛腹,圈足底划"官"字款。瓷胎稍粗,硬度较高,外挂闪黄白釉。1956年建平朱碌科乡王府沟辽墓出土,伴同出土的还有刻契丹字的银匙、错金剪刀、"开元通宝"钱及"官"字款大盘等白瓷器。

白釉盘口瓶

高39.2cm、口径10.3cm、腹径16.2cm、底径9.3cm

盘口长颈，阔肩敛腹，底足外展。灰白瓷胎，乳白釉，釉厚处有细开片。周身旋痕清晰，肩饰阴线弦纹两道。

绿釉仿皮条装饰弦纹瓶

　　高47.25cm、口径12cm、腹径24.4cm、底径9.6cm

　　长颈洼底，口唇外卷，颈部凸起弦纹，肩、腹部有仿璎珞式皮条装饰。灰陶胎，通体满挂绿釉，釉面氧化。底亦施釉。传出土于内蒙古自治区宁城县杜家窝堡附近。

黑釉绳耳橘口瓶

　　高22cm、口径3cm、腹径12.4cm、底径7.8cm

　　橘式口，圈底，绳状双耳。白闪黄瓷胎，周身旋纹显著，黑釉匀净而微呈赤色。

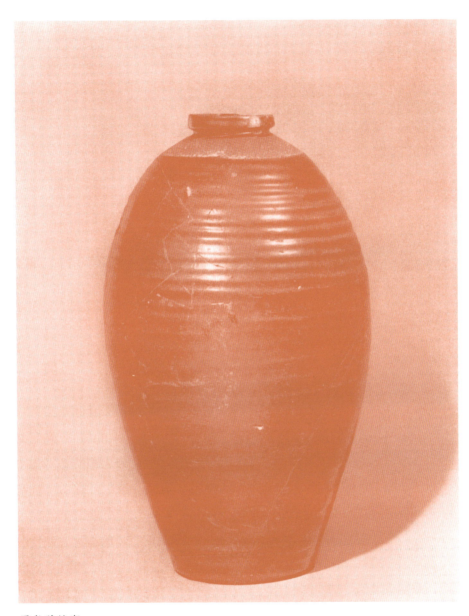

黑釉弦纹瓶

高40.3cm、口径7.3cm、腹径24cm、底径12.8cm

瓶作橄榄形，小口平底，通体弦纹。瓷质纯细，露胎呈赤黄色，破碎面淡黄色而有细小黑点。硬度高，无吸水性。上部黑釉闪绿，下部黑中透褐。肩部一段无釉。1950年义县清河门辽萧慎微祖墓群第四号墓出土。

三彩釉划花筒式瓶

　　高19.9cm、口径10.7cm、腹径11.9cm、底径7.5cm

　　瓶做圆形直筒式,足际微敛,圈底。口绿下起脊,腹部四道阴线弦纹中同划花四朵。釉以黄绿为主,色稠匀净。器里旋沟道纹,底有一个椭圆形小孔。

三彩釉划花弦纹瓶

　　高15.1cm、口径10.2cm、腹径12.5cm、底径7.4cm

　　口微残，圈足，底穿三个圆孔，成品字形。以腹部凸起弦纹区分划花为二组：上为折枝花卉，下为复瓣莲。作风简率而豪放有力。

三彩釉塑贴人物筒式瓶

　　高23.8cm、口径11.5cm、腹径12cm、底径9.6cm

　　圆筒式，侈口圈足。上下塑贴人像五：上二下二，排列不对称。一侧有粘连他器的痕迹，塑贴装饰亦有残缺。粉红胎，白陶衣，三彩釉色以绿为主，下部二像挂黄白釉较多。这种人物装饰常见于幢、塔，是辽代常用的装饰技法之一。

白釉黑花瓶

    高80.3cm、口径8.6cm、腹径22.5cm、底径10.1cm

    小盘口,短颈,丰肩敛足,圈底。瓷胎红黄,釉色乳白,有细开片,腹部画黑色折枝花三枝。建平五十家子辽墓出土。

172

牙白釉刻瓦沟纹瓶

　　高13.9cm、口径6.6cm、腹径10.7cm、底径6.4cm

　　侈口圈足，腹部竖刻瓦沟纹。白瓷胎有杂质，外挂牙白釉，细开片，光泽较强。

白釉黑花花式口小瓶

　　高10.2cm、口径5.45cm、腹径8.5cm、底径4.3cm

　　花冠式口，鼓腹圈足。肩划弦纹二道，弦纹上绘黑花三朵，生趣盎然。淡黄瓷胎，粉衣上挂牙白釉不到底。

白釉刻花瓶

　　高89.4cm、口径6.7cm、腹径18.8cm、底径9.5cm

　　卷唇小口，阔肩细足。淡黄瓷胎，白粉衣上挂乳白釉。腹部浮雕缠枝牡丹，枝叶繁密，线条简劲。圈底满釉。

白釉填黑划花瓶

　　高36.7cm、口径3.6cm、腹径16.2cm、底径8.7cm

　　小口圈底，丰肩敛足。淡黄瓷胎，白釉有细开片。花纹三粗：肩上划鳞纹，腹部划缠枝牡丹，空隙处填黑釉，下部划复瓣莲花。

白釉黑花双耳罐

  高10.2cm、口径8.4cm、腹径11.3cm、底径5.8cm

  两耳圈足，唇微外强。淡黄瓷胎，乳白釉，色稠温润。腹部画三叶形黑花二朵。造型端正，纹饰简素。

白釉黑花双耳罐

　　高14cm、口径10.2cm、腹径15.6cm、底径7.7cm

　　内蒙古自治区赤峰缸瓦窑屯古窑烧造。直口扁耳，圈足。黄褐色缸胎，粉衣上挂乳白釉。肩部画铁绣色散点图案式花朵而间以直线纹装饰。

177

黄釉划牡丹花罐

　　高15.7cm、口径9.5cm、腹径13.9cm、底径7.5cm

　　侈口圈足，肩饰弦纹，腹部划细线牡丹。淡红胎，黄釉匀净。

白釉划牡丹花罐

　　高13.6cm、口径10.7cm、腹径15.3cm、底径7.7cm

　　撇口折肩，下体微缩，圈足。肩划波状纹，腹划牡丹花二朵，装饰丰满。黄白釉，有细开片。

三彩釉划花双耳罐

    高13cm、口径12cm、腹径17cm、底径7.85cm

    粉红胎。腹部双线间划缠枝牡丹花纹带，挂黄、绿、白三彩釉，釉色莹润。

茶末绿釉鸡腿坛

  高68.8cm、口径10.2cm、腹径21cm、底径12.6cm

  小口瘦足，器体细高，平底，为辽瓷特有器形之一。缸胎，通体挂茶末绿釉，釉色匀净，厚处有堆汁。口绿外划有契丹字。

茶末绿釉瓦沟敞鸡腿坛

　　高36.5cm、口径7.1cm、腹径14.7cm、底径7.1cm

　　圈底，唇微外卷。黄灰胎，周身旋瓦沟纹，施茶末绿釉。

三彩釉印落花游鱼海棠式长盘

　　高2.7cm、口径28cm×16cm、底径22cm×10cm

　　盘做八曲海棠花冠式，平底宽边。边印卷草花纹带，盘中印水波纹地，落花一朵，游鱼六尾。水波涟漪，游鱼逐落花穿梭往来，极为活跃生动。胎质粗硬，呈红黄色，三彩釉温润透明，光泽甚强。1958年锦西西孤山辽大安五年萧孝忠墓出土。

三彩釉印水波三花海棠式长盘

　　高3.1cm、口径30.5cm×17.6cm、底径25.9cmx13.4cm

　　淡红硬胎，盘中印起伏状水波纹地，水中漂浮落花二朵，边印卷草纹带。望二彩釉，白色水波，绿花黄心。内壁黄釉，边沿及外壁绿釉。

三彩釉印牡丹双蝶海棠式长盘

　　高2.1cm、口径27.1cm×16.3cm、底径22.5cm×11.4cm

　　印胎作牡丹双蝶，边饰云纹带。淡红胎，白陶衣，依花式施黄、绿、白三色釉，白地，绿叶，黄化，黄蝶，绿云，黄边。内壁白釉，外壁黄釉。色稠极为淡雅。

三彩釉印花海棠式长盘

    高2.4cm、口径24.7cm×14.3cm、底径20.8cm×10.5cm

    淡红胎，白陶衣，上施黄、绿、白三彩釉。盘心印莲花二朵，衬以小花四枝。边布卷草纹，盘壁与盘底相接处有凸起点线纹装饰。

黄釉绿里宽边盘

　　高5cm、口径19.2cm、底径6.9cm

　　侈口，宽边，卷唇，圈足较高。淡红胎，白陶衣，里挂绿釉不匀，外挂黄釉到底，圈足内亦挂薄釉一层。此器内外分施黄、绿两色釉，为出土辽瓷中少见的一例。

黄釉划花绿底宽边盘

　　高5.9cm、口径18.3cm、底径7.3cm

　　造型略同上器。盘里旋救显著，外壁划同式连续花朵，边沿下面划水波状花纹带。里外满挂黄釉，釉面深沉。底涂绿釉不均匀。

黄釉印牡丹花大盘

　　高5.2cm、口径23cm、底径9.3cm

　　淡红胎，盘心印重瓣转轮菊，外绕牡丹花纹带二道。粉衣上先刷一层薄釉，后挂黄釉。釉色匀净，有微细开片。

黄釉划牡丹花大盘

　　高8.3cm、口径31.9cm、底径11.4cm

　　侈口宽边，盘里划阴线牡丹二枝。红黄胎，白粉衣，黄釉均匀，有细冰裂纹。

三彩釉大盘

　　高6.6cm、口径24.4cm、底径9.3cm

　　淡红陶胎，挂白粉衣。里涂二彩釉斑片花敝，外施黄釉。釉色斑斓，极富自然风趣。

三彩釉印牡丹花大盘

　　高6.2cm、口径25cm、底径8.1cm

　　淡黄胎，盘心印转轮菊，外印双层牡丹花纹带。粉衣上挂二彩釉。釉色鲜艳。

三彩釉印牡丹云纹盘

高4.3cm、口径16.9cm、底径6.1cm

盘里印花三层：中心为转轮菊，外绕水波纹，中层印牡丹三枝，最外层在牡丹间夹以云钩纹。淡红胎。白粉衣上涂二彩釉，花、云施黄釉，叶及水波淋绿釉，地与外壁挂白釉，色调极鲜明。

三彩釉印牡丹蝴蝶盘

高3.9cm、口径16.9cm、底径6.5cm

淡红胎，三彩釉色深暗。盘心印菊花，次层印牡丹二枝，外层印蝴蝶牡丹花纹带。

白釉印水波流云纹盘

　　高4.2cm、口径17.5cm、底径7.5cm

　　黄白瓷胎，挂白粉衣，釉色浊白，表面茅损失亮。印花三层，盘心为转轮菊，次层为水波流云，外层为云纹带。

白绿釉印花盘

高4.2cm、口径16.9cm、底径6.5cm

淡红胎，挂白绿釉。盘里印转轮菊及牡丹、蝴蝶花纹带。盘心有渣足痕三个。

三彩釉印牡丹花方碟

　　高2.8cm、口径12.5cm、底径7.7cm

　　方形平底，斜直壁，曲线口。碟里印隐起牡丹云钩纹图案，施黄、绿、白二色釉。淡红胎，挂白粉衣。碟外施黄釉。1958年锦西西孤山辽大安五年萧孝忠墓出土。

三彩釉印番莲牡丹花式碟

  高3.2cm、口径14.8cm、底径10cm

  碟做八曲花瓣式，口微外撇，平底。碟心印番莲水草，内壁周围印八朵牡丹，分涂黄、绿、白三色釉，极为清新。

三彩釉印花花式碟

高2.8cm、口径13.6cm、底径8cm

八曲花瓣式，平底。淡红胎。内印水波莲花纹，涂黄、绿、白三色釉。外壁白釉。建平张家营了和乐村辽大安六年郑恪墓出土。同墓出土的器物有二彩印花方碟、绿釉渣斗、白瓷盆、铜镜、墓志铭及宋代铜币等。

黄釉印花碟

高3.3cm、口径12.8cm、底径5.8cm

淡红胎。碟心印圆钱、水波，外层印牡丹、流云。挂黄釉到底，釉色均匀。

白釉花式小碟

    高2.6cm、口径13.5cm、足径4.3cm

    六曲花瓣式口,小圈足。瓷胎细白坚硬,内外均施白釉。碟心有渣垫痕三个。1956年新民巴图营子辽墓出土。

三彩釉划云鹤纹

碟高2.3cm、口径13cm、底径8.2cm

圆形，撇口，宽边，浅圈足。碟心划一飞鹤，穿云翱翔，外绕双犊环纹带。划花上填三彩釉，白云黄鹤，绿地黄带，鹤嘴部点红彩。淡黄胎，挂粉衣，口唇外无釉。底有花押。此种三彩器，主要特点是划花填色，釉层较薄，除黄、绿、白外，还有红色釉。此碟与一般辽二彩器不同，通常定为辽代物，但迄今尚无出土器物可证。究为时代抑或地区的不同，现尚无法证明。以下五件均同。

三彩釉划兔纹

碟高2.4cm、口径13.2cm、底径8.7cm

形制胎质同上器。碟心划一草中伏兔，做惊起欲逃逸状，外绕双线环纹带。白釉地，绿草，黄兔，黄带，绿边。绿釉部分氧化。底有花押，但已看不清楚。

三彩釉划牡丹花纹

碟高2.2cm、口径13cm、底径8cm

形制胎质同上器。碟心划牡丹花一朵，绕以双线环纹带。黄釉地，白花，绿叶，白带，绿边，花蕊及花瓣上端均点红色。绿釉部分银化。底有花押，已看不清楚。

三彩釉划花朵纹

  碟高2.4cm、口径13.2cm、底径8.5cm

  碟心划大花一朵，填三色釉，绿地，红、白两色花瓣，黄蕊，外绕双线环纹白釉
带。边沿绿釉，部分银化。

三彩釉划菊花纹

　　碟高2.3cm、口径14.5cm、底径9.3cm

　　圆形，侈口，圈足甚浅。碟心划菊花，填三彩釉，黄地，绿叶，白花加红心。外绕白色环纹带，边沿内外挂绿釉。釉色鲜明，填绘工整。

三彩釉划石榴纹碟

　　高2.3cm、口径14cm、底径8.8cm

　　淡黄胎，白粉衣。碟心划石榴一枝，填彩色釉，白地，绿叶，黄石榴。石榴上加红色斑点，一叶叶尖涂黄色。环纹带施黄釉，边沿内外挂绿釉。底足无釉。

黄釉台盏

　　盏高5cm、口径9.7cm、底径3.8cm、托高7.5cm、托盘径14.4cm、盏座径6.7cm、底径5.2cm

　　盏撇口圈足。盏托由托盘、盏座结合而成整体，圈足空底。黄白陶胎，挂白陶衣，釉色均匀而现兔毫状纹。

绿釉划花盏托

高4.5cm、口径15.1cm、底径6.3cm

淡红陶胎，圈足较高。胎质细薄而软，类唐三彩器。内壁划牡丹三枝，通体挂低温绿釉，釉面大部银化。建平叶柏寿车站辽墓出土。

绿釉高足盌

　　高7.5cm、口径10.2cm、底径4.2cm

　　侈口，高足，旋底。胎质粗硬，闪红黄色。内外满挂闪黄绿釉，釉面失光。

黄釉印牡丹花

高5.5cm、口径15.1cm、底径6cm

盌心印凸起转轮菊，环以水波纹地，壁间印牡丹花二枝。淡红陶胎，黄釉匀净。

白釉刻花盏
　　高7.6cm、口径22.6cm、底径6.7cm
　　灰白胎，干白釉。釉色匀净，刻花粗放有力。

白釉花式大盌

　　高9cm、口径25.2cm、底径9.6cm

　　口做五曲花冠式，圈足，外饰弦纹四道。瓷胎呈米黄色，极细腻，表里施乳白釉，釉层均匀，色稠温润而微闪红。1956年建平朱碌科乡王府沟辽墓出土。

白釉黑边小盌

    高3.5cm、口径9.7cm、底径3.2cm

    撇口，黑口边。黄白胎，挂牙白釉。釉色温润，有冰裂纹。

白釉黑边大盌

　　高9.1cm、口径16cm、底径6.8cm

　　赤峰缸瓦窑屯古窑制品。黑口边，圈足。黄瓷胎上挂白陶衣，牙白釉细润光洁。

白釉大盌

　　高11.5cm、口径19.1cm、底径9.2cm

　　辽阳江官屯古窑烧造。瓷胎粗厚，呈黄白色。圈足甚宽，口唇有凸起弦纹。乳白釉细润光亮，口边无釉。

白釉菊花盌

　　高11.6cm、口径14.2cm、腹径15cm、底径6.9cm

　　盌做钵式，外壁刻菊花纹。淡红瓷胎，外挂白粉，施釉两道，层次分明。内外先上灰釉，外壁及口部里沿再涂白釉。

白釉花式杯

　　高4.1cm、口径8.3cm、底径8.9cm

　　杯做六曲花瓣式，圈足微向外撇。白瓷胎，乳白釉，釉色光亮。

白釉黑花钵

　　高7.3cm、口径10.6cm、腹径11.8cm、底径5.7cm

　　敛口圈足，口唇外抹。灰白瓷胎，白粉衣，乳白釉上画铁锈色散点状梅花六朵。

白釉钵

　　高8cm、口径13.2cm、腹径16.1cm、底径7.8cm

　　敛口圈足。黄白色瓷胎，里外均挂乳白釉。腹外旋纹显著，口唇有指压纹，微现绿彩一片。

白釉刻花盆

　　高7cm、口径28cm、底径10.1cm

　　侈口，宽边，圈足。内壁刻牡丹花三枝。白闪黄瓷胎，釉面有冰裂纹。盆心留渣垫痕四个。

黄釉渣斗

　　高12.9cm、口径21.4cm、腹径11.2cm、底径7.9cm

　　盘式口，鼓腹，圈足。腹饰弦纹。淡红陶胎上挂白陶衣，里外均施暗黄釉，里口以下色调尤深。

白釉花式渣斗

　　高11.4cm、口径14.8cm、腹径9.9cm、底径6.8cm

　　口做七瓣花冠状，敛颈鼓腹，挖底较深。白瓷胎，瓷化程度高，乳白釉，光泽
强烈。

黄釉鼓式砚

　　高4.8cm、口径18.9cm、腹径14.2cm、底径12.8cm

　　鼓式，无底，碗面研墨处留素胎不挂釉。腹壁穿一小圆孔，上下有弦纹及乳钉装饰。胎质粗硬，呈黄白色。鼓壁施黄釉，润泽而现细毛纹。1956年新民巴图营子辽墓出土。

陶瓷史上册编写大纲简目

陶瓷史上册编写大纲简目 1977.3月.
编

第一编　原始社会
一章　陶器起源
二、新石器时代黄河流域陶器
　　　：仰韶、龙山、马家窑折叠、大汶口、山东龙
三章　长江流域陶器
　　　：大溪屈家岭、青莲、河母渡、良渚.
四章　其它地区陶器
　　　：东南、西南、北等
五章　新石器制陶成就
第二编　奴隶社会
一章　商代陶和早期始瓷
　　　经济和文化、制造发展、刻纹白陶、硬陶釉陶
　　　原始瓷
二章　西周春秋陶瓷
　　　经济文化、制陶发展、原始瓷、建陶
三章　周围少数民族
　　　东南　西北　东北　影响陶文流

第三编　封建社会
　一章　战国陶瓷
　　　经济文化　制陶发展　釉陶原始瓷
　　　建陶
　二章　秦汉陶瓷
　　　经济文化　陶器发展　釉陶发展
　　　青瓷萌芽　建陶
　三章　战国秦汉少数民族陶
　　　西南、西北、北和东北、对原国影响
　　　四章　魏晋南北朝陶瓷成就（建陶）
　一节南辽江南地区瓷窑：浙、苏、川、湘、闽　青瓷黑瓷
　　第二节　北朝陶瓷发展　北方青瓷白瓷
　　　建陶
　五章　隋唐五代陶瓷：（瓷器瓷窑）
　　第一节　隋陶瓷：青瓷黑瓷白瓷、窑闷、淮南
　　第二节　唐五代陶瓷：白瓷、青瓷
　　越窑瓷、邢州窑、陕西窑、定窑、河南巩县窑.

第六章　宋代制瓷业
第一节　八大民窑系的形成
　　　　垄断的几个瓷窑
第二节　五窑陶瓷
　　第七章　元代景德镇新发展
　　　第一节　陶瓷工艺概况
　　　（一）景德新发展
　　　（二）几个窑系继续生产与发展
　　一、龙泉窑系
　　二、青白瓷系
　　三、磁州窑系
　　四、钧窑系
　　　第八章　明陶瓷工业成就
　　　第一节　明瓷业中心景德镇的形成

第二节　明代各地瓷窑概况
　　（一）龙泉窑青瓷
　　（二）德化窑白瓷
　　（三）宜兴窑
　　（四）山西珐华
　　（五）另外几处青花产地
　一、江西吉安永和窑　二、江西乐平窑
　三、福建浦城窑　五、福建屏南窑
　四、福建政和窑　六、广西东兴窑
　七、广东饶平窑
　　第九章　清代瓷器高度发展
　　第一节　景德瓷艺高度发展
　　（一）青花釉里红
　　（二）清化彩瓷：康熙间五彩、珐琅彩、（粉彩）
　斗彩、素三彩
　　（三）色釉
　　第二节　清各地瓷窑：宜兴、石湾、德化
　　　第十章　半殖民半封建社会的陶瓷

陶瓷概说

226

前　言

　　中国古代劳动人民在长期辛勤劳动和不断总结经验中，创造出丰富多彩而又独具特点的陶器，在这个基础上继续努力，精选原料，改进窑法，经过硬质釉陶的过渡阶段，很快就发明成功了更高窑业产品——瓷器，并把这种使用高岭土烧造瓷器的方法传播到全世界，这是对人类文化进展的一个伟大贡献。全世界都颂扬瓷器是中国古代伟大发明之一，中国是瓷器的祖国，高岭土的故乡，这是名副其实、毫不夸张的。

　　进行陶瓷器发生、发展的了解研究，对我们考古作业和博物馆工作极为重要。首先，陶瓷器从新石器时代以来，就是人类不能片刻离开的生活资料。因为它使用普遍，生产量大，关联方面广，是研究人类生产、生活和技术文化水平、意识形态反映的重要资料。其次，陶瓷器是硬质材料，不易朽坏、泯灭，各个历史阶段的成品或残片，绝大多数都得以保存，我们考古工作者最易得到、也是较为有用的物质文化资料。所以我们对古代的遗址、城郭、墓葬等进行研究，往往利用陶瓷器作区别文化性质和断定相对年代、绝对年代的实物根据。但我们不应只从坛坛罐罐本身解决一切问题，必须重视文化层次共存关系，最好是能把遗址、城址、墓葬、窑址等古代遗迹联系起来，进行具体分析和综合研究，才能得到比较全面的科学的了解。如果仅仅套用生物学上的演化规律，以陶瓷形象上的类型序列来断定时代先后和文化关系，可靠性是不强的。而且我国历史悠久，地域广大，文化发展有时是波浪式地前进，地方经济文化发展不平衡，工艺品的制作不能按共有的标准造型，情况复杂万端，我们只有根据地下的科学资料，实事求是，细心观察，全面了解，进行具体分析，作出论断。

中国瓷器不但发明得早，而且在发展过程中也不断出现惊人的创造。早在三千多年前的商代早期就出现了刻划水波纹花饰、敷有灰褐釉的硬质釉陶器和用纯质高岭土烧造的雕花白陶器。胎骨硬，不吸水，窑温都达到千摄氏度以上，可说是瓷器的祖型。这是人类文化史上的一个前所未有的贡献。西周釉陶有了发展，黄河、长江流域都有遗物发现，多属商代豆、尊等器形，釉色略转青色，已启后来向青釉发展的道路。战国以青黄釉为主。两汉在北方又新出现了软质绿、绛、黄和三色混用的铅釉陶器，在南方产生了一种茶黄色硬质有釉陶器，俗称汉瓷或自然灰釉陶器等，是陶器向瓷器过渡的又一种桥梁。三国、魏、晋、南北朝，各色比较原始的瓷器在全国范围内兴起。河南信阳和洛阳先后出土了青釉瓷碗和瓷洗；在南方有大批青瓷出现。如南京赵土岗墓出吴赤乌十四年青瓷虎子、甘露元年墓出青瓷羊、周处墓出透雕青瓷香炉，都是有名的标本。这时青瓷已达到成熟阶段。在北朝安阳北齐墓出黄釉瓷印花扁壶，造型新颖，富于生活。景县封氏墓白釉雕贴莲花尊，陕西隋墓白釉螭首把天鸡壶，白瓷已达到高级窑艺水平。唐代创造了搅胎木理纹、雕贴加彩和唐三彩。宋元发明了描金、戗金、釉上三彩、釉里红青和人工窑变等技法。明清两代青花、五彩、硬彩、粉彩、珐琅彩相继出现，地方窑也各有创造，出现过不少优良瓷品。可说中国瓷器已发展到丰富多彩、辉煌灿烂的高峰。

如上所述，瓷器的发明是中国劳动人民在世界物质文化史上写下的光辉灿烂一页，是对人类社会的巨大贡献。唯自鸦片战争以来，帝国主义侵入，瓷业遭到严重摧残，使具有古老技术传统的瓷器走上了奄奄一息的绝路。新中国成立以来，瓷业才重返青春得到发展。在二十几年的短暂时光中，全国陶瓷业投下了巨大的人力、物力和精力，老艺人归队，恢复生产，组织合作，发挥传统，革新技术，合理分工，交流经验，重整瓷业布局，设立专业研究机构，培养瓷业新军，训练技术人才，大力建立新瓷厂，改建现代化窑炉等；失传的技法得到重生，固有的传统得到发展，并创造出很多前所未有的瓷种，如龙泉、美人醉、茶末釉、乌金釉等，十几种色釉都得到恢复；近年又新创造了金星绿、银星绿、灯芯红、桃红、象牙黄、结晶釉等53种，使中国瓷器更加美丽多彩。并且在景德镇建造了三座长97米的焙烧日用瓷的现代化隧道窑，更换了燃料，降低了消耗，提高了生产量，便于机械化生产。

本稿分陶器部分和瓷器部分，加以说明。

一、陶器

（一）陶器起源

陶器一名，是中国古代窑器的通称，按陶窑二字在中国古代实际是同音同义字，后世出现了釉陶和瓷器，它就渐渐成为无釉土制容器的专称了。它是泥土烧制，其质如瓦，所以又有瓦器、土器的称呼。因此我国古书上"土铏""瓦釜"是常见的。近代多陶瓷连称，内容是包括陶器、釉陶器、瓷器三种。现代陶瓷属于化学工业生产范围，古代砖瓦、水管、井干的生产也是窑业产品。

陶器的出现，是远在新石器时代初期，它的出现是新石器时代的标志。那时人类已会磨制石器，逐渐定居，锄掘农业，畜养动物，纺织粗布和建筑房屋，再不同于以前生产的资料不多，生活方式简单，只利用一些自然物作容器就够了。所以伟大导师恩格斯在《家庭、私有制和国家的起源》这一经典著作中，根据摩尔根在《古代社会》一书中提供的资料，以制陶为脱离蒙昧时代的标志，那是完全正确的。最初是部落少数人生产，后来成为家庭手工业，女性是主要生产者。

陶器的创造，大致是属于先行的涂泥树枝、树皮筐篮和外络绳网的葫芦容器等着附黏土，被火烧失，余下泥壳的启示而逐步发明成功的，并不是什么"先哲古圣"的"天才"创造。

在技术上的演进过程：

（1）最初用"篮模涂泥法"，把黏土涂在筐篮里面，一起投入火中烧成陶器、器外遗有篮纹。后世虽已不用此法，但仍拍打篮纹为陶器装饰。

（2）进而用"泥条卷筑法"，把黏土做成泥条，如制树条篮的方法做成陶器，或在板平圆底上用泥圈层层上接，捏成陶器。

（3）渐用"双手捏造法"，在平板上作器，多高低厚薄不匀。最后用"辘轳拉坯法"，把黏土放在自由旋转的圆形陶钧上，双手拉制陶器坯胎，入火烧成。这种技术进程往往成为判断文化高低和相对年代的标准。制作上为了减少黏土黏性，便于塑造，往往掺石英砂、石灰、滑石末、云母粉、细碎禾秸、谷物糠秕、陶片和骨、贝细粉等。这些掺和料也是观察了解当时生产生活的好材料。早期陶器由于窑室构造简单和火性还不能自由控制，烧成品多数是色彩不纯，陶质粗松，易于破碎或粉化。

陶器表面装饰，在原始阶段只有制造上存留的印纹，而后有了三类艺术装饰：

（1）素陶研光法：用角、贝、木、石等工具把器面全部或一部磨压密致光亮，或磨研为花纹。

（2）塑印雕划法：在陶面印雕各式线雕与浮雕花纹，有时附加一部分贴塑花纹。

（3）熏染彩画法：在陶土中加炭末或烧成后重加烟熏使黑，或烧成前在陶面上加画红、黑等彩花入窑烧成。有的在烧成后加画彩花，花纹极易脱落。陶器烧成的温度，在初级阶段大体为400℃或500℃，多用平地积柴的野烧法。渐渐创造了陶窑，温度由800℃提高到1200℃，我国殷代的白陶、釉陶和西周的釉陶，都已达到这一最高标准。这是陶器的起源及一般的制造烧成情形。

（二）尖底器、三足器和高足器是我国独有的制陶文化

尖底器是我国原始社会晚期出现的一种形态特殊的陶壶，小口、尖底、器身细长、旁有两耳。它的用途有种种推测，可能是一种悬挂使用的饮水器。三足陶器一般为鬲、鼎、甗（鬲甑合体）、鬶等，主要是熟食器。原始社会末期已普遍流行，直到青铜时代如斝、爵、角等三足器仍极发达。它的发生发展约在黄河下游地区，是我国远古文化特殊标志之一。对于这种三足器的生产，人们作过不少推测。有人说，鼎是由平石板下加三块小石的熟食具演变而来，鬲是由三个先行的尖底器结合而成的。陶鼎和陶鬲的关系如何，谁先谁后，都没有明确论定，大体陶鬲出土较多，分布较广，由其遗物上来看，似乎早些。东北地区陶鬲分布较广，几乎各省和内蒙古东部都发现过。西伯利亚也有出土。陶鼎出土较少，陶甗为数也少。这种三足陶器一般都作淡红或褐红色，器面往往有绳纹。至于器体部位的造型很不一致，陶鬲多大腹敛口。足有空、实、高、低的不同，有的口缘分档，加有凸起条带或扁扣形花纹，有的双耳或单把，有的光素无任何装饰。陶鼎则有方足、扁足、圆足三式，器多侈口。有的只是盆、罐、盘下加三个短足而已。这种三足器在各种文化类型中都有存在。陶豆是高足杯盘形食器，足有高低空实和透雕的不同，延续使用时间较长，直到西汉前期还多有出土，在东北地区分布的也较广。这几种陶器在东北古代各族中也多普遍使用，古文献也有记载，这充分证明东北古代文化和中原文化的一致性。

（三）彩陶器

彩陶最先出土于河南省渑池县仰韶村的新石器时代晚期文化遗址土层中，所以称这种以彩陶为特征的文化为仰韶文化。其中也出土素陶和绳纹陶，并出土了陶灶和陶釜，是人类生活上的一个突进。这种彩陶器主要以黄河流域为中心，分布在河南、湖北、山西、河北、陕西、甘肃、青海、辽宁、吉林、新疆、内蒙古各地方。陶窑已发现多处（半坡、三里桥、泉护村等）。属于边缘各省的，在时代上说似乎稍晚些。其特点是陶土较细纯，陶色淡红或红中微显灰绿，胎质较薄而坚致。器面磨光，多画黑、红二色花纹，而后烧成。花纹很简单，多用涡纹或方格几何花纹，少数画有生物图文。有烧成后绘黑、灰、红、白色的彩画陶器，在性质上与仰韶彩陶技术稍有不同。东北出土的彩陶以锦西县砂锅屯洞穴层为最早，赤峰和林西一带也较多，有的与细石器共存。后加彩画陶，复县（今为瓦房店市）、新金（今为大连市普兰店区）、长海各县多有出土，而以貔子窝（今为皮口）的彩画陶壶最为典型。辽西发现的后加彩陶器，在制陶和彩画艺术上都达到较高水平，花纹可与殷周青铜器花纹比美。这种黑陶器外面涂朱或加画朱、黄二彩几何花纹的陶器，在河南龙山文化和山东、江苏沿海文化中是常见的，而以邯郸涧沟出土的最为典型。但这种后画彩陶，肯定不是日常用品。

（四）黑陶器

黑色陶器比彩陶稍晚，晚期可能已到原始社会崩溃时期，中心在黄河及沿海一带，浙江、江苏也有出土。代表品最初出土于山东省历城县龙山镇城子崖，所以称这种以黑陶为主的文化为龙山文化。这个文化的末期，在有的地区表现为向商殷文化过渡。陶质的特点是色彩乌黑或稍黄。手制为主，部分轮制，磨研光亮，黑胎坚薄，棱角规整，造型多三足器鼎等，表面一部分有凸起弦线、篮纹、方格而外，别无花纹。蛋壳陶器是它的顶峰。烧陶窑址在三里桥、涧沟、呇兒王等地都有发现。东北地区在旅顺南山里、郭家屯、羊头洼，辽西锦州、朝阳地区，远到吉林龙潭山也有出土，龙潭山出土的黑陶豆，足上刻划有"廿""卅"等记号也与龙山出土的相同。不过后者数量较少，技术稍粗些。年代也稍比中原的晚些。在河南三门峡、庙底沟出的陶灶上有四个烟孔，更为进步。

（五）白陶和釉陶器

白色陶器的代表品出土于河南省安阳县小屯殷代京城的废墟土层中，是殷代末期制陶术标本，这种白色陶器在仰韶文化和龙山文化中已有发现，它使用良质的高岭土，色白，质硬而坚致，硬度很高，烧成温度约需1000益多，具备了瓷胎的条件。有罍、簋、豆等，数量很少。器表面多有精致的斜方格式雷纹雕花，可与当时青铜器和雕骨的花纹媲美，是奴隶陶工的伟大创造。近年来在郑州出土的白陶较粗而无纹饰，1977年在山东邹县野店也出土了白陶高足杯。同时在殷墟文化层中也发现了人工上釉的最古的硬质釉陶。这种釉陶器胎稍粗而坚硬，表面敷有人工釉层，并有重波线刻纹，在技术上已达到釉陶标准，到周代有了进一步发展。这种遗物在河南郑州二里岗一带早期的殷代文化层也出土了，有人推测可能是由南方交换来的。这样雕花白陶是商统治者专用品，是当时陶器顶峰。它源远流长，和硬质釉陶器一样，为我国瓷器的创造奠定了基础，是我们祖先对人类文化的伟大贡献之一。

（六）印纹陶器

以几何印纹陶器为主要特征的文化遗存，主要分布于东南沿海各省和江苏、湖南、湖北、安徽的部分地区，多与磨光有肩石斧共存，晚期的遗址中往往同釉陶和沿海彩陶以及少量青铜器同出。从陶质花纹和制作技术上看，可分为印纹软陶和印纹硬陶两种，印纹软陶可能稍早。胎土有泥质和细砂质，作红褐色、灰白色、灰色。硬陶纹饰精整细密，以方格、回纹、云雷纹、编织纹、米字纹为主，也有几种纹饰用于一器的。火候高，陶质硬，器形有坛、瓿、尊、簋、豆、杯、盂等。这种印纹陶器的器形和纹饰与商周陶器和青铜器极为近似，表明中国南方新石器时代与黄河流域文化的密切关系。软质印纹陶在旅顺南山里也有发现，是当时沿海交通的物证。

（七）商代陶器

商代文化在考古发现上是次于河南龙山文化，在文献史学上则是继夏代文化发展而来，由于我国考古工作的发展和科学测定年代的进步，夏文化的确定为期不远了。商代陶器出土较多，上自最早的先商的郑州洛达庙类型文化和郑州二里岗早商遗存，以至到晚期奴隶主统治中心的安阳殷墟，都有大量发现。在这些遗址和附属的墓葬中，不但出土有内容丰富的日用陶器，也发现了统治者独占的雕花白陶器，并发现了人工敷釉的刻花釉陶器。这充分说明商代陶器有一个较长的发展阶段，商代已进入了灿烂的青铜时代，此后制陶再也不如仰韶和龙山文化时期那样丰富多彩了。窑址在河南郑州和河北邢台都曾发现。先商制陶技术基本上是继承龙山文化而有了新的发展，白色陶器比龙山文化更为先进，细腻洁白，硬度较高，表现了陶艺一大突进，商代造型特点之一的饕餮纹与云雷纹，也以简单原始的构图出现了。陶器多灰色泥质，火候较高。器形有鼎、罐、盆、爵、瓮、大口尊。鼎是这一时期的典型陶器，多以圆底罐或盆作器身，鼎足多扁平或角形，有的陶鼎周身以附加堆纹为饰。盆多圆底展唇，口沿两侧有一对鸡冠状横耳。当时已出现多种酒器，如觚、爵、斝、罍、瓿等陶器都大量存在。有的遗址的炊食器以陶鬲为主，盆、罐或鼎兼用。装饰以细绳纹为多，篮纹次之，也有方格纹和附加堆纹。直线弦纹逐步出现，有的在细绳纹上再加多道划线横纹。商代早期文化以郑州二里岗为代表，制陶有了更大的进步，陶胎比较薄，细密坚致；纹饰以细绳纹为主，也有与铜器相同的饕餮、云雷及各种印纹。器形有鬲、甗、豆、罐、瓮、大口尊、斝等。陶窑已有专烧盆、甑和陶鬲的分工现象。同时并出土了少量的釉陶和印纹硬陶，有人认为这不是当地产品，可能是由南方交换而来，但这还需今后更多工作才能做出最后结论。商殷晚期文化可以殷墟及当时的墓葬为代表。在制陶文化上，前期的特征是粗绳纹和细绳纹并存，器形以鬲、簋为明显，鬲多敛口，深腹，三足稍高。簋多深腹，腹壁斜直。后期的特点是陶胎较厚，装饰大量使用粗绳纹。陶鬲多为宽沿、浅腹、短裆；陶簋则腹部变浅，圈足加高，腹壁上多加三角划纹。商殷晚期小型墓葬中只有随葬的陶器，有的甚至没有一件随葬品。所出的陶器和奴隶主大墓所出的青铜器器类多同，有觚、爵、豆、簋、鬲、罍、盘等，和同时遗址的器物都是相同的。值得特别提出的是，商代早期就已出现了优秀的陶塑作品，如郑州二里岗发现的陶羊、陶虎、陶鱼、陶龟及陶人像等，造型生动、简朴，具备了写实风格。在我们辽宁省辖境内，近年也发现了与商代到西周初期陶器作风相近的遗址，特别是陶胎、器类、造型、火候等，都有密切的影响。如凌源马厂沟小转山子居住址，赤峰的药王庙和夏家店下层文化，都是这种代表。可以说这是受到商代陶器文化影响的东北青铜器时代原始文化的陶器。

（八）周代陶器

西周时期陶器烧制和商殷相比没有显著变化，可说是商代陶艺的延续。制法以轮制为主，而以模制、手制和泥条盘筑为辅。但制陶、烧窑有了分工，各精一艺；西安沣西的陶窑有了窑室，烟囱设在顶部，表明了一定的进步性。西安沣河沿岸客省庄和张家坡两大遗址，可能是西周都城丰邑附近的村落，所出的陶器是衡量当时制陶水平的标尺。早期流行红色粗泥绳纹陶，红色或黑色的磨光陶；晚期以泥质素面陶为主，磨光陶不复出现，粗泥红陶也显著减少。西周早期器类较多，有鬲、甗、鼎、簋、豆、盂、盆、罐、缸和瓮等。同类器物早晚也有显著区别。陶器纹饰上除绳纹通行于早晚两期外，早期流行各种几何形印纹，晚期则常见弦纹、划纹、瓦沟纹。

春秋时期遗址发掘不多，墓葬却发现不少，以陶器而论，上村岭虢国墓地的遗存最为典型，可以说这是衡量西周末到春秋早期陶器的标准尺度。这里的陶器和上述西安张家坡定为西周晚期的相近，如陶鬲、豆、盆、罐等，有的几乎相同。陶胎可分：泥质灰陶和夹砂粗灰陶两种。泥陶的陶土不加淘洗，不加掺和料。多数火候不足，质地松脆，呈灰褐色，可能是明器（模仿铜器的盘、壶最为明显），火足坚实呈灰青色的有一部分可能是实用器。除鬲、鼎外都属此类，约占全部陶器的85豫。夹砂粗灰陶器胎土粗糙，内掺砂粒，专造鬲、鼎，表面灰褐色，火候不足的呈灰黑色。鬲、鼎带有烟熏痕迹，当是实用器。制法：鬲、鼎以模制为主，轮制、手制为辅，如手接圈足，捏制器耳等。纹饰：绳纹最为普遍，鬲、鼎更为显著。划纹只有锯齿形一种，多两线并用或双行锯齿纹填于几条弦线之间，形成一个花纹带，多用于器腹、器肩和豆足。压纹是在陶轮旋转时用陶具压上的横式凹凸弦纹，后世也广泛使用。附加堆纹，数量较少，有圆形和锯齿形两种，多用于鬲，有的用于盆腹。器形有：鬲、鼎、豆、盆、罐、三足罐、壶、盘、器盖等。有的器形纹饰和铜器为近，在墓葬中往往和铜器共存，为当时文化断代与陶艺研究提供了有利条件。用陶器断代比铜器（后代墓可埋古器，甲国器可出于乙国那种变化复杂情况）远为可靠。

战国时期的陶器从质料、制作和纹饰上看都比西周时期陶器粗糙，器形多是西周陶的延续。由于群雄割据，经济发展不平衡，地方文化传统不同，各族文化的互相影响，陶艺都不同，但也产生了很大变异。主要器类仍为鬲、豆、盂、罐等，但比西周陶器的型式更为固定。鬲作主要炊器，出现了鬲甫（釜），虽还少见，但说明了锅灶的逐渐进步。作为食器，新出现了盂、豆、碗等小型器皿，中型的很少。贮藏器主要是各种陶罐，有的容量很大，说明了农业生产和制陶技术的不断提高。陶质有夹砂粗陶和泥质粗陶两类，两种在陶器中各占半数，没有细泥陶。夹砂陶所夹砂粒很大，有的夹杂蚌壳碎末和陶片碎粒，所夹的颗粒较大则是前所没有的。陶色是灰色的最多，泥质红陶极少。纹饰以绳纹和素陶为主，磨光陶极少见。素陶不加任何印、划、篦、锥、附加等花纹，只有少数小型食器上偶尔加有不太规整的弦线纹而已，这是战国陶器的普遍特征。但地方上又有独自作风。器类炊器有：鬲、鼎、甗、甑；饮食器有：盂、盆、碗、豆、罐等；贮藏器有：罐、瓮、壶等。同时，在这一时期，由于农业的逐步发展，手工业生产由农业中分离出来而成为独立的小手工业。在山西侯马晋魏城，洛阳王城，武安午汲赵城发现的窑址，燕下都发现烧陶的作坊，烟囱设在窑后，是控制窑温的一个重要改进。因此制陶也出现了专门生产商品的手工业者，走向集中生产、专业分工。武安午汲赵国古城内的陶窑附近，发现了具有姓名印记的大批陶器和陶片，如陈某、韩某、綦昌、爰吉等，与传世著录和各地发现印有官工印记的完全不同，显然这是一些独立小手工业者合伙烧陶的窑场。近年在山东章都临淄也发现了一些带有"某里某人"陶印的陶器和陶片，这种印记早有著录和研究，所记大都是当时临淄城周围的乡、镇、鄙、里的地名，证明当时城郊分布有很多这种制陶手工业者。"陶里""豆里"表明制陶专业和行业聚居的情况。这种有印记的陶器和陶片在辽宁省也是常见的。墓葬的瓦棺和陶明器如鼎、壶、盘、匜等和一般日用陶器随葬的也很多，有的在明器上描画彩色花纹。陶塑俑人物像已见使用，如郑州二里岗墓彩绘陶鸭；长治分水岭墓陶俑，是后世各种各式俑像明器的先河。这些遗品，南从旅大、北到赤峰，西从凌源，东到丹东都有发现。并多同铜器、布币、刀币共存。北部燕秦——汉初的长城沿线出土更多。

绳纹大瓦自西周已出现了，但还很少见。到了战国，由于统治者奢侈无度，宫廷建筑日益扩展，板瓦、筒瓦、半圆瓦当（流行于韩、燕、齐）、圆瓦当（流行于赵、魏、秦）、瓦钉、方砖、长方砖、透花砖、陶井圈井栏和水道管等，我国砖瓦的几种基本类型都已具备。其中如赵邯郸的三兽圆当、秦凤翔（雍）四雁圆当，表现野兽奔跑，雁鸟飞翔，造型生动。齐都临淄出土了多种印烧精致的花纹砖和半圆瓦当。半瓦当多以树木为主题，造出系于树身的相对双马或单马、骑马放牧、对称骑马武士等富有生活内容的画面。并由树木纹演化出勾纹、云纹和兽面纹，给后代瓦当纹饰以很大影响。"大齐"瓦当开了后世有文字瓦当的先河。燕下都出土的花纹筒瓦、透花长方砖和半瓦当，具有独自特点；出土的水道管兽头出水口，是前所未有的创造。由饕餮纹半瓦当发展而来的对马、对兽和山形云纹，仍保存有青铜器对称严密、高低显明的雕塑气息。这些特别是齐、燕的瓦作，对我省辽南、辽西的古代遗址城郭和官府建筑址都有直接关系，更应注意。宫室和墓室建筑用的印花空心砖也在这时发展起来，作了画像石墓和画砖、画像陶砖墓的引路先行。由于水利事业的发展和日常饮水卫生的要求，多样筑井器材生产技术不断提高，各种陶管井干和各种井栏相继出现，有的印有"日饮千人"之类的吉语和花纹。特别在燕国境内更见发达。陶井管的制作烧成都很进步，多有席纹和绳纹。这些砖瓦器材虽与陶器不同，但它们同属窑业产品，技术上也紧密联系，在考古工作上更难截然分开，所以就附录于此。

秦代统治时期较短（15年），与以前战国末期及以后的西汉初期六七十年，同属于封建社会形成的初期阶段。物质文化骤然看来，没有显著变化，一般说来还是和战国末西汉初差不多，可算一个过渡阶段。因此，在文化堆积层次和墓葬年代鉴定上更不容易划分。秦代变法改制，并灭六国，统一制度，遭到长期破坏的社会经济逐步得到恢复，冶铁技术进一步提高，青铜文化趋于衰落，农业手工业有较大的发展。驰道长城的修筑，阿房宫、骊山陵的建造，提出了前所没有的新的技术文化的要求，制陶业和砖瓦业自然也向新的方向发展。秦代墓葬主要发现在西安及其附近。秦和六国不同，一般小墓较多，不用铜礼器，也不出模仿旧贵族礼制的陶礼器，而多出鬲、盆、罐一类的日用陶器。陶器的更加坚致和大型器皿的增多，说明制陶技术提高，窑室构造有了更大的改进。陶土精细，质地坚密，灰色纯一不杂。一般器皿以轮制为主，特人器皿则仍盘筑接底，因之才打遗留的绳纹多已不见，或仅有接底、圆底部位存在。纹饰除部分拍印的绳纹外，磨花、印花较多。1962年咸阳秦都遗址发掘出土了秦始皇统一全国度量衡的诏版和大批陶器及砖瓦陶井圈、水道管等，是研究当时陶艺的标准尺度。圈足鸭蛋形陶壶（俗称地灵）是当时流行的陶器之一。盆、罐、瓮多大型器，长方形器，椭圆形器都有发现，鬲、鼎、豆等传统器物很少。建筑砖瓦制造有了很大发展，骊山陵出土的特大瓦当，可说是空前绝后的遗品。所出"左司空"铭文砖，毫无疑问这是一种以刑徒奴隶劳动为主的官府作坊的制品。同出烧制极精的厚型长方青砖和五方形的地下水道管，不但是前所没有的创制，而且质量和火候都达到很高的水平。中原出土的陶权，辽宁省和山东出土的瓦量，是秦代中央发往各地的窑业产品，量上有统一度量衡的诏文，是非常贵重的历史遗产。在辽宁省各地大量出土窖藏刀布用的大型绳纹陶瓮，估计可能是在秦统一币制废止行使刀布时埋入地下的，如果是这样的话，这批陶瓮对研究战国末到秦代的陶器是有一定意义的。

（九）汉代陶器

西汉王朝是继承秦代的经济政治制度而建立起来的封建制更加成熟的国家。西汉初期的六七十年，物质文化面貌基本上保存着战国晚期和秦代的状态，还没有形成汉代文化统一的特点。各地区出土的遗物反映了传统不同，各具特征的复杂情况。到后期情况就大大不同，虽然在中原和边远地区多少还保存一些地方特点，但总的说来，生产发展和物质文化都渐趋一致，西起巴蜀西藏，东到渤碣乐浪，北到大漠，南达南海，两汉文化可说是大同小异，基本都是一致的。两汉二百多年中，冶铁业有了很大发展，官卖铁农具推广到全国，彻底淘汰了木、石旧农具，农业手工业不断提高。物质文化也有了前代没有的重大变化：青铜工艺在一大部分部门中逐渐淘汰和衰落；铁兵器装备了骑兵取代了车战；新起的砖瓦建筑材料生产有了突飞猛进的急剧发展；北方的软质釉陶和南方硬质印纹釉陶都在较广的地区中不断改进，特别是南方硬质釉陶给越系青瓷的产生创造了基础，不久在日常生活上占了统治地位。因此，陶器在两汉和以后各代中的地位就比以前不同，而时代特征也就不太明显了。

两汉制陶仍在进步，砖瓦业和陶明器的制造有了巨大发展。陶窑多在平地掘出窑基，用砖筑成。用平台形窑床，面积由二三米到七八米，容量很大。火膛在窑床前，烟道设在窑后，这种新构造可使火力直扑窑床，减低火力消耗。有的火膛后加筑较长的烟道，以防火力分散而使窑温易于提高。汉代陶器更加坚致，大型陶器增多，肯定这是陶窑改进、严格控制火候的结果。辽阳三道壕的砖窑也同此形式，可见当时一般情况。制坯技术也有提高，选工精细，主要都用轮制。不用两手拍打，绳纹已不多见，或只存留于模制部分（为器底）或个别地区（如燕国旧领地的河北、内蒙古和辽宁）。大型器仍用盘筑或接筑，非圆形器如明器泥俑、模型等，则用印坯和手制。器形以盆、罐、瓮、盘、碗、釜、甑等日用品为多，豆形器在两汉初期可看到，但数量也是极少的。纹饰简单，多用器具在陶轮上进行滚压、划印或压光；极个别的在腹、颈、底下打印上印章式窑印。早期在陶釜上刻划地名（昌平）、地方官府（河市木亭）或个人记号的，这当是官手工业和小生产者的标记。汉代手转圆磨产生了，而且很快推广到全国各地，取代了笨重的石臼和踏碓，西安、洛阳、江都遗址墓葬中都有发现，辽宁省辽阳三道壕西汉遗址出土的陶磨是实用物的标本，这对解放劳动力，改善食物质量都有很大意义。同时三道壕出土陶榨圈（榨床上的陶圈）和陶井栏等，也是制陶进步的结果。日用陶器虽然各具地方特色，但大体上如窑法、火候、选料、制法、装饰、印记、陶色等，总是很具时代共同点。

随葬明器大量出现，而与周代又有不同。由于旧封建领主贵族经济没落，封建地主阶级占据统治地位，因而，贵族区分尊卑等级的礼器和同类模型不在墓中出现，而地主阶级占有土地、粮食以及依附于他的农奴及一切表示财富的东西都设法埋入墓中。这时期的墓葬，不管是中原还是边区，都大量埋有生活所需的房屋楼阁、水田、鱼塘、水井、粮仓、畜圈、便所、灶、灯、盘、案、耳杯、水斗、俑人、犬、鸡等应有尽有。有的随葬器物绘有绚丽的花纹，或书写上墓地属他所有的占有证据和他占有粮食若干万石、酒食若干盒瓶之类。甚至如1969年发现的济南市无影山西汉墓把22人组成的杂技团模型埋入，真是将地主阶级贪婪本质表现得十分充分。

这一时期出土的日用陶器，陶质细而青灰或灰黄，更有白色及黑色的。古墓出土的多为陶俑、禽兽、屋舍、井灶等明器，有的画有红色或五彩花纹。古城址出土的多为日用陶器的残片。晚期偶有印或划出斜雷纹、波状纹、直线纹的，打有印纹的则较少。

砖瓦生产日益兴起，无论在遗址、古城或墓葬中都极易看到，边远地区也都如此。空心花砖更见进步，印花、刻花都内容丰富，至东汉而绝迹。长方条砖出现于西汉中前期，筑墓、造井、修房都逐渐使用。瓦当半圆式只在西汉初少有残存，以后大都作圆形，以卷云纹为最普遍，用文字作纹饰如"千秋万岁""长乐未央"吉语和"上林""黄山""宗正官当""乐浪礼官"等官府的也不少；其他如麟、凤等花纹则较少。墓砖有的加吉语、人名、年款，有的印有各种花纹并涂上红白颜色或书写文字。辽宁省出土的云纹和"千秋万岁"瓦当大致也都相同，分布区远达内蒙古林西和吉林附近。

魏晋南北朝时期的陶器和砖瓦，除稍具地区特点外，没有特殊发展，基本上是两汉窑艺的继续。下面略记辽宁省的情况作为参考。辽阳魏晋墓所出的陶明器，种类较少，技术不高。井灶等模型却有了发展，所出陶井亭结构复杂，规模巨大，制作精良，是少见的遗品，也反映了当时辽东豪强地主阶级对奢侈生活的追求。同时在这种墓中新出现了红泥胎黄褐色釉陶小壶，在北票十六国北燕冯素弗墓也出土了同类釉陶壶，这种釉陶给高句丽制陶技术以很大影响，在吉林集安县高句丽族旧都遗址、墓葬和开原龙潭山城等发现的不少釉陶罐和甑，在胎质、釉色和火度上，都可看出它们一脉相传的情况。辽阳晋墓出的太康年铭花纹瓦当，在高句丽有文字瓦当中也能看出一些因袭面貌。北郊墓出土的越窑青瓷虎子，是越窑青瓷最初在东北的出现。这都说明中国文化的一致性。

（十）高句丽、渤海、辽金陶器

高句丽制陶技术不高。遗品多出土于当时的遗址古墓和山城址。以手制为主，其次为半轮制、轮制。有正黄、淡红、灰褐、灰黑各色，质多不纯，每掺云母、硅砂。陶胎较薄，硬度高低不一。有的肩腹部有水平式大耳和波状画线花纹。黄釉陶多红胎，集安高句丽壁画古墓出黄陶双耳甑，可为代表。

渤海陶以轮制为主，陶种少，技术不高。多黄灰色、正灰色，胎薄的较少些。三彩釉陶器胎稍白而坚硬，与唐三彩釉陶器稍有不同，实系琉璃建筑部件器之较精的。

辽陶多正灰色或黄褐色，胎薄而坚致，面多有梳齿花纹。底多内凹，有的并印有花纹。金陶较辽陶稍粗，多灰色，每有研磨花纹。

二、瓷器

（一）殷白陶及硬胎釉陶器是由陶向瓷过渡的第一步

前节所叙安阳小屯殷墟文化层出土的白色雕花陶器，是很纯质的高岭土作胎，烧成后硬度很高，不吸水，烧成热度在1100益至1200益，已具备了瓷胎诸条件。在同土层中又曾出人工敷釉器片，胎质粗硬，外部挂有较厚灰褐色釉层，胎不甚厚而表面有重线水波纹装饰。在河南郑州近郊二里岗商代较早文化层中也出现了这样有釉器片，它的性状特点都与小屯出土品极为相似，并出土了烧造废品，可知这种人工挂釉的窑器殷末在当地大量烧造使用着，可断定它不是偶然形成的自然灰釉，而是一种来源很远的窑艺品，我们有理由称它为原始瓷器。因此可知中国劳动人民是远在3000年前就创造了瓷器，为人类做出了伟大贡献，这点也是世界瓷学家不得不承认的。

（二）自然灰釉的产生——瓷器起源的又一种推测

瓷器是中国古代劳动人民的发明创造，是对人类的伟大贡献，但他们是怎样把泥土加工造成了巧夺天工的瓷器的呢？有人推测是出于自然灰釉器的启发。自然灰釉器的说法有两种：（1）素陶用土渐渐精纯，窑火渐渐提高，在烧造的过程中，燃料的某种柴灰落于器面恰和器胎所含的某种成分结合（如草木灰中的碱粉、石灰粉遇到陶土中的铁质成分等），就自然烧出了一种有釉陶器（如俗称汉瓷的硬釉陶），再渐加人工改进，就创造成了瓷器。（2）自然灰釉器是在玻璃制造影响下产生的。"自然灰"是中国古代一种药材的名称，据说南海各地出产最多，生于地表形如白色石灰粉，以水浸渍如石生海苔。由这些特点看来，它就是玻璃原料的天色碱土；若加上钢铁硅砂等原料，在高温熔融之下，可得青绿白各色玻璃，若把这种原料涂于良质陶器胎上，就会烧出很好的有釉陶器，逐渐改进就产生了以铁为主要成分的青瓷（有人主张这种釉陶是不能改进成瓷器的）。不过初期窑室不够科学，火法控制不准，出品有色釉不均，釉面混浊的缺点。

我们以为前说较近情理，因古代劳动人民在辛勤劳动烧造中，不断提高对土性火候的认识，总结了长期的经验，即由于自然的一个启示，再加上高度的智慧与不屈不挠的创造精神，这个伟大发明就成功了。但这仅是一个推测而已。

（三）瓷器演进三阶段

瓷器的发生发展有三千多年的悠久历史，这源远流长的发展过程，可分三个阶段来说明：

（1）原始瓷器时期（殷到汉）

殷代末叶人工挂釉的瓷器残片即出土于殷代京城旧址的土层（见殷墟发掘报告）及郑州二里岗较早的商代文化层中，并且都是经过科学者集体的发掘和记录，这是我国瓷艺史上极为光辉、极为真确的材料。这些硬质釉陶，已具备了胎质薄又微现瓷化、硬度高而不吸水、釉层与胎质不易脱水、烧成热度很高等条件。在制造技术上，已使用了辘轳，釉有浅绿灰色和黄褐两种，器面加了波状划线的装饰花纹，处处表现着优秀的做法，它实在不是最原始的了。西周早期的遗址中和洛阳、安徽屯溪、镇江烟墩山墓葬中也有大量的发现。汉代青瓷器，曾出土于河南省信阳县游河镇"擂鼓台"永元十一年（99）墓中。器为壶、洗、杯、碗六件，釉色有灰绿色、酱色两种，混浊而不透明，杭州保俶塔后山永康二年（168）墓雕贴楼阁飞鸟灵瓶，淡绿色而带灰，确有初期青瓷的特征。

（2）素瓷时期（三国到元）

三国吴是瓷器正式出现时期。当时的标本出土于浙江省上虞县龙山麓古墓中（见《金泥、石屑》），同出有吴铜钱"大钱当千"及铜镜等物。器形如罐，俗称魂瓶，口上做楼阁三层，中有杂技乐人塑像及石碑，碑上有"宜子孙"等字，器腹也有浮雕式人物像。瓷胎坚硬，釉色灰黄而闪青。出土于同省黄龙年（229—231）古墓的瓷壶，釉色淡青而微黄，质颇润泽，腹部浮雕人马像，与上述一器略同（同类器旅顺博物馆也有收藏）。武昌吴黄武六年（227）墓出土的青瓷为最早。南京赵士岗墓出土的"赤乌十四年（251）会稽上虞师袁宜造"款的青瓷虎子，同地清凉山墓出土的甘露元年（256）铭熊座瓷灯和青瓷羊，釉色莹碧，堪称佳品。西晋时期，青瓷烧造技术更加进步。宜兴周处墓出土透雕香炉等青瓷器皿，胎骨坚硬，淡青釉光亮滋润。经科学鉴定，胎釉成分和杭州出土南宋官窑青瓷的化学成分为近，可见当时选料技术的进步。烧成的温度已达1050℃左右，窑炉和火候都进入了高度水平。从青瓷品种上看，在东吴两晋的墓葬里，还流行青瓷明器，除上述堆雕人物、阁楼、鸟兽等"魂瓶"外，如宜兴周墓墩二号墓出的猪圈、鸡舍、鸡笼以及畚箕、扫帚、筛子、杵臼等事物工具的模型也都是青瓷的。南朝宋元嘉（424—453），梁大同（535—545）、天监（502—519）太平墓也都发现较精致的青瓷器皿。在北方，洛阳太康八年（287）墓、永宁二年（302）墓出土了北方青瓷，胎釉形制都与南方缥色青瓷不同。

北朝（386—581）瓷器出土例，以1947—1948年河北省景县北魏封氏墓随葬品为代表，其年代是由太和七年（483）到隋开皇七年（587）的百余年间，系统极为完整。计瓷器40件，陶器1件，有杯、碗、碟、盘、盂、尊、瓶、壶、灯盏之属，胎质坚重，釉色有灰、青、黄、蓝、黄绿、褐棕各色。有的瓷器雕镶着莲花、龙凤花草，均极精致。1971年河南安阳北齐武平六年（575）范粹墓出土瓷器13件：黄釉印胡腾舞花纹扁瓷壶4件、白瓷绿彩罐2件、白瓷翠彩瓶3件、乳白釉瓷罐2件、乳白釉弦纹瓷瓶1件、乳白釉瓷碗2件；外有残器1片、淡黄瓷面上加酱黄、淡绿釉彩，开了唐三彩釉法。早在1931年，安阳小屯隋仁寿三年（603）卜仁墓出土北方青瓷四耳罐4件、小碗5件、高足盘1件。这时北方瓷业也发展到万紫千红、争奇斗艳的地步了。

唐代是我国文化较高、国势最盛的时期之一，工艺美术都有很大的进步。白瓷以邢州内丘窑为代表，唐人李肇《国史补》说："内丘白瓷端溪紫砚，天下无贵贱皆用之。"可见邢窑瓷产量很大、分布全国的情况。同时它打下了后代北方定窑系的窑艺基础。邢器质地坚致，釉色如银如雪，极为纯净。青瓷以越窑为代表，瓷质如冰如玉，青翠可爱，为当时试茶家所推许。当时岳州（湖南岳阳）、饶州（江西浮梁）也以青瓷出名，而饶瓷釉色淡青而白，在唐武德初（618）以假玉器的名称在京城长安出卖，瓷质精美于此可见。蜀大邑产的白瓷，胎薄而坚致，色如霜雪而声韵清远，如击玉鸣球；所出青瓷胎质稍粗硬，含铁质而色微紫，釉层混浊不透亮，青如均窑而时现黄褐色，当是火法掌握不精所致。

五代到宋名窑更多：定、汝、官、哥、越、饶、钧、磁、建、广、龙泉各产名器。南宋郊坛窑、修内司窑均仿造汴京时期青瓷的旧制，也是宋瓷精品。此外吉（江西吉安）、耀（陕西铜川黄磨镇）、霍（山西霍县）、余杭、丽水（浙江）的青瓷，磁（河北磁县彭城镇）、肖（江苏徐州）、榆次、平阳（山西）、博山（山东）的白瓷，也都是地方有名的瓷品。五代柴窑传为五大名窑之一，但世少明确遗品，也没发现窑址，其实体如何尚在探索之中。

元代瓷业稍现停滞，当时对景德镇窑户的压榨剥削更甚，除"枢府"官窑出品较佳而外，地方窑如钧、磁两处都走向一般日用器的大量生产，质量稍不如前了。此期"窑变""加彩""釉里红青"的进步技法逐步形成，为下一阶段釉上釉下装饰创造了条件。

这一时期的瓷器虽也有雕划塑印各种花纹，釉色有青白赭黑黄绿蓝紫红各色，但都是单纯一色，装饰方面与明清两期专以花纹见胜的瓷风不同。

（3）彩瓷时代（明清）

元末起义的农民推翻了元朝统治。朱元璋建立了明王朝，生产日见恢复，海外交通逐渐频繁，国外窑业原料的输入，瓷器的大量输出，刺激了瓷业的新发展。但地方名窑却逐渐衰微，有的停业不烧，有的变为地方民窑以延其残喘；而制瓷中心，反集中于景德镇一地。当时设立官窑，专官督造，分工极细，选料精良，出品日见进步。初期的洪武、永乐两朝，多沿前代作风。黑釉描金，香白暗花诸器，虽属两朝名器，实不过是素瓷时代的回光返照而已。宣、成、隆、万四朝，均以彩瓷出名，青花五彩，各擅其美。同时由于窑变启发，创造出了宣红器，也创造了鲜明的黄、紫各彩。民窑方面因风气所趋，也百花齐放，如壶公吴为的雕瓷，周丹泉的仿古，不但见重当时，也足流传千古。他若法花三彩、宜兴紫砂、德化白建、广州蓝器、福建红彩、处州青瓷，也都风行一地或远输外国。瓷业盛况前所未有。

清代康熙时，才在景德镇设官窑烧造，一方继承前代青花五彩成就，而在选料、制造、烧成上，都有改进与发明。康、雍以来又创造了粉彩和珐琅彩（瓷胎画珐琅，俗名"古月轩"），模仿古器和仿自然物等风气也极为流行，咸、同以后因帝国主义侵入，瓷业就陷入了停滞状态，光宣时期虽稍见起色，但多趋于仿古一途，无甚创作。

总结明清两代瓷艺，在胎质上虽有脱胎、两面彩、透雕、影青、镂空、转心等出色作品，但与宋瓷比较，并无显著不同，其最大特点为釉上釉下彩色花纹装饰法的进步与复杂，画材丰富，画法精细，求之前代是没有的。

三、瓷器制作与烧成

（一）景德镇瓷器原料

中国传统瓷器，瓷胎系用两种原料配成，即以明沙高岭和祁门瓷石为主，与外国一般用黏土、石黄、长石三类者不同。用石灰石配釉，是我国制瓷的另一特征。这是我国瓷器具备白度、半透明度、光度和硬度的化学基础，是世界其他瓷器所不能比拟的。

瓷器原料可分三种：

（1）胎质原料

（甲）"陶土"是制造瓷器坯胎的主要原料，也叫高岭土，因出土于景德镇东方不远的高岭，我国最先取用造瓷，造瓷技术传播出去以后，世界人民就把陶土的学名定为"高岭"，也有人写成"高陵"，含高岭石、水云母和石英等。（乙）是"瓷石"，通称硅石，即祁门瓷石，主要是石英和绢云母。石英、云母原料色纯质细，制脱胎、填白、青花等细器用得多些。

（2）釉汁原料

（甲）釉灰，古代景德镇用一种羊齿类植物（凤尾草）和石灰石的烧灰。用水淘细而成。（乙）白不细泥（不，音敷，上声），出于安徽祁门县坪里、谷口二山的"硅石质的长石"所制成的。

这两种原料分器调为稠浆，临用配合，泥浆加石灰浆一为上釉。这种釉汁烧后即出现无色透明玻璃质，若加其他着色原料，能出现各种彩色，作成各种色釉。

（3）花彩原料

（甲）青料，是天然氧化钴，旧名顶园子，俗称画烧青的青料。明代曾用过外国输入的"苏渤泥青"和"回青"，本地出的为"平等青"或"土青"，现在景德镇称"珠明料"，这种青料需研乳极细，调画胎上，罩釉烧后就出现青翠花纹，名为青花。（乙）釉里红料，用铜质原料画于胎上或大片涂于胎上，然后挂釉入窑，烧出红花，名为"釉里红"或"宝烧"；若把此种红色画于青花一起，则名为"青花加紫"或"釉里红青"。（丙）五彩原料，五彩为釉上加画的彩花，其原料熔点很低（与釉里五彩不同）。主要原料有：

①矾红（抹红），用青矾炼红加铅粉广胶。

②黄色，用赭石加铅粉。

③绿色，用氧化铜加硝石。

④褐色，用紫金石加炼灰。

⑤明绿（金绿），用氧化铜加硅砂、铅粉。

⑥金青，用氧化铜加氧化钴。

⑦紫色，用石子青加硅砂、铅粉。

这些料绘于瓷上，在花炉（锦窑）里烘烤，凝固为五彩花纹，称为硬五彩，明代到清康熙时极为流行。

（二）明清时期景德镇瓷器制作过程

中国瓷器制造上分工很细，制造程序也很复杂，根据清乾隆时《陶冶图说》的记载，约为下列过程：

（1）采石制泥：开矿采石，水碓舂细淘净，制如土砖，名曰"白不"，为瓷胎主要原料。

（2）淘炼泥土：水缸浸泥，箩去渣滓，去水成泥，翻扑均匀。

（3）炼泥灰配釉：青白石和凤尾草烧灰淘细而成，配以白水泥浆。

（4）制造匣钵：瓷坯宜净，烧时外盛匣钵，钵为耐火土所制，空烧一次名曰镀匣。

（5）圆器修模：圆器一式甚多，为求划一，先定模子作为标准。

（6）圆器拉坯：圆器就轮车拉坯，碗、盘等分大小二作制作。

（7）圆琢器作坯：瓶、罍、尊、彝皆名琢器，方角的用泥片镶做或印制。

（8）采取青料：青花霁青的原料用天然氧化钴矿。

（9）印坯乳料：拉出的瓷坯套模上按拍使其周正，同时，乳细青料，以备画花。

（10）圆器青花：青料画坯，分工极细。

（11）蘸釉吹釉：方角大器用笔上釉，圆器蘸釉，大器吹釉。

（12）成坯入窑：窑室长圆约一丈，匣钵盛坯装入窑内，烧以松柴。

（13）烧坯开窑：窑烧三天，第四天开窑，入窑取器。

（14）圆琢洋彩：烧成白瓷上加画五彩金、银等花纹。

（15）明炉暗炉：白瓷已画彩花，复入炉，烧固，始现光彩。

这是三百年前景德镇的造瓷情况，现在自然是不同了。

（三）陶瓷器装饰方法

瓷器花纹装饰方法约分四种：

甲、胎上花纹装饰——在器胎挂釉前未干硬时施行装饰：

（1）雕花：用工具雕刻出浮起或凹入花纹。

（2）划花（也称锥花）：用尖头工具划出阴线花纹，细线的称作暗花。

（3）印花：用刻就器模捺印出花纹，或用印章式花戳盖印花纹。

（4）塑贴（也称雕镶）：印塑或雕刻出一部分花形加贴于瓷胎上的花纹。

（5）法花（也称作堆花）：在胎上用工具堆出凸起线花纹轮廓，内挂釉色，单色釉上堆细线花的又叫"堆粉"。绣花、锥拱等也都属于此类。

乙、釉下画花装饰——是挂釉前在瓷胎上画花的装饰：

（1）青花：用青料（钴）画于胎上然后挂釉烧出的青花。

（2）釉里红花：用氧化铜画于胎上然后挂釉烧出的红花。

（3）青花加紫：上两种方法用于一器上的二色花纹（也称釉里红青）。

（4）釉里三彩：在釉下画红紫黄绿三色花纹。

丙、釉上画花装饰——在烧成的白瓷器上描画花纹重烧一次，现出的各种花纹：

（1）五彩：用金属原料画于瓷面作五色花纹，色厚面平而透明，有冷硬感觉，也叫"硬彩"。

（2）粉彩：康熙时五彩用含粉的珐琅原料，多粉质，色面高起而不透明，故称"粉彩"，因有温软感，又称"软彩"。

（3）珐琅彩：其中一种用玻璃质彩料，画工细致的叫珐琅彩，又称瓷胎画珐琅，俗名"古月轩"。

（4）黑彩：五彩花满涂黑地叫黑五彩，也叫"黑彩"。

（5）墨彩：用黑色画花纹如墨笔画的叫墨彩。有时略加赭石红色如浅绛山水，淡雅可爱。

（6）斗彩：釉下青花和釉上五彩连合成一种图案花纹的叫斗彩，另如花纹相斗和豆青色为主之说是不确的。

（7）描金：彩上或单色釉器面描上金银花纹，如"古铜彩"和油漆彩画也属此类。

丁、釉汁变化装饰，这是人工窑变花纹的装饰法：

（1）窑变等红、紫、蓝色窑变条纹花纹：如仿唐三彩，花釉等。

（2）豇豆红等红绿点片花纹：如苔点绿，芸豆红等。

（3）鹧鸪斑等黄黑斑点花纹：如虎皮釉、玳瑁釉、兔毫斑等。

（4）滴珠釉、铁锈花等金属细点花纹：滴珠釉、金星、银星等。

（5）茶叶末鳝鱼青等黄绿结晶细点花纹，如茶末绿、菜尾黄等。

（6）炉钧釉碎点片花纹：如炉钧蓝、广窑云片纹、泥钧釉等。

此外清末又有用金刚刀刻瓷成花，极为精致，也是一种装饰方法。

四、历代主要名窑

（一）越州窑——瓯越窑、缥瓷器、秘色窑、越州窑

1.所在地：晋时瓯越，为今浙江省永嘉县，唐越州为今绍兴县。产地以三吴（会稽、吴兴、吴郡）为中心，北到宜兴，汉末六朝已烧造青瓷，称为缥瓷。唐代更盛，出土过元和五年（810）、长庆三年（823）、大中元年（847）铭款的产品。五代时称越瓷为秘色器，俗云钱王所烧，民庶不得用，故称秘色。北宋曾设窑务官于此，专给内府烧造。余姚至明代尚烧青瓷，后始废绝。

2.古窑址：越窑系以绍兴为中心，西到德清县，东到余姚县，北到宜兴

县都有古窑。新中国成立后对越窑窑址做了大量调查发掘工作，已知的窑址也做了更深入的调查研究。

甲、穗清后窑：窑址在德清县和后窑两地中间的运河岸，其烧造的时间约自六朝到南宋。

乙、上董窑：在萧山县。有天鸡壶、熊足盘、四系双铺首盘口壶等，皆六朝器和唐器。

丙、九岩窑：在绍兴县西南九岩镇，其烧造时间为汉到五代。其附近禹王庙村及富阳县也都相传有青瓷窑址。

丁、宜兴蜀山镇均山窑：窑厂较大，南京宜兴县等地吴、西晋、南朝墓青瓷多数是它的产品。

戊、上林湖窑：在余姚县东北上林湖畔，时期为唐到明代。宋代极盛。辽宁省辽墓所出越器多系吴越、北宋时代窑产品。

3.出品概要：古越器胎质带灰色，釉为缥青色或黄绿、暗绿色，有"如玉如冰""千峰翠色"的美称，是中国青瓷的上品。多挂半釉，有的釉色不纯或易脱落。五代钱氏时期更为进步。南宋时在余姚烧造多仿内窑官器，但缺文片，釉不润泽，已失越瓷优点。

①德清窑：器胎有灰白、灰黑两种，釉色为带灰或微黑的绿釉。绿釉中有现红紫或黑褐窑变的，有的有细小开片。

②上董窑器：胎灰白，釉以青色为主，有闪黄、闪绿或带灰败的暗绿色。

③九岩窑器：胎质富于铁质不很瓷化，色如德清而质稍松软，釉作灰黄绿色。

④上林湖窑器：胎如九岩而色纯，瓷化亦较高，釉作暗青绿色，有的作灰黄绿色，概为薄釉，一般没有开片。

⑤均山窑器：胎灰白而坚致，多挂半釉，色青翠而温润，多精致产品。其器上装饰有划花、印花、贴花三种。纹饰有串花鸟、双凤、双鹦鹉、双鱼、龙水、人物及瓷塑和明器。早期造型多出于青铜器。窑火常常氧化，所

以釉色每有黄褐或灰褐不纯的现象，到后期火法进步，釉色青翠可爱。越器分布极广，全国各地大都有发现。近年湖北武昌吴墓出土青瓷井亭，南朝青瓷莲花尊，鄂城出东晋塑贴花纹青瓷盂，贵阳平坝出土青瓷莲花花罐，是南北朝时期的。江西南昌晋墓鸡头壶，连云港隋凤首壶，河南濮阳出土划花罐。四川也有出土。辽宁省辽阳西晋墓出越瓷虎子是优秀作品。

（二）定州窑——定窑

1.所在地：河北省曲阳县北六十六里涧磁村及东西燕山村。定器继邢窑的传统而产生，五代已大量生产。北宋窑业发达，金、元逐渐衰落而废绝。仿制的极多，是北方白瓷代表。

2.古窑址：定窑窑址为民初叶麟趾所发现。仅发现上记邻接二处，新中国成立后做过多次调查采集，并发现唐器和绿定器。

（1）涧磁村窑址：在曲阳县北灵山镇东方，叶麟趾《古今中外陶瓷汇编》作剪子村，《曲阳县志》写作涧子村。村北高地上有碎瓷片，堆成高约八九米，长约二三十米的小丘数个，碎片多划花器，素的较少。村东约一里半法兴寺废址附近素地瓷片极多，云龙花纹碎器片也不少。1951年还出过10件完整瓷器，也都是划龙的。据说一盘底有"尚食局"（北宋官署）三字。村西半里山溪北面高原上素白瓷碎片成丘，除划花的以外，印花也不少。但其规模似较村北略小。后又发现刻有"尚药局""五王府"的瓷片。最近又发现了绿定瓷片。

（2）东西燕山村窑址：在灵山镇西八里，二村相连，叶麟趾误记为仰泉村。窑址在两村北方及西燕山村西方。有印花、刻花、划花三种，素白的更多。已经发现云龙盘片，并有"尚食局"文字。可见北宋未立官窑前，宫廷是用定器的。燕山村西的多白釉不到底的碎片，较多粗糙。

3.产品：胎骨洁白细腻，釉色好的细白润泽而匀净，次的作牙白色，一般多薄胎，制作工整，拉坯有线纹，古曰"竹丝刷纹"。釉色有白、黑、红、紫、绿，也有白色铁彩花、黑划花、黑雕釉、黑釉、灰绿釉等粗胎器，花纹有雕划、印花、画黑花几种。所画的画材丰富，雕的有缠枝莲、缠枝牡丹、莲花水波双鱼、水波飞龙、飞凤涡纹、梳齿纹等；印的有穿花飞鸟、蟠龙、缠枝莲、缠枝牡丹、水波双鱼、萱草花等。

黑定器胎薄而白，外挂纯黑有光的黑釉，匀净如黑漆器。红定器是柿红色，胎亦白而精薄，又有描画金花和紫色绿色定器，但都为数较少。器多俯烧，故多底满釉而口边一线无釉，有用金属镶口的，和越窑一样称为金扣器。粗器和仿铜器世称为土定，细白的为粉定，在南宋烧的称南定，有人说，景德镇南宋产的茅口器为南定，元代霍州仿的称新定。近年（1969）在河北定县出土一大批定窑瓷器，是太平兴国二年（977）、至道元年（995）两座砖塔地宫的。器类繁多，有杯、托盘、碗、盘、碟、洗、壶、瓶、净瓶、炉、盒、罐等。造型复杂，如盒有五式，炉有三种；四人抬行瓷轿模型，形制特殊的左旋瓷螺都是罕见的，有多件器底刻画有"官"字款，这是北宋定窑官窑的新标本，是研究定窑的重要材料（见1972年6月22日《光明日报》《新中国出土文物》177图）。

（三）汝州窑——汝窑、北宋官窑临汝窑

1.所在地及年代；有人说始于宋大观三年（郑宝昌），有人说始于隋代（叶麟趾），有人说始于唐代（英、日人），一般通说是北宋。因徐兢《宣和奉使高丽图经》已见"汝州新窑器"语，可知大观前已有之。窑在河南省汝县境。宋官窑传在开封烧造，但迄今尚不能证实真有此窑，只好等有新发现再决定。传世官窑器当是在临汝监造，供统治者专用的。

2.窑址：临汝县东北乡大峪店、东沟、叶沟、黄窑等处的出品多光素，精品与传世官器同。南乡严和店、大营、青龙寺窑等出品，较粗而釉灰青如艾色，雕花刀法有锋芒，印花不清晰。世俗称为北丽水器。

3.古人记录：南宋周辉《清波杂志》说："汝窑官禁中烧，内有玛瑙沫为油，唯供御，检退方许出卖，近尤难得。"南宋陆游《老学庵笔记》说："故都时定器不入禁中，唯用汝器，以定器有芒也。"南宋《真叶坦斋笔

衡》说："本朝以定州白瓷有芒不堪用，逐命汝州烧青窑器，故河北唐、邓、耀州悉有之，汝窑为魁。"明曹明仲《格古要论》："汝窑器出汝州，宋时烧者淡青色，有蟹爪纹者真，无纹者尤好。土脉滋润，薄亦甚难得。"明高濂《尊生八笺》："汝窑余尝见之，其色卵白，汁水莹厚如堆脂然，汁中棕眼隐若蟹爪，底有芝麻花细小挣钉。"明田艺衡《留青日扎》："汝窑，宋以定州白瓷有芒不堪用，逐命汝州造青窑器，河北唐、邓、耀州悉有之，而汝为魁，今河南汝州色如哥而深，微带黄。"

4.产品：各国专家对汝窑器的看法很有出入，亦多不正确：

（1）英国欧木浮布斯以影青为汝窑器，霍布苏附和之；

（2）日本小山富士夫以北方青瓷（俗称丽水窑即临汝窑）为汝窑；

（3）日本大谷光瑞主张钧汝同窑说；

（4）英国台惟德作汝窑考，以类似北宋官窑的青瓷为汝器。

新中国成立以后我们对河南临汝古窑做了多次调查，认为汝窑主要产品是淡青色，较龙泉色深而葱绿，色釉极润泽，没有纹片的很多，这是汝窑本色。一般的说法是，胎质细润，略带灰色，体有厚薄两种，薄的很少。古人所说釉色以雨过天晴为佳，豆青、蟹青色的较多，挂釉皆厚如堆脂，多有鱼子纹，蟹爪纹较少，无纹的是最上品，似指官汝窑而言。临汝窑器印、刻花纹的较多，而碗、盘花纹多有内面、外面只作花瓣式；瓶、罐、枕等多满刻缠枝菊莲等纹为其特色。

（四）龙泉窑

1.所在地：以浙江省西南部瓯江的（江口温州是出口地）龙泉县琉田市为中心，东到丽水县境都有窑厂，古窑址发现于大溪流域中，新中国成立后经过多次调查发掘前后发现古窑一百多处，对龙泉青瓷有了进一步认识。大窑村附近发掘宋明两代的古窑是斜坡长窑，有的长达35米，规模巨大，可见当时产瓷的盛况。发现的作坊里有淘洗原料的池和粉碎原料的杵碓，时代可能在五代开始，窑艺当是继承唐代越窑传统技法的。

2.时代：可能创始于五代，北宋、南宋极为发达，元、明两代稍陷停滞，清代沦为地方小窑，已不烧青瓷了。南宋时有章姓兄弟造器最有名，俗称章生一烧造的为"哥窑"，章生二烧造的为"弟窑"或"章窑"。明代称"处州窑"。

3.古人记录：《格古要论》说："古龙泉窑今曰处器，古青器土脉细且薄，翠青色者贵，有粉青色者。有一等盆底有双鱼，盆外有铜缀环，体厚者不甚佳"；《清秘藏》："古龙泉器土细质厚，色甚葱翠，妙者与官窑争艳，但少纹片、紫骨、铁足耳，且极耐摩弄，不易茅蓑，第工匠稍拙，制法不甚古雅。有等用白土造器，外涂釉水，翠浅影露白痕，乃宋人章生所烧，号曰'章窑'，较龙泉制造更觉细巧精致。"清朱琰《陶说》按语说："格古要论云哥窑色青，浓淡不一，亦有紫口铁足。古龙泉青器，土脉细且薄，翠青色者贵，曰旧曰古，盖指生一生二所制原不甚殊也，唯有纹无纹为兄弟之别，必曰无所陶色淡，弟所陶质厚，皆非章氏之初也。哥窑在元末新烧，土脉粗燥，色亦不好。龙泉窑在明初移处州府，青色土垩，火候渐不及前矣。"

4.产品：胎土细润带灰白色，露胎多现黄或淡红色，瓷化程度较高，体多粗厚古拙。雕花、印花、划花、塑贴的较少，凸花的较名贵。釉层厚如堆脂，浊不透明，一般不开片，色青葱有浓淡之别。元明时期出品釉调更为混浊，胎亦粗糙。有一种黑斑窑变，俗称匣钵油斑，颇为美观。哥窑色淡有米黄色，多小开片的名"百圾碎"，也称"鱼子纹"。胎薄作紫褐色，无釉处红色。

（五）宋官窑——宋官窑有三：北宋官窑（引日京窑）、修内司窑（邵窑、内窑）、新窑（郊坛窑）

1.所在地：北宋官窑在河南开封附近，窑址尚未发现。修内司窑在杭州城南凤凰山下，一说在保俶塔山下，窑址已发现。新窑在杭州乌龟山古郊坛下，窑址已发现（1958年做了科学发掘，出瓷片极多）。

2.年代：北宋末宣和、政和年间内府设窑烧造的，其说很与官汝窑相近，究竟是一是二尚不明了。又烧造年限很短，出品不多。传世的尤少，研究者对此极为模糊。内窑、新窑都是宋南迁后烧造的，而新窑最晚，有人主张修内司窑是由哥窑迁杭改变的，但尚未得到公认。

3.产品：旧官窑质灰白，细润而薄，釉色青而闪粉红，浓淡不一，其特点有"紫口铁足""蟹爪纹"开片。大观年间色尚月白、粉青、大绿三种，月白最上，粉青、大绿次之，灰色最下。政和以后，其青釉只分浓淡两种。另一说色尚粉青，淡白次之，油灰色色之下也。纹取"冰裂""鳝血"为上，"梅花片""墨纹"次之，细碎纹纹之下也。器式多仿古铜器鼎、炉、尊、壶之类，次则文具清玩为多。器底皆挂满釉，有支钉痕。内窑的产品，胎白而有的微闪灰色，极精纯细润。釉有的现玻璃光泽，有的滋润如压，色有青色、白青色、白定色各种，一般无纹片。新窑产品胎色灰褐至灰黑，胎质极精纯而薄，釉厚如玉。有的釉比胎厚，正是所谓"玛瑙釉"的一种。色有天青、灰褐两种，皆有较细纹片。挂釉到底足边，底下满釉，圈足很薄，开片的釉面有冷脆之感。

（六）钧州窑——现称钧窑（金代钧州设窑烧造故名）

1.所在地：河南禹县神后镇。新中国成立后做过几次调查了解，鹤壁镇窑、严和店窑，在金代也生产钧窑器。当时北方仿烧的地方很多，釉色各有不同，胎骨也不一样。元代烧造的称元瓷或元钧，已不如旧了。明代烧粗器，民国钧窑公司烧的钧釉都不精良。

2.产品：胎质稍粗如澄泥，色有灰白、正黄、肝紫三种，不很瓷化。器式朴拙，制作粗厚实用，釉层稍厚，浊不透明。表面有光滑、粟纹两种（也称细平釉、橘皮釉），浊不透明的多有开片。晚期制品挂釉多不到底，底足下也绝不挂釉。釉色多天蓝，唯浓淡不同，米黄和灰绿色的较少。后由窑变启示产生的花釉（通称窑变），为钧窑一大创造，初期的窑变红斑，形象如行云流水，斑纹周边多有起层深色极为自然，或作各种紫、红青、绿交错熔流，千变万化，无一雷同。人工窑变斑，则红色一刷，千篇一律，无甚变化。一般无雕划花纹（因釉厚不显明）。塑贴及印花的为数也极少。窑变水仙池、花盆、尊炉最有名。在东北出土于金元时代遗迹中的，常与南宋和元景德镇青白瓷高足杯及仿磁州系的白釉黑花碗共存。辽代遗迹尚未发现，元后期衰落停烧，釉法失传。明、清以来仿品，胎色黄灰黑紫，而不坚致，表面加有铁色，极不自然。釉色微似旧制而窑变斑处釉面高起，现熔流下垂状。

（七）磁州窑

1.所在地：河北省磁县彭城镇，以州得名，因此瓷、磁二字通用。古窑址有该县冶子村及安阳县的观台镇，其他如河南禹县扒村窑，修武当阳峪窑，山西阳城窑，也属磁州窑系。相传起于晋代，金元时期有了更大发展。明称彭城窑，至今仍在烧造。现代窑场在河北邯郸市峰峰矿区，继承传统有了新发展。

2.产品：世俗所谓磁州窑器系指一种白釉黑花器和白釉、黑釉雕花器而言，当然其中也包括纯黑釉器，这不是它的代表作品。其器胎有灰白、褐赤等色，质细坚致，有时有杂色小点，不很瓷化。做法如土定，胎外挂白粉，后挂透明无色釉，釉色薄而滑，釉调作浊乳白色，一般无开片，足底无釉。釉有白、黑、淡黄、淡黑和灰色各种。黑花的黑色浓黑不润泽，有时现出闪红色，所谓铁砂色、铁锈花。器形朴拙，多为日用粗器，相传古代纯白佳器贵于定器，今很少见。装饰方法以白釉绘黑花为主，黑白釉上雕花或填黑釉白粉的也不少，这就是所谓雕剔填彩的技法，是从漆器装饰上学来。另有红、绿、黄三色加彩器，是一种两道火的釉上画花，为明代五彩瓷开创了道路。又有一种青绿釉器，是白瓷上再挂一道低火度釉烧成的，也是两道火。画材丰富，有人物、花卉、拆枝花、串枝花、龙、凤、鸟、虫，无一不有。所出白釉画花，或题字瓷枕很多，有的下盖"古丁张家印章"，则是安阳观台镇窑产品。有的底有墨书金大定年号。所产小人、小马各种加彩玩具，也是他窑不常见的。总之，磁州窑创造了三彩和笔画花纹，给明清彩瓷奠定了基础，是中国瓷器装饰史上伟大的成就。

（八）建安窑——乌泥窑、建窑

1.所在地：初建于福建省建瓯县（即古建安）的水吉镇，后移于建阳县。不知始于何代，到宋始以茶盏出名。元明之际就停烧了。北方在金元时期也有仿造建瓷兔毛斑、纯黑釉和鹧鸪斑色的，多是大小瓷碗。

2.产品：胎釉原料都含大量铁质（世称"建安乌泥窑"或"乌金釉瓷出建州"即指此），胎稍粗而厚重，作黑褐或灰褐色，不很瓷化，硬度较高。釉汁稍厚，分黑、黄两种，多有两色混用，釉面现出美观斑纹的。直条纹名兔毫，斑片纹名鹧鸪斑，黄黑成片错杂的名玳瑁斑，纯黑的称乌盏，现金银色粗细点斑的，叫滴珠或油滴斑。器形以茶盏为最多，宋时试茶家极为赞赏。南宋时日本人专来学习，开了日本制造硬瓷的先河。明代本省德化县产出了白建瓷器以后，就称它为"黑建瓷"。此外，近年发现福清县东窑、光泽县茅店窑、福厦公路闽江南黑釉瓷窑，都制作建窑黑瓷。江西吉安市永和镇窑，宋时所仿黑瓷花色极多，剪纸、笔画图案、木叶纹、洒彩、剔花都是新创造。

（九）景德镇——饶州窑、昌南窑

1.所在地：江西省浮梁县景德镇，其地古属饶州，唐称新平镇，因镇在昌江之南另名昌南。故又有"饶州窑""昌南窑"之名。北宋景德年间（1005—1007）改称"景德镇"，至今未改。古窑址已发现的有：湘湖镇、石虎湾、湖田、杨梅岭，都出唐代以来的青瓷和白瓷，与传世的洪州窑产品相似，故有人主张这就是唐代的洪州窑，但尚无定论。其开始烧造年代很古，南朝陈至德年间（583—586）即曾烧造过陶瓷柱础，以后历代烧造不绝，元代以后逐步成为中国最大产瓷中心。新中国成立后更加发展，技术革命，改革窑炉，创新瓷种，既保持了优良传统，又有很大提高。

2.产品：唐初新平人陶玉、霍仲初均以制瓷有名当世，产品莹洁如玉，故称假玉器。北宋景德年间烧进"内府"，胎质纯白细腻，釉调光致朗澈，传说器底书"景德年制"四字（迄今未见实物），海内知名，于是天下咸称景德镇器，而昌南旧名逐微。其器色白花青故称"青白瓷"，雕、画、印花器的阴线中釉厚色青，清末以来俗称"影青"。釉色大致有深浅两种：色深的多荧澈有明显小气泡，光强如玻璃，多无纹片；色浅的近闪青的纯白色，釉面光度较弱，透明度也稍差，也以不开片为多，俗传有米黄、粉青釉色之说不确。其一般特点是：挂釉到圈足底边，器内无任何疤痕，圈足里露胎处色纯白或近纯白，与垫烧的渣饼接触处，有黄褐或灰赤褐色班痕；圈足外面直高而体薄，挖足较浅而面平。器以光素为多，早期多用雕画花纹，晚期多用印花。雕花轮廓线外浅内深与定器雕法相近。又多使用细密图纹，有云龙、飞凤、折桂童子、串枝花、缠枝花和各种塑贴、花式口等。碗盏多直壁、大口、小足，做漏斗状，亦有作花式口的。器类多碗、盏、盘、碟、瓶、壶、炉、盒、罐、盂等。湘湖窑是主要产地，湖田村北也有北宋窑址。辽比北宋早亡一年，凡辽代遗址墓葬中所出景德镇青白瓷都是北宋产品，早期的可能有五代瓷器，所出他窑瓷器也是如此，这是我们研究北宋瓷器的有利条件。

258

南宋产品，胎釉质料基本与北宋相同，唯胎色微灰，釉汁稍厚，多粗厚大器，造型纹饰较为草率。又曾仿照定窑覆烧毛口器，俗称"南定"。湖田窑、南山窑都是南宋窑址（湖田、柳家湾、南山等处也有较早和晚于南宋的产品，据南山居民说此外还有不少宋窑遗址）。

元代产品一般较两宋稍粗。胎质不纯，含有铁分，露胎微现黄赤色，近釉处更为显著。釉色浑浊不甚透明，已近纯白而少影青性，打下了向青花和五彩发展的基础。印花较雕花为多，花纹多简略不清晰。青花釉里红的釉下装饰和釉上加彩也渐趋成熟，晚期有很好的作品，揭开了明清两朝彩瓷的序幕，这是元代瓷业工人的一个伟大创造。有"枢府"铭款的通称官窑，实际是统治政府派官强迫窑户给统治者制造的专用器皿。"枢府"是元代中央统治政府的通称，这就是后世称为"有命则烧，无命则停"的元代"上贡御器"的实质。这种青白器代表元代景德镇瓷艺的高峰，料细工精，胎质细白，釉作青白色，温润光洁。器多花式口，有杯、碗、盘、碟、盂、炉、盒、罐、瓶、壶等。印花较多，有云龙、飞凤、萱草、忍冬等多种，器内花纹中相对处印有阳文"枢府"二字。另一类，釉里红青画花器逐渐流行，早期阶段，花纹、呈色多不准确，釉里红往往灰暗青黑而不鲜红，青花也有色调灰暗或浸润漫漶的缺点，晚期产品多有佳器。瓶罐大器多作四段接成，造型有瓜楞、多方形，葫芦式的扁壶、把壶等。器多有盖，流口、把手和盖纽每加塑贴凤首、龙头、狮子，或部分做成透雕式塑造及浮雕式堆塑花纹，配以釉里红青色彩，新奇雅丽，前代所无。装饰图纹极为丰富，如整棵花、折枝花、串枝花、缠枝花、散朵花、俯仰莲、蕉叶、卷草、赶珠龙、出水龙、海兽、双狮、串花风、暗八仙、八吉祥、如意云、垂云纹、云雷纹、连钱纹等，都是常见的，有的做成花纹带装饰着口沿、足圈和肩颈。这是把绘画与瓷艺结合的重大成就。传世品有"至正十一年（1351）四月良辰谨记"款的青花云龙瓶。

明代设御窑厂于镇，迫使瓷业工人制造青瓷、五彩和各种单色釉器供统治者专用。官窑器多有年款，大器用三四段接成，刀旋圈足不修饰，都与后代不同。洪武的青、黑釉描金器，永乐的脱胎填白暗花影青，宣德的霁红（又名宝烧）、釉里红、琥珀黄，成化的鳝鱼皮、蛇皮绿都是前所未有的名器。弘治黄釉、剔花填彩绿龙，正德孔雀绿的创造极为有名。青花、五彩瓷为明代各朝所通有，其中宣德青花、成化五彩可说是成就独高。青花用土钴矿，各朝使用的材料不同，性质各异，瓷品呈色也各具显明的时代特点。宣德青花用南洋输入的"苏麻离青"（或称苏泥渤青），发色明丽不浮，散润胎骨釉层中，色中多现黑色点片，青翠淋漓，深沉自然（永乐也用此料，但产品不多）。1970年北京市石景山地区明雍王墓出土青花碧桃竹枝梅瓶（见于1972年第6期《文物》），是年代最明显的好标本。成化开始使用本国乐平县产的平等青亦称陂塘青，发色不及宣德。嘉靖之后又用回青，别称回回青、西域大青。佛头青，传为云南所出，青色浓艳，微闪紫翠而无斑点。隆庆回青绝，万历以后改为石子青，传出瑞州（今江西高安），现色灰暗，不如前朝。这是明青花瓷断代的关键。此外，成化创串枝花、过枝花；嘉靖创花捧字，在青花瓷鉴定上应加注意。成化五彩都是釉下青花和釉上彩色组合而成，可说是斗彩和填彩，变化极多。明代民窑也有名器，如崔公、周舟泉、吴为都是名手，产品与官窑等价。小南窑这个民窑群专烧素民用品，多为日用食器，如各式碟等，不得烧造五彩器。青花活泼简单很有生活气息，在农村遗址的土层中往往发现，这是了解当时劳苦大众生活情况和阶级对比的实证。

清代景德镇瓷器生产制度仍沿明代旧规，分官窑、民窑两种。官厂设官监领，雇工制造，搭民窑烧成，形成了"官搭民烧"制，废除了明代御器厂的官役制。因此瓷业得到一定恢复和发展，故康、雍、乾三朝瓷器的质量、种类、造型、釉色、花饰等方面，都达到了前所未有的水平，是中国古代瓷器史上的黄金时代。康熙十九年始在镇设厂制造，工精料良，烧造得法。产品胎质坚薄纯白，釉色白而透明，稍易于磨毛失亮，釉调有冷脆之感。青料研制精纯，色近翠淡，勾染层次清晰，色度分明。除传统的硬五彩外，又发明了粉彩，但未普遍行用。当时设官督造瓷器，故历朝官窑瓷器又以监造官为代表，有臧窑、郎窑、年窑、唐窑等称呼，与前代民窑不同。臧应选由康熙二十年至四十四年监造，郎庭极（亦作庭几）继之直至雍正四年，故臧窑、郎窑代表康熙一朝瓷器。雍正由年希尧监造，故雍正一朝瓷器称为年窑。乾隆以唐英为临监造官，刘源（伴阮）副之，故称唐窑。臧窑、郎窑产品以各种单色釉为最有名。年窑产品胎质与明嘉靖、万历相近而细白过之，是明清两代瓷胎白度最高的。釉色较康熙朝稍厚，微闪青白，釉面不易失光。青花较康熙瓷色艳而闪紫，多用"单描青"的线描画法。流行软彩（即粉彩），后又发明了珐琅彩（即玻璃质的搪瓷粉彩料），正名"瓷胎画珐琅"，俗称"古月轩"。唐窑产品，胎质白腻，青花色调沉静，描线规整，花饰繁缛。五彩的传统硬彩渐废，专用粉彩和珐琅彩，又参用西方画法，写生逼真。单色釉器品种亦极为发达，创制新釉五十九种，堪称是划时代的成就。不但善于仿造古代名瓷，又能摹仿古铜、古玉、木雕、髹漆、螺钿、动物、花果以及牙、竹、贝、角等物形色。在塑型上凡花篮、灯笼、画屏、精小瓷塑都能烧制得惟妙惟肖，生动逼真。但逐渐以花色繁缛取胜，追求奇巧一途，使瓷艺走上歧途，及至嘉道以后就渐不如前了。总之，康、雍、乾三朝瓷业工人在制瓷上做出很多贡献，创新更为突出。康熙出现粉彩画法，郎窑使用珐琅彩，虽未普遍行用，创造功绩显著。名器为豇豆红太白尊（也称渔父尊）、柳叶瓶，色釉郎窑红、郎窑绿、素三彩、米汤底、大盘双圈底、大篇书法、人物面部用蓝笔（乾隆用红笔）、加"御制"款，都是一代创制。雍正年窑仿古瓷种极多，古代名瓷釉色多被重生，天青色釉最为有名。发展了瓷胎画珐琅，发明了胭脂水红釉，外人称为"蔷薇彩"（系用赤金和水晶料配成）。青花、五彩也有突出的成就。所以雍正瓷器在康隆三朝中水平最高是有理由的。乾隆唐窑以仿古、象生见长，专以花彩繁缛为务，追求奇形巧致，反使瓷器生产渐趋庸俗。

清代历朝官窑瓷器大都留有年款。有用青花、矾红、堆料蓝色书写的，多用楷字或篆字书于器底，横书于器表或器内的较少。有用图章式款，印胎挂色釉的，偶有雕刻楷字的。也有青花描画蕉叶、书卷、古鼎、兔纹或双圈、似字非字等所谓花押款。另有堂名款，都是帝王、亲贵、高官、文人装点风雅的产物。如制瓷工匠的题名、供养佛道的题记、或附里居姓名、或有寺观和年月，都是非常少见的遗品。不过各朝仿制先代名器往往把年款也如式仿入；晚清到民国时期瓷商和古物商以得利为目的的仿品、改造品大量出现，甚至国外也有这类仿品，所以鉴定上要十分注意。

（十）关于柴窑问题

世传柴窑青瓷——雨过天晴，是五代后周世宗柴荣烧造的，但迄今产品没有明确论定，窑址没有发现，因此，近年在国内外引起了争论。有人根据传统记载说有，也有人提出怀疑说没有，到现在还是一个未决的问题。我们认为这个问题需要审慎研究，不可粗鲁地把几百年来的记载都说成是毫无起因的捏造，过早地一笔勾销说肯定没有，而应该以实事求是的态度，在今日考古学大大发展的条件下，逐步求得真实情况。

传统的记载称，五代和北宋时的柴、汝、官、哥、定为五大名窑，而把柴窑列为五窑之首，视为北方青瓷的典范。文字记载的主要有：

《格古要论》，明曹昭著，洪武二十年成书；

《清秘藏》，明张应文著，万历成书；

《五杂俎》，明谢在杭著；

《夷门广牍》，明周履靖著；

《事物绀珠》，明黄一正著，万历十九年成书；

《博物要览》，明谷应泰著，天启间成书；

《长物志》，明文震亨著，明末成书；

《七颂堂识小录》，清刘体仁著，顺治时成书；

《在园杂志》，清刘迁玑著，康熙五十四年成书；

《香祖笔记》，清王士祯著，康熙中成书；

《窑器肆考》，清唐英著，乾隆时成书；

《如是我闻》，清纪昀著，乾隆时成书；

《陶说》，清朱琰著，乾隆三十九年成书；

《景德镇陶录》，清蓝浦著，嘉庆二十年成书；

《陶雅》，清寂园叟著，光绪三十二年成书；

《饮流斋说瓷》，许之衡著，民国三年成书；

《古今中外陶瓷汇编》，叶麟趾著，1934年版；

《中国陶瓷史》，吴仁敬、辛安潮著，1936年版；

《骨董琐记》，袁励准著，民国成书。

总括这些材料可得如下要点：柴窑在今河南郑州，后周显德初年（954年、辽应历四年）所设，当时称御窑，入宋始以柴窑别之。相传请器式时，世宗批其状曰："雨过天青云破处，者般颜色作将来。"胎质略带灰色，无釉处悉是黄土。釉透明如玻璃，以天青色为最佳，滋润细媚，为诸窑之冠。世称其瓷"青如天，明如镜，薄如纸，声如磬"，薄如纸乃指釉层甚薄而言，非指胎质如纸。唯器足多粗糙，或说足多粗黄土，为沙渣垫烧粘连所致。釉色天青近于浅蓝，有细开片。尚有虾青、豆青、豆绿等色，非止天青一色。传世品很少，清末民初筑铁路时出土过大批瓷器，其中有些是与这种特点相合的。

说柴窑不可信，当以《中国的瓷器》为代表。它主张明人笔记中对柴窑的记述都辗转抄引，多似是而非，不可信。其实明人所说的有虾青、豆青、细纹釉光亮、足粘黄土，差不多都是指北朝青瓷而言，景县出土无一不合。时人寡见闻，猜想或为柴窑。著者提出如下的疑点：

1.记载过晚，都是明朝以来人；

2.至今在郑州没有发现烧造遗址；

3.瓷器迄今没有一致的论定；

4.以统治者姓氏冠于窑，史乏前例；

5.柴世宗在位五年，"干戈扰攘不暇建御窑"。

在日本，以大谷光瑞、中尾万三、小山富士夫等为代表，早已提出过否定柴窑的说法，理由大致相同。

我们认为，这五条理由并不能证明柴窑根本就不存在，应根据记载弄清传说的起因，就瓷器胎釉纹片烧法的特点，搞清浅蓝色的"雨过天晴"到底是哪种窑器。官窑制度出现于五代，是一个有力的参考。近年辽墓出土的青瓷中就有类似的器物，它是唐代以后、宋以前五代时期的瓷器，可能对柴窑问题的解决是有益的。

因此，把柴窑作为一个研究问题提出来，列出文献和否定论的理由供作参考。

五、辽代陶瓷

辽代是契丹族在五代初期建立在中国北部的一个强盛的地方政权，后与北宋南北对峙。契丹是东胡族的一支，以西辽河为根据地，过着渔猎和游牧生活，居无常处。唐末首领耶律阿保机（太祖）统一各部，安置中原避乱的汉人，生产得到发展，势力逐渐强大，公元916年自称皇帝，国号契丹，东灭渤海，南入中原。其子德光（太宗）立石敬瑭夺取中原帝位，攫取了燕云十六州广大领土和人民，改号大辽，入居中原。传国二百余年，到1125年为女真人所灭。

耶律阿保机建国后，利用中原汉族农民的先进技术，发展了农业和手工业，冶铁打造兵器也迅速进步，使契丹族由氏族社会一跃而进入封建社会。契丹族很早就接受了中原的封建文化，增减汉字，创造了大小两种契丹字，一般公私文书仍用汉文。在生活习俗上大部保存民族固有传统，工艺美术上的绘画、雕塑、烧瓷、纺织、铸造等，则都接受了中原的技术传统和时代风格。

（一）辽代陶瓷文化的性质

辽代陶瓷发展史是中国陶瓷发展史不可分割的一部分，理由是：（1）契丹族是中国古代北方一个少数民族；（2）契丹贵族联合汉族统治阶层建立的辽代政权，是从五代十国兴起，后与北宋对峙的一个地方政权；（3）辽代疆域是建立在中国古代疆域之上的；（4）辽代统治的汉、奚、女真、室韦等族人民历来都属中华民族；（5）辽代陶瓷技术文化，是在唐、五代、北宋时期陶瓷技术高度发展总的影响之下取得的，特别是唐三彩釉和邢、定窑白瓷系统的深刻影响。

（二）辽代陶瓷收录界线和时间断限

辽代陶瓷内容是指契丹贵族建立辽国政权统治时期，在辽国领土内设窑烧造的硬质日用瓷器，单色釉和三彩釉陶器及单色釉砖瓦等。输入的瓷器和纯泥质陶器，一般砖瓦等概不收录。时间断限是从公元916年辽太祖建国开始（时在五代后梁贞明二年，和梁、唐、晋、汉、周并立，比北宋建国早44年），到1125年辽国灭亡，共209年。

（三）辽代陶瓷器整体轮廓

1.辽国占有了中原燕云十六州和辽东辽西汉族居住的广大领土，统辖的契丹、奚、渤海、女真等族人民与汉族经济往来、文化交流极为密切，生产技术不断提高，生活需求日益迫切，传统的木器革袋和泥质粗陶，再不能满足需要。另一方面接受中原先进制瓷技术影响和陶瓷工人的大批流入，内外原因具备，陶瓷生产突然发展是势所必然的。因之，辽代陶瓷器基本上具备着当时中原固有风格，也保持了一部分契丹族的传统形式。这都是由于经济发展和生产、生活需要决定的。

2.唐、五代、北宋固有形式的陶瓷器皿，多是日常生活用具，如饮食器的杯、碗、盘、碟，茶酒器的托盏、注壶，贮藏用的瓶、罐、炉、盒，文具、玩具的砚台、水盂、棋子、瓷笛、小人、小兽等。大多数是白瓷，少数是黑瓷和茶绿釉、酱色釉瓷，后两种釉色多粗瓷大器，如缸、瓮、坛、罐等杂器。

3.契丹族传统形式的陶瓷器皿，是与契丹族社会经济和生活方式联系着的，这类器皿以单色釉和三彩釉陶为多，白黑等硬瓷较少。器类以鸡冠壶、凤首瓶等为典型代表。

（四）辽代陶瓷器皿的一些特点

辽代陶瓷的搜集、保护和研究工作得到重视，是新中国建立之后开始的。在半封建半殖民地的旧社会，辽代历史文物和陶瓷器与中国历代文物一样，是帝国主义分子掠夺对象之一，多数辽代陵墓被盗掘，遗址被破坏，文物被窃取，帝国主义者对文化遗产的掠夺罪行真是罄竹难书。新中国成立后，根据毛主席和党中央一贯重视历史遗址和文物保护的政策成立文物保管机构，建立保护法令，组成专业队伍，培养专业后备人才，设立流散文物收集商店，实现全国和地方各级文物保护单位，海关设置专业人员把关，以防重要文物外流。这是前所未有的创举。

辽代陶瓷收藏、鉴定、研究标本来源可分三类：首先是墓葬出土品，这种标本多数是成群成套，瓷种齐全，用共同存在的关系，可作类比研究的实例。墓葬如有明确年代（如早期的赤峰应历九年卫国王墓，晚期的建平大安六年郑恪墓）可作年代判断的水准。第二，遗址出土的瓷片，古遗址、古城市址出土的陶瓷片数量极多，按出土层次可作相对年代的鉴定标准，即使是地表采集品也可依城市的年代来做瓷器断代的研究。瓷片虽不如完整瓷器可贵，但对考古和文物研究上却有很大好处。瓷片到处可得，绝无伪品；瓷片便于观察胎釉内部情况、制作结构和火候、硬度等性状表现。第三，陶瓷窑址调查发掘，窑址发掘调查可以全面系统地了解一个瓷种，从生产规模、原料来源、制作技术、烧成过程、装窑方法、盛烧工具、燃料火法等细节和产品分布范围，这样就掌握陶瓷全面的制造过程和所有的特征。这对辽代瓷艺的了解和在考古工作中都是非常重要的。

1.一般碗盘等拉坯圆器：白瓷、黑瓷、茶绿、酱黄色都有，以素白瓷为最多。胎细的，质纯色白，外挂无色透明釉，具有洁白有声韵的特点；土胎的，质杂，有黑灰点子，胎外先挂一层高岭土白粉衣，然后挂釉烧成白器，有人称作"土定器"的就是这一种。这种器胎松软有吸水性，挂釉不到底，内底上多有几个垫渣遗留下的椭圆斑痕，三个、五个不等。细白的一类有的口边一圈无釉，俗称毛口，是俯烧生产的结果。这是定州窑新技术的特点，南宋时曾影响到景德镇青白瓷，俗称为南定。毛口有的镶有金、银、铜扣，称为金扣瓷，在统治贵族中流行使用，辽墓中也出有这种标本。有的足圈内胎上或釉面上刻有一个"官"字款，当是"官窑"产品。有的有雕花、印花等装饰。托盏是一盏一托为一套，盏托多空足，有的加刻印或塑贴花纹；有的配以玉盏或玛瑙盏，都制造精致。瓷水池、陶三彩砚、棋子、小人、小兽等玩具，辽窑也都有生产。

2.瓶、壶、把壶类多为茶、酒、水、奶等液体容器：（1）白瓷注壶：胎质细硬，釉层厚重作牙白色。壶身稍高，下身微瘦而有假圈足，上做喇叭口，口与腹部连有长把，与把相对的肩部加管状壶嘴，安定大方，颇具辽瓷特点，中原无此壶式。一般瓷注多用中原传统旧样，有的有雕印花纹，上有笠形小盖，下加花式壶连。（2）盘口瓶：多白瓷，胎精好。身高，肩宽，足瘦，上加长颈盘口，有的足底下刻有"官"字款。有的瓷面上画朱红描金云龙花纹，出土时仍有残存，可知是一种贵重瓷品。一般长颈瓶最多，当是日常生活用具。（3）有嘴杯口长颈壶：壶身稍高，最大腹径在肩部。在结节的长颈上加杯式口，肩部有壶嘴而不加把手是其特点。有的腹部雕有复瓣莲纹或牡丹纹装饰。（4）穿带壶：古称背壶，常见的有两种形式：一种圆形高身，一面腹部稍平，两侧有穿带鼻及皮带沟槽，携带身边或马背上极为稳便。另一种做圆扁壶式，器身正视圆形，两大面有同心圆组成的星光纹装饰。上下有小形方口方座，周边两侧各有皮带沟槽和三个穿鼻，连通于圈足中。（5）白瓷剔粉花瓶：白瓷高身梅瓶式，小口厚唇。胎质稍粗杂，外挂白粉衣，利用剔去白粉露出灰胎的技巧，在腹部雕出丰丽的缠枝花纹。有时在主题花纹带上下再加复瓣莲、鳞纹等图案性小花纹带。另一种做法是，不剔粉地，只在花纹空隙间填入黑釉，也得到剔粉的同等效果，这应是晚期创出的技法。前一种法库叶茂台辽墓有出土例，辽阳江官屯窑、赤峰缸瓦窑屯古窑都有制造。在宋代也普遍流行这种技法。以上物器虽以白瓷为主，但单色釉陶和加色釉陶也不少。

3.契丹传统形式陶瓷器：这类器皿突出地表现了契丹族游猎牧畜生活气息，瓷质制品较少，釉陶制造的较多。（1）鸡冠壶：渊源于革袋，唐代金属制的"舞马衔杯壶"也做此式，它的起源很古。壶身下圆上扁，一侧有管状口。顶做鸡冠状，穿一孔或二孔，或作各式环梁以便提携。壶身很像几块皮页缝成，皮缝针脚逼真。有的有皮扣、皮穗和塑贴雕划花纹装饰。穿孔型的年代较早，环梁式的较晚。横梁式的鸡形壶，中原也有发现，可能不属此类。（2）凤首瓶：瓶身高如独立凤鸟，头顶花式杯口，在有节的长颈上端塑有凤鸟的嘴、眉、眼、耳、尾，栩栩如生。这种器形早已流行于西域诸国，唐代也有类似的制品，称作"胡瓶"。辽瓷中这种器式可能是直接受到突厥和回鹘的影响。由凤首瓶简化出来的"杯口长颈瓶""有嘴杯口长颈瓶"等，虽没有塑贴的凤首部分，但各部造型都是一样的。（3）鸡腿坛：柱状器身，肩腹部稍宽如鸡腿，上有小圆口，平底。有的腹部有瓦垄或瓦沟纹装饰，肩部有乾统几年及契丹字的花押，也有汉字孙、徐等姓字的划款的。全系粗硬缸胎，茶绿色釉，林东白音戈勒窑、赤峰缸瓦窑古窑都有专窑烧造。这种坛的时代特点和民族特点很强，大体是契丹族人民游牧生活中背水、背奶用的，在克什克腾旗二八地村辽墓壁画中就有描画；到金代就很少发现了。（4）八曲长盘：也称海棠长盘，平底、浅身、宽平边，作八曲形。胎淡红稍粗硬，挂粉衣，多印花，涂白、黄、绿三彩釉。造型与唐代金属槌制的曲边长盘相似，可能是受西域影响。花纹多用"流水三花""落花游鱼""牡丹蝴蝶"为主纹，边印卷草花纹。白瓷印花制品极不多见。（5）方碟、三角碟、花式碟：都可能是来源于木器。多印花三彩釉，平底花式口。这种小碟当时很流行，制作也很精致。三彩器都先模制器胎素烧一次，而后挂粉涂釉烧成。花纹以牡丹、菊花等为多。白瓷印花的极少。又有一种三彩套式隔碟，每层小碟边沿作成子母口，层层叠起，接合严密，便于提携，制作奇巧。三彩印花大暖盘，盘下连于鼓式盆上，侧有孔可以注沸水保温。全体印花三彩极美丽。此外，一般大盘、小碟、中碗、大盂，印花的也很普遍，有的挂彩釉，有的挂黄、绿、白等色度浅深不同的单色釉，制造技法大体相同。光素三彩釉器，不印器胎，只在器面泼挂黄、绿、白釉，交错陆离极为雄浑大方。（6）相生器和筒式杯：辽陶瓷相生器形极多，瓜形壶、葫芦形把壶、鱼形壶、鸟形壶、飞鱼形水盂、鸡形壶等，都写物逼真，工艺精巧，配以三彩釉色，光艳动人。筒或杯，沿用木旋器和树皮器的传统形式，有的用须弥座负重力士像塑贴于上下为装饰。这都显示了辽代陶瓷匠师们创造智慧和精湛的窑艺。

（五）辽代陶瓷几种特有的装饰

辽代陶瓷器皿的装饰，内容丰富而复杂。凡属中原传统形式的器物，都取法中原，不外在器胎本身上设计施工，如拉坯、搅胎、印胎、雕划、塑贴、剔粉等；在釉色上利用单色、加彩、三彩、黑釉画花等手法，加强器皿艺术效果。属于契丹传统形式的器皿，其造型与装饰都突出地表现出浓郁的地方特点和民族风格。（1）仿皮革容器的装饰：最流行的手法是堆线和塑贴，在器皿上饰以模拟皮条、皮扣、皮穗、皮绳、皮雕花饰，有时与捏塑、划花、彩花结合使用，设计新颖，装饰效果很高。这种装饰法不但多见于鸡冠壶、长颈瓶，也见于其他器物。运用中原窑艺技术法制造契丹民族形式的器皿，是窑业工匠们富有创新的成就。（2）人物肖像和兽头装饰：这是辽代陶瓷器中常见的装饰，这种立体塑造附贴装饰技法在中原陶瓷器中是罕见的。人物肖像有的做一个或两个骑士状附加于鸡冠壶孔鼻前后，有的塑贴几个力士肖像于筒式三彩陶杯上下。人像富于动态和表情，生意盎然，兽头多塑贴于壶嘴基部，张口注水；或贴于壶梁的末端如古代青铜器提梁的做法，意境巧妙，形象可爱。（3）牡丹、芍药和水波纹装饰：这几种花纹题材是契丹族人们最喜爱的，当时在壁画、石雕、铜镜、纺织品中都普遍使用，陶瓷器上用的更多。印花盘碗三层花纹中总是以牡丹为主。三彩长盘、鸡冠壶、长颈瓶等雕单株牡丹，圆形壶瓶多用缠枝牡丹花纹带。三彩大陶砚和三彩暖盘用缠枝牡丹和图案牡丹花纹。牡丹和芍药在当时东北园庭和山野中是盛产的，人们也喜用菊花、莲花作陶瓷装饰，但比牡丹就大有逊色了。水波纹在辽瓷中也最喜用的花纹之一，多做印花的地纹出现。在无边的漪涟波光中，点缀以落花游鱼、莲花、菱芡、如意云纹等，咫尺之间有云水无边之感。辽人酷爱河川、水泺，打雁，钓鱼，这也是表现民族爱好的一端。

（六）辽代几处陶瓷窑址

年代明确的辽代陶瓷窑址，迄今已有六处，有的经过发掘调查，发表了材料，有的积聚了一些材料还没完全发表。需要大家今后共同努力普查，在不远时间内有更多的新发现。

1.巴林左旗林东上京临潢府故城窑是一座受定州窑技术影响很深的瓷窑，但窑场规模较小，生产时间不长，产品质量却是很高的。制品有白瓷、黑瓷两种，作法以拉坯圆器为主，方形、曲形和印坯的都较少。窑室（窑炉）圆形，用平底和锅底两式匣钵烧成，胎质细硬，釉色光洁，瓷化得很好。器底圈足下常有划纹标记，是其特点之一。器皿造型有中原传统形式和契丹民族形式两种，后者制作精致规整，而产量较少。装饰上以弦纹、突线、指压纹等为主，雕花作品仅见云龙罐一种。黑釉稍闪暗绿，釉层厚、有堆脂泪痕。多瓶、缸、壶、盂、钵等器皿。有灰白胎黑釉瓷瓦一种，制作精细，可能是专供祖州城"二仪"殿上用的。

2.临潢府故城南山窑在临潢府汉城遗址南山坡上，是一座专烧三彩釉陶器的窑。窑场炉都已不存，仅地表上散有爪形垫烧窑具及三彩陶片，分布面积约十来亩，规模不大，遗片不多，烧造年限也不会很长。釉为黄、绿、白三色，不很鲜艳。胎土淡红挂粉衣，硬度较小。器皿仅见盘、碟、杯、碗等小器。单色釉有的在白釉或黄釉器面上加少许绿彩，极为美观，唐三彩多用此法，俗称二彩。喀喇沁左翼蒙古族自治县山咀子墓和建平叶柏寿墓都出土过这种釉法的器皿。辽三彩釉陶器生产使用似乎晚于白瓷和黑瓷，已发现的早期年代明确的墓葬中不见出土，前述建平县张家营子屯大安六年郑恪墓（出墓志一方）是三彩釉陶最多，并与白瓷印花器，粗瓷罐，画彩纯陶器共存，是研究辽瓷、特别是辽三彩釉陶的一典型墓葬。出土的三彩釉陶有：水波莲花海棠长盘1件、水波莲花花式碟4件，流水落花缠枝牡丹方碟4件；白瓷有：印花缠枝牡丹花大碗1件，印花弧纹图案盘1件。这三种三彩器是辽代最广泛使用的品种，可能是缸瓦窑生产的。

3.林东白音戈勒窑窑址在临潢府故城西七八里的白音戈勒屯后的岗地上，是一座专烧茶绿釉和黑釉大型粗瓷器窑。生产规模较大，遗片堆积很厚，窑室不存。茶绿鸡腿坛和黑釉双耳罐是主要产品，黑釉小型器皿较大。淡红粗缸胎。釉色比较细润。入窑不用障火设备，根据瓷片和烧成工具看来，只是器皿上下叠积，一排排密积窑中，为防倾倒粘连，有的大器物最大腹径外，用线轴状支具横向支顶，或在肩部一圈去釉，或口上无釉，承担上层器物。阜新清河门辽萧慎微族墓第四号墓出土的黑釉弦纹瓶，肩上一圈无釉就是这种烧法遗留下的遗痕。

4.赤峰缸瓦窑屯窑在赤峰西一百多里的猴头沟公社缸瓦窑屯，其东北十多里就是松山州遗址所在的城子屯。是迄今所知辽代最大的一座窑场，也是烧造时期最长（从辽到金元）、瓷种最多（白瓷、三彩和单色陶、茶绿釉粗瓷等）、质量最优的辽代"官窑"。窑室长圆形，长约五米，一端为窑门火膛，中为窑床，后一端为烟道孔连接烟囱；短轴宽约三米，内层用耐火砖，外用砖块石块筑成，南山坡上有龙窑遗址，长20多米，产品种类较多，而以白瓷为主，单色釉陶、三彩釉陶和茶绿釉鸡腿坛等次之。白瓷器的造型与中原略同，多拉坯成形，精者与定窑上品相似。装饰上光素的多，印花较流行，雕划花纹的较少。北方白瓷常见的"剔粉雕花"和"雕花填地"的作品也有制造（法库叶茂台辽墓有出土），此窑白瓷黑花作品的出现，可能是在辽代末期，因辽代墓葬中没有出土过这种产品。发掘的几处辽代窑室中，也从没有发现这种用黑釉作装饰花纹的残品和破片。地表遗留的这种黑花残片和成品，当是金元时期的。

单色釉和三彩釉器除圆器拉坯外，如方形、多角形器和鸡冠壶、扁壶、套碟等则印胎、拉坯、镶接等法合用。器坯完成后，先素烧一瓷，然后挂粉上釉。单色釉多黄、绿两种，色调厚重典雅，三彩用白、绿、黄三色，娇艳光洁，除胎土稍红硬而外，可继唐三彩釉器的后尘。烧成工具不见大匣钵，多用各式环状装烧具和线轴状、爪状、圆环、扁饼、泥条、渣垫，因此，器皿内底上和圈足下往往存有三个或四五个泥垫疤痕。这也是当时北方各窑通有的特征，而辽窑更为显著。此窑烧造的茶绿釉鸡腿坛肩部，刻划有汉字徐、孙等姓字，是和"乾口年"（即辽乾统几年）及契丹字款相同。辽松山州附近有"官窑"，北宋使辽的人往往有记录，元人地志中也有记载。辽墓和遗址出土"官"字款瓷器也日多，有的是在宋建国之前。在鸡冠壶、盘口长颈瓶等契丹式制品上也出现，甚至烧走形了的瓷碗也有"官"字款，这种情况说明"官"字款器都是在辽代本土烧造的。前二年在这个窑地上采得一个大形刻有"官"字的垫烧窑具，"官"字写法也与瓷器上的体形笔法一致，这对缸瓦窑古窑是辽松山州官窑，又增加了一件有力实证。

5.辽阳江官屯窑在辽阳东60里太子河南岸江官屯，北岸斜对唐代的白岩州、辽岩州、金石城县遗址，俗称燕州城。这个窑场大抵始于辽、盛于金，到元代已废绝不烧了。产品有白釉、黑釉和琉璃建筑材料，后者数量极少，烧成不用匣钵，而是在圆形较大的窑炉中，采用各式大小、厚薄、方圆不同的耐火砖和支、顶、挤、垫工具装烧。这种烧法从粘连的器底片就可充分看出，说明窑业技术和降低成本上已大有进步。白瓷器胎质灰白，表面泛红色。挂粉上釉，釉色白而闪黄，挂釉多不到底，器身厚重。由于不用匣钵装烧，器胎和釉面受火部分，往往挂有薄薄一层红黄油污，胎质部分尤为明显，这是本窑器皿特征之一。刻花、划花的较少，有花的多系较大器皿。最精的有剔粉雕缠枝花白瓷大碗，尺寸高大，器物厚重，花纹细密，刀法也精工。白瓷黑花器数量也较少，有筒子杯、马蹄碗等，可能出现于辽代晚期，盛行于金代的产品。黑釉器多茶盏、小碗、小碟、小罐等，但数量最多的还是日用大器。黑瓷小人、小狗、小马、骑士像小玩具等捏塑的极为生动可爱。绿釉琉璃瓦当有蟠龙纹，当是晚期产品，量极少，当是一种附带产品。辽阳城东韩家坟屯出土的乾统丙戌岁张行愿火葬黑瓷棺即此窑烧造。

6.北京门头沟龙泉务窑在北京市门头沟军庄公社龙泉务，东距北京约20公里。这是1975年发现的一座辽代瓷窑。它位于龙泉务村东北，东侧紧靠永定河，群众称此地为"窑火筒"。占地范围，南北长约300米，东西宽约200米，遗址堆积层厚约0.8至1.7米，规模不算大。堆积层中遗存大量残碎瓷片、窑具和烧土、煤渣。产品，细的胎质薄而洁白、坚硬，粗的胎土粗杂。釉色以白瓷为主，有少量褐釉、黑釉、豆青釉等品种。器皿以碗、盘为主，间有：碟、盂、盆、盒、壶、罐、瓶等。窑具有匣钵，作圆筒釜底式，耐火土制成。支钉，作三爪形，爪端一面有支钉一个。印花模，是小碟印胎模具，雕有缠枝阳纹花纹。产品总的特征是，釉调与定窑不同。白瓷釉色莹白，微微泛青，呈半透明状，釉厚处呈青白色，开有片纹，器下有润痕。粗者釉色白而不莹润，胎质粗，挂釉不到底。器内底上常留有支垫痕三五个，圈足下边也有这种痕迹，这是叠罗烧成时的遗痕。据科学化验证明：此窑产品，烧结较好，瓷化程度比较高。是北京市区一处重要的辽代瓷窑址，它的产品不仅分布在北京市及附近各县，在河北北部及辽宁省各县旗辽代墓葬、遗址中也有与此相类的。在辽代陶瓷史研究上也是极为重要的。

附　录

李文信同志治丧委员会讣告

　　著名考古学家、辽宁省博物馆馆长、中国共产党党员李文信同志久病医治无效，不幸于1982年10月5日凌晨3时40分在沈阳中国医科大学第一医院逝世，终年80岁。

　　李文信同志字公符，辽宁省复县人。生前担任中国博物馆学会名誉理事，中国考古学会理事，辽宁省考古、博物馆学会名誉理事长，吉林大学历史系教授等职，是辽宁省第一、二、三、五届人民代表大会代表。

　　李文信同志逝世后，我们收到全国各地发来的唁电、唁函近百封，对李文信同志的逝世表示沉痛的哀悼。发来唁电或唁函的单位有：文化部文物事业管理局、中国博物馆学会、中国考古学会、中国社会科学院考古研究所、中国历史博物馆、文物出版社、吉林大学、北京市文物事业管理局、吉林省文物局、吉林省博物馆学会、湖北省考古学会、辽宁省历史学会、上海市博物馆、天津市历史博物馆、黑龙江省博物馆、吉林省博物馆、吉林省革命博物馆、吉林省伪皇宫陈列馆、内蒙古自治区博物馆、河北省博物馆、山西省博物馆。安徽省博物馆，浙江省博物馆、江西省博物馆，福建省博物馆、云南省博物馆、四川省博物馆、甘肃省博物馆、青海省博物馆筹备处、河北省文物研究所、吉林省文物工作队、吉林大学历史系、北京大学历史系考古专业、吉林大学历史系考古专业、山东大学历史系考古专业、抚顺市文化局、丹东市文化局文物科、旅顺博物馆、丹东抗美援朝纪念馆、抚顺市博物馆、营口市博物馆等。

发来唁电或唁函的人有：夏鼐、孙轶青、尹达、王仲殊、苏秉琦、王振铎、王修、金景芳、陈述、胡厚宣、关山月、安志敏、佟柱臣、石兴邦、匡扶、陈滋德、谢辰生、庄敏、罗哲文、冯先铭、顾铁符、姚迁、赵青芳、宋伯胤、安金槐、何正潢、马得志、刘观尽、黄展岳、徐苹芳、王世民、陈连开、贾士金、张忠培、夏桐郁、黄景略、赵琦、刘发、苏铭煦、杨寒、阎玉山、任万举、杨志军、干志耿、孙秀仁、董增凯、郑绍宗、李逸友、李雅、金培锟、许明纲、王伯官、张帆、刘谦、徐家国、刘来成、康煜、张平一、罗平、宋学勤、于洪志、李莲、李士良、徐光冀、刘晋祥、杨虎、靳凤毅、马洪路、徐伟光、傅俊山、唐建珊、于植元、王志平、刘新民、朱晓光、刘保华、李廷俭、郭庆洲、张介三、张尚仁、郑承兰、张景河、张素贞、姚德贵等同志。

中国考古学会和中国社会科学院考古研究所发来的唁电说："李文信同志是我国著名的考古学家，对于我国东北地区田野考古工作的开展，以及有关历史问题的专门研究，作过许多可贵的贡献。他的不幸逝世，是我国考古学界的一大损失。"

吉林大学历史系考古教研室主任张忠培同志在唁函中说："李文信先生生前不遗余力，热心于考古教育事业。尤其是在十年浩劫的1973年，抱病讲授考古学专题，坦荡无私，力反时风，实事求是地阐述自己的学术观点，给吉林大学师生留下十分深刻的印象。"

辽宁省历史学会的唁函指出："他重视田野考古与历史文献相结合，在马列主义理论指导下进行科学研究，对东北地区的古代史、历史地理等方面的钻研，造诣很深。业绩卓著。他对社会主义革命事业积极热情，认真负责，一向重视对青年人才的培养，循循善诱，诲人不倦以身作则，刻苦实践，严于律己，宽厚待人，作风淳朴，治学严谨，深受广大学者的敬重和景仰。"

文物出版社在唁电中说：李文信同志的逝世，不但是我国文物考古事业的损失，也使文物出版工作失去了一位良师益友。"

考古研究所夏鼐、王仲殊等同志在唁函中说："我们得知著名考古学家李文信同志不幸逝世的消息，感到十分悲痛。""李文信同志是一位令人怀念的老一辈考古学家，对东北地区的考古研究有许多重要的贡献。他的不幸逝世，是我国考古学界、特别是东北考古方面的重大损失。"

上海市博物馆在唁电中说："奉讣惊悉李文信同志逝世，考古学界失此前辈，至为痛惜，老成凋谢，不胜悼念。"

安徽省博物馆在唁电中指出："李文信同志是我国老一辈的考古学家，对中国文博事业的发展作出了卓越贡献，他的逝世是文博界、历史考古界的一个重大损失。"

何正璜同志在唁函中沉痛地说："接到李文信先生逝世的讣告，令我热泪盈眶。我一心想能到东北重游，再聆他的教诲，不料这成了终生不可弥补的遗恨了。哲人其萎太可惜了，国家的考古事业、文博事业多么需要他呀！真是一大损失！"

杨寰同志的唁电说："惊悉李文信同志不幸病逝，丰功不泯，遗泽长存，追念生平，不胜悲痛。"

董增凯、郑绍宗等同志的唁电说："惊悉导师文信先生噩耗，十分悲痛，他的逝世是考古界一大损失。"

冯先铭、顾铁符先生在唁函中说："惊悉李文信同志与世长辞，我国老一辈的考古学家又弱一个！""回忆二十年来，对许多田野考古学上的问题，得与先生促膝商讨，获益良多，公谊私情，不胜悲痛！"

徐家国同志的唁电说："痛悉李老不幸病逝，万分悲痛，恩师教诲，终生难忘，失良师心痛如绞，纸短情深，言不尽意。"

干志耿、孙秀仁、李士良同志在唁电中说："恩师李文信先生不朽，学冠古今，恩泽桃李，风范长存，门人悲辛。"

赵琦、刘发同志赋诗痛悼李文信同志："肃慎棘鞨汗漫游，前尘回首六十秋，哲人其萎松花泪，不尽悲怀似水流。""子长辞世史坛哀，史苑难求太史材，掌故经文谁问得，先生何日鹤归来。"

遵照遗愿和家属意见，丧事一切从简，不举行追悼会。省人大常委会副主任王垄骋，省委宣传部副部长文菲、林岩、沈显惠、文艺处副处长郑风、干部处副处长岳步营，省文化局代局长洛丁、副局长郝汝惠、战力光，顾问陈颖，省文联副主席韩刚，省社会科学院历史研究所所长朱子方等同志，曾到医院向遗体告别，并向家属慰问。向其家属慰问的还有：省社会科学院副院长石光、省委党校顾问张？生、沈阳市文化局副局长王化南、沈阳故宫博物馆副馆长范致平、沈阳市文物办公室副主任曲瑞琦等同志。

对以上各单位，诸位领导及李文信同志生前友好的吊唁，我们，并代表李文信同志的家属，谨此表示深切的谢意。

（原载《辽宁文物》总3期，1982年）

文博事业的坚强战士

——悼念李文信同志

战力光

李文信同志是我省文博战线的坚强战士，是国内外著名的专家。因长期患病医治无效，不幸逝世，这是我省文博事业的重大损失。

李文信同志是辽宁省复县人。家庭出身贫寒，青年时代以刻苦自学成材。解放前曾长期从事教育和文物考古工作。1948年东北解放后，他参加了革命。历任东北博物馆研究室主任、省博物馆副馆长、馆长，辽宁省考古、博物馆学会名誉理事长，兼任吉林大学教授等职。他热爱本职工作，把毕生精力倾注在文博事业上。对开创东北地区及辽宁省的历史地理、考古发掘、文博事业建设和人才的培养教育等方面，都作出了积极贡献。

李文信同志在政治上热爱党、热爱社会主义、热爱伟大祖国，努力学习马列主义，毛泽东思想，不断提高自己的政治思想觉悟。早在50年代和60年代就曾多次提出过入党的要求。十年动乱期间，尽管他年过花甲、身体多病，又屡经磨难，但他对党、对社会主义坚信不疑，对"四人帮"的倒行逆施深表愤慨。粉碎"四人帮"后，他心情振奋，以古稀之年积极参与省博物馆的整顿重建工作，并积极要求政治上的进步，终于在1979年加入了中国共产党。入党以后，他兴奋地告诉我："我今年七十七岁，蜡头虽然不长了，但我要进一步努力学习，争取做一个合格的共产党员，在我的有生之年，要有一分热，发一分光。"在我省文博战线上，按年龄以他为最高，论学术成就和道德修养，他也都是突出的典范。他五十年代还曾接受邀请，到过芬兰、瑞典等国进行学术考察，具有国际影响。他曾多次当选为省人大代表。但他对自己要求严格，从不以特殊人物自居，也不向馆里提出特殊要求，他严格遵守组织纪律，始终把自己的工作放在馆里的统一安排下进行。他对人以礼相待，对事坚持求实。不论对与自己意见观点相同、或不同的人，都能开诚布公，团结合作。

李文信同志在业务上，努力钻研，刻苦实践，学识广博，见解精辟，对辽宁以及东北地区的历史考古、古代陶瓷、陈列展览、文物鉴定等方面，均有精湛研究和重要建树。为了发展我省文博事业，他把自己几十年珍藏的文物图书资料捐献给国家。他不遗余力地为国家培养文物考古专业人才。不论在大学课堂，或省、市举办的训练班上，他都积极备课，认真讲授，毫无保留地把自己的实践心得和研究成果教给中青年从业人员。对大家提出的问题，他都耐心地进行解答，有时带病坚持讲授。1961年省文化局在丹东举办文物训练班，他得悉后，主动要求前去讲课，由于他身体有病，在火车上半坐半站到了丹东。坚持讲了一上午，中午又放弃休息，为学员们解答问题。为了照顾他的身体，我劝他休息，他说："累点就累点吧！我见到他们不容易，他们见到我也不容易，你就别劝了，让我和他们谈吧。"就这样坚持了三天，使学员倍受鼓舞，更加努力学习。当各市地文物干部找上门，请他鉴定文物或者向他请教问题时，他也都尽心竭力，不厌其烦地予以解答，尽量把自己所知道的贡献出来；他从不摆专家的架子，也从不把个人意见强加于人。不论是讲课，或是从事研究，他总是虚心地与人商榷探讨，并且总是以充分的依据和科学的分析，使人信服。

李文信同志早在50年代末期就积劳成疾，患有严重的肺气肿病，每当秋冬季节即气喘不止，让他住院他不肯。他在家里休养仍坚持工作，坚持学习。养病期间来访者也是络绎不绝，他总是热情接待，抱病谈工作，研究问题。作为一位深具影响又身体多病的专家，他是有条件接受党和国家照顾的，但他为了减少对国家的麻烦，长期坚持住在简陋的民房里，从不向馆里提出住房要求。用他用自己的话讲："生活上可以马马虎虎，工作上要认真负责。"这种高尚的品德是值得我们学习的。

李文信同志一贯忠诚党的文博事业，积极地贡献自己力量，直到病重住院期间，仍然时刻关心文博事业的发展和建设。在去年召开省考古、博物馆学会成立大会的前夕，尽管他已住院经年，体弱不支，仍然非常关心，表示热烈的祝贺，并提出自己的希望。他从新中国成立以来文博事业取得的成就，谈到我们工作上存在的问题和今后工作意见，使大家深为感动。他住院三年，每当同志们去看望他的时候，他总是以歉疚的心情表示："自己工作没干多少，给馆里添这么多麻烦，于心不安。"这种直到生命的最后时刻，仍念念不忘党的革命事业的精神，实在令人感佩。

李文信同志从事文博工作五十余年，走过的道路是曲折漫长的，他经历过军阀、伪满、国民党的统治，他也参加了新中国成立以后文博事业的发展建设，直至最后锻炼成为一名光荣的共产主义战士。每当谈到他的经历时，总是感慨万千，思绪萦怀。多次表示，从自己亲身经历中深切体会到，旧社会的文博事业不堪回首，只有在共产党领导下的新中国，文博事业才能大发展，才人有作为。这是他的肺腑之言。让我们辽宁省文博战线的同志们，继承李文信同志的遗愿，学习李文信同志忠诚党的文博事业精神，在党的十二大会议精神鼓舞下，为开创辽宁省文博事业的新局面作出新的贡献。

愿李文信同志精神长在，永垂不朽。

（原载《辽宁文物》总3期，1982年）

283

学习他忠诚文博事业的精神

——悼念李文信同志

徐英章

　　李文信同志和我们永别了，他的逝世是文博界的一个重大损失。作为一个和他一起工作三十余年的同志和他的学生，我想不出用什么话来表示我的哀痛，他忠诚文博事业的精神永远铭刻在我的心头。

　　李文信同志对全省文博事业的发展付出了毕生的精力。他对文物保护与管理时刻挂在心上，想出很多好的管理办法，提出了很多切实可行的措施。对第一批省级文物保护单位的确定，反复查阅资料，研究对比，实地考察费尽心血。拟定第二批保护单位期间，正是他病魔缠身的时候，仍认真负责，提出意见。对配合基本建设清理发掘工作，认真贯彻两重两利方针。他在鞍山、辽阳等地发掘，以身为表，不顾疲劳，不怕吃苦，住在简易房里，白天亲临现场指导发掘，晚间整理研究资料，当时他已年过半百，那种刻苦勤奋严肃认真的工作态度，给同志们留下了难忘的记忆。

　　李文信同志建国前在前沈阳国立博物馆筹备委员会古物馆工作，沈阳即将解放前夕，很多人离沈去京，他毅然留下，尽管当时没有工资来源，情况十分艰苦，仍领着几个工友昼夜守护遗留下来的文物，使祖国一批珍贵文化遗产免遭损失。他对博物馆陈列与保管、鉴定与修复，以及科研等工作，都作出了很大贡献。他与几位老同志一起经过认真研究，共同设计举办了很多临时性的展览和通史陈列，特别是"文革"前的历史艺术陈列，由他主持制定了陈列大纲。在审查陈列过程中，极端认真负责，从每个朝代到陈列柜架，从文字说明到每件文物的具体摆法，甚至连每个图表也不轻易放过。使这些展览取得了较好的效果。文物鉴定是博物馆一项经常性工作，他知识渊博，经验丰富，但对每件器物的鉴定，都采取客观的实事求是的态度，进行认真的比较研究，周密的考察，从不作轻率的判断，在文物鉴定中作出了巨大贡献。特别是1973年秋冬之际，当时他已经身患重病，为鉴定多年积压的文物，在阴冷的库房里，每天坚持八小时的工作，实在感人至深。

李文信同志在培养人才方面不遗余力，今天已经看到了成果，他不仅在50年代举办的东北地区几期考古学习班上，系统地讲授考古学基础知识，而且还到吉林大学去授课。在馆内和馆际之间经常给大家讲解业务知识。他为了提高说明员的讲解水平，除对观众进行示范讲解外，还经常和说明员一起共同研究如何提高说明质量。在鉴定文物时尽可能利用实物讲述文物的产生时间、演变过程和时代的特征。同志们在研究工作中到疑难问题，只要是请教他，他都热情而详尽地讲解，并帮助查阅文献，主动提供已掌握的资料。50年代以前的大地考古发掘，他大都亲自主持或力争多去发掘现场指导或者审定发掘计划。凡属一些重要发掘报告和简报，都经过他修改审定后发稿。日积月累，循循善诱，为文博界培养了一支骨干力量。

李文信同志勤奋好学，艰苦朴素精神十分感人。他坚持实践、谦虚谨慎的态度为我们树立了楷模。他对东北的历史地理沿革有较深的研究，对辽金瓷器更有独到精深的造诣，这都是他学无止境的硕果。他工作忙时从不放弃学习，身体不好在家养病期间，尽管居住条件很差，也坐在炕上坚持学习。有病时住院病情稍有好转，就翻阅书本进行写作。他更注重实践，对东北东北地区一些较为重要的古建筑、古遗址和古墓葬等，都力争实地调查，每到一地详细绘图记录。他把科学研究的基点，放在历史文献和实践相结合上，用辩证唯物主义和历史唯物主义的观点指导他的整个学术活动。他在病危期间，听到我省文物普查取得重要成果时欣慰若欢，展望未来，对我们工作中的不足和当前存在的问题，又提出了中肯的改进意见，他把终身的精力献给了文物博物馆事业。

安息吧，李文信同志，我们一定在十二大方针指导下，担当起你未竟的事业，为祖国"四化""两高"建设作出贡献。

（原载《辽宁文物》总3期，1982年）

沉痛悼念李文信先生

《辽宁文物》编辑部

我们怀着十分沉痛的心情，悼念著名考古学家、辽宁省博物馆馆长李文信先生的逝世。

先生1903年出生在辽宁省复县一个贫苦的农家。由于生活困难，十几岁就随父兄到吉林省谋生。他刻苦自学，后来到美术学校学习，并从事美术教育工作。约在20年代后期至30年代初期，开始自行研究考古，在吉林省、吉林市郊做了很多考古调查和一些发掘工作。30年代后期到博物馆专职做考古工作。1948年冬沈阳解放，先生满怀热情地参加了革命，先后任东北博物馆即辽宁省博物馆的研究员，研究室主任、副馆长，粉碎"四人帮"后被任命为馆长。1979年，先生以77岁的高龄光荣地加入了中国共产党。因多年积劳成疾，1982年10月5日在沈阳逝世，终年80岁。

先生是我国老一辈的考古学家之一，对新中国东北地区的考古和文博事业的发展，有开创之功。在东北地区的历史考古研究、文博物事业的建设和人才的培养方面有卓越的贡献。先生考古工作的足迹及于东北三省和内蒙的一些地区。早在三四十年代，他就参加过巴林右旗辽庆陵的发掘和左旗辽祖州城、辽上京城及南山窑，赤峰缸瓦窑的调查，吉林珲春渤海东京城与和龙渤海中京城的调查，辽阳北园东汉壁画墓、抚顺高尔山高句丽城址的调查以及沈阳塔湾、砂山、南湖、辽阳南林子、喀喇沁旗等地的汉代和辽代墓葬的调查和发掘等。解放初期。他参加了裴文中同志领导的吉林西团山石棺墓群的发掘并主持了黑龙江依兰倭肯哈达洞穴、义县清河门辽萧氏墓群的发掘。1954年以后，又领导了辽阳三道壕西汉遗址、棒台子与三道壕的汉魏壁画墓、鞍山陶官屯金元农家遗址、唐户屯、桑园子大型汉墓群等发掘清理工作。考古调查工作则难以数计。在东北考古方面，无论是对东北的原始社会文化、汉代的遗址、墓葬和有关壁画、辽金的城址。墓葬，元明时期的驿站、卫所，先生都作过认真的研究。尤其对东北历史地理有着精深的研究和独到的认识。通过多年的亲身调查，他积累了大量的第一手的历史地理资料。为学术界所熟知的关于古燕秦长城的调查和研究，就是先生重要的贡献之一。鉴于《辽史·地理志》谬误之多，多年来，他计划做一项笺证工作，从而将他对东北历史地理的研究成果作一全面和系统的阐述，但终因卧病未能成文以留于世，实为一件很大的憾事。他还编写过《中国考古学通论》的考古学讲义，提出过一些自己的观点，惜也未及。

先生对历史文物有着广博的知识，对博物馆藏品的鉴定有很高的水平。对陶瓷，尤其是辽代陶瓷的鉴定和研究更有着很深的造诣。他的《辽瓷简述》和与人合编的《辽瓷选集》及其《编后记》至今还是研究辽瓷的重要著作。对于中国陶瓷史的研究著作有《陶瓷浅说》等。此外对于铜器、丝绣、服饰、书画等文物也都有研究。对博物馆的陈列工作，他也倾注了不少心血。辽宁博物馆的大量陈列展览，大部分是由他主持进行的。他还主持编写了《辽宁史迹资料》《辽宁名胜古迹》和《辽宁古诗选》三部关于辽宁地方史及地方文物研究的重要学术资料。先生又是一位考古教育工作者，多年来培养人才不遗余力，在东北三省的文博物界，到处可见他的学生。他奖掖后进，循循善诱，言传身教，诲人不倦。对馆内外、省内外来求教的人，总是倾诚相告，尽量协助。即使对某些他所不同意的观点，也不以个人意见强加于人，而是为之周到设想，使其能成一说，以活跃学坛，推动学术研究的开展，襟怀坦荡，感人至深。

先生热爱党、热爱社会主义。作为一个文物工作者，他忠于事业、忠于职守，不畏强暴，不计个人利害。当"八一五"日本帝国主义投降，苏军占领沈阳之时，兵荒马乱，先生和工友们一起守卫了博物馆。1948年沈阳解放前夕，国民党撤离之时，先生又毅然留下来保卫博物馆，等待人民接收。解放后他努力学习辩证唯物主义和历史唯物主义，并用以指导学术研究。在对古代生产工具的研究、对西汉遗址和金元农家遗址的研究中，都可见到这种思想的指导。他还不止一次地将自己早年珍藏的文物图书捐献国家。为祖国的文博事业鞠躬尽瘁，贡献了毕生的精力。

先生和我们永别了。相从数十年，音容笑貌，还宛然在目。高山仰止，他将永远留在人们的心里，并将永远激励着人们去为四化建设为精神文明的建设，为党的文博事业的发展，而努力奋斗。

（原载《辽宁文物》总3期，1982年）

世上空惊故人少

——悼念李文信同志

杨仁恺

作为年近晚景的老人，总不愿听见师友之间的不幸消息，这种心情想必为上了年岁的同志所理解。近来我国考古历史学界中，相继传来裴文中、谢国桢、罗福颐诸先生逝世的噩耗，对我感情上的震动是相当沉重的。裴先生是国内外知名的考古学家，中国猿人北京种的发现者，对东北考古也有卓越的建树。不久前，他还打算到辽宁几处旧石器时代遗址进行考察。我们非常希望他能亲临现场，指导年青一代不断提高业务水平。谢先生是我国著名的明史专家，对古文献的整理，贡献极大。罗福颐先生在古印钦和汉简的研究，用力甚勤。今年去四川大学见到徐中舒先生，还谈到他1980年人川搜集古鲸不遗余力，深为钦佩。这三位先生的成就为学术界所共仰，我从50年代起先后因工作关系，或质疑问难，与他们有过不同程度的接近，受益匪浅。对他们的逝世，倍感凄恻。正在这个时候，又逢老友李文信去世，对我的震动尤为沉重。我们朝夕相处，荣辱与共达三十多年之久，情谊特厚，实在悲不自胜。使我三诵唐代大诗人刘禹锡答自居易七律诗，真有"世上空惊故人少，集中惟觉祭文多　万古到今同此恨，闻琴泪尽欲如何"之憾！这里，就与文信同志的生死之交写几句悼念的话，以寄托我无边的哀思。

正当党的十二大胜利闭幕之后不久，全国上下欢庆国庆33周年，同时又逢中秋佳节的双喜日子，我怀着良好的祝愿，在节日前一天到医院去探望久病的老战友李文信同志。那一天，他见到我十分高兴，话说得很多，涉及国内形势大好，新局面序幕已经揭开，大时代的大转折远景在望，文博事业如何迎接新任务，为建设高度的社会主义精神文明如何贡献力量等。说到最后，话题落在自己的病情上面，认为经名医检查治疗，主要还是慢性病，自恃不会有大的变化，即便活不到本世纪末，至少还能赶上国家全面好转的前一阶段，这也就心满意足了。当时我也很理解八十老人的心，话里蕴藏着对党和国家多么真挚深厚的感情！谁知在五天以后的黎明，惊悉文信同志竟已于3时40分长逝！这个突然传来的噩耗，使我老泪纵横，不能自持。

李文信同志出身贫苦，自学成为著名的考古学专家，解放后历任东北博物馆后改辽宁省博物馆的研究员、研究室主任、副馆长、馆长，一生尽瘁文博事业，成就卓著。遗范长存。

解放初期，文博事业受到党的重视，工作逐步开展。由于旧社会留下来的专业人员太少，文信同志竭尽全力为培养新一代的文博考古人员废寝忘食，风里来雨里去，以身作则，在田野中与年青人一起滚爬，数十年如一日，为东北和河北地区造就了不少人才，今天大多数已成为文博界主要的骨干，可说后继有人，口碑载道。

文信同志一生治学严谨，不妄下结论。记得有一位著名学者肯定山海关一带长城为秦时所筑，要与文信同志争鸣。文信多年从事野外调查发掘，对燕秦长城经昭盟穿辽西段的走向，遗迹宛然，早已铭刻在胸，形成了明确的概念，故能信而不疑，不为之动。近年在病中他将多年积累的长城材料加以整理，撰成专文发表，对学术界影响不小。文信同志坚信史学研究，应辅以考古发掘、文献和地下资料，彼此印证，才能相得益彰。

东北考古工作，文信同志有首创之功。他学习和运用历史唯物主义观点，探讨古代史中生产工具的演进过程，有独到的卓越见地。特别是两汉、高句丽、辽金以来的历史地理，文献记载多语焉不详，且有误漏，他通过踏勘，多所补证，有裨史学，厥功甚宏。

惜手中原始资料尽管积累丰富，但未及有系统地整理发表，公之于世，诚属憾事！

文博工作，既重文献，更重实物。文信同志对古器物学有相当全面的素养，尤以陶瓷最为擅长。功夫来自艰苦的实践。他吃苦耐劳，锲而不舍。记得50年代初期，我们同去江西景德镇考察制瓷工艺，在此期间，他为了弄清附近古窑址的情况，拉着我每天东方发白起床，带上干粮跑到杨梅亭、南市街、柳家湾和湖田等处查勘，乐而忘返，经常不到夜幕降临不肯收兵，满袋瓷片窑具携回住处，还要在灯下作出记录，直到夜深。所以，他对辽墓出土的宋瓷窑口鉴定，能够游刃有余，信非偶然；说到辽瓷则更为精到。60年代由他主编的《辽宁博物馆辽瓷选集》，至今还是研究辽瓷必备的主要参考图籍。

无论在研究、陈列、器物学诸方面，我都受过文信的指点和帮助，学兼师友，情谊实深。我有时主观，为一个问题争执不下，他却幽默地向我泼冷水，有时面红耳赤，有时相顾而笑，事后毫无芥蒂。有一事至今未能忘怀，那是在二十多年以前，我们结伴去岫岩、庄河一带调查石棚和高句丽山城遗址，在赤日下踏勘，晚间在一家鸡茸小店的炕上缮清草图和记录。在去岫岩杨家堡子公社调查高句丽山城——娘娘城址途中，骤遇雷雨，四面山色中，不见有人家，竟无处躲雨。所幸道旁放有下水道管，我们钻将进去，得免于难。可是，雨过天晴，继续前进到了山城脚下，遍生荆棘，由于我穿的是短裤，被刺得遍腿鳞伤，进退维谷，十分狼狈。最后向附近一家社员借来长裤，得以完成任务。针对此事，文信同志责备我过于自信，我心悦诚服，教训很深。类此的事倒还有，不难看出革命的友谊，又是何等的温暖！

四凶乱国，彼此皆作楚囚，我们都被剥夺了工作的权利，成天写检讨、挨批斗，同志间的关系变为路人，偶尔在批斗会上一见，咫尺天涯，无由诉说衷肠。后来我被逐放在辽东山区，一别数年，彼此音讯渺茫，死生未卜。

当我调回单位时，我们见面抱头痛哭，泣不成声，这种感情局外人是无从体验得到的。文信同志在党的十一届三中全会以来，满怀信心，干劲倍增，要把失去的时间夺回来。他力疾从公，给予我极大的鼓励。可是在今天，我们的事业最需要他的时候，一旦溘然而逝，这个损失是无法弥补的！

　　李文信同志生前撰写发表的论文和考古报告，我们将搜集汇编成书，未刊行的稿，也将尽快整理出来，一则作为精神财富以飨同业，一则也是后死者应尽的责任。死者已矣，悲悼曷亟。我们一定要向李文信同志像春蚕吐丝那样的品德学习，为建设高度的社会主义精神文明，献出生命的最后一息。

（原载《辽宁文物》总3期，1982年）

悼念公符先生

佟柱臣

李文信先生，字公符，辽宁省复县人，是我国著名的考古学家。他生于1903年，逝世于1982年10月5日，享年80岁。

公符先生在博物馆界是与已故南京博物院曾昭燏院长、四川省博物馆冯汉骥馆长齐名的老一辈学者，也是在白山黑水之间开创东北考古学的奠基人之一。我与公符先生的相识是在1943年冬，那时我在赤峰师范教书，他刚从林东发掘辽墓归来，出示笔记和绘图，诲人不倦，而我到沈阳博物馆工作，又多承汲引，所以对于相交四十年师友的逝世，不胜泫然。

公符先生非常热爱田野工作，远在1921年他于吉林读书时，曾优游乎龙潭山残垣断垒间，发思古之幽情。1934年在吉林二中执教期中，不断勘查龙潭山、龙潭山车站，东团山、帽儿山等地的青铜时代遗址和高句丽史迹，终于在1937年发表了《吉林龙潭山遗迹报告》那篇长文，作为他考古工作的开始。迨1938年到沈阳博物馆以后，外出频繁。1939年6月发掘沈阳塔湾辽金墓，7月发掘沈阳砂山子辽金墓，7月底调查巴林左旗辽永庆陵和庆州西北金界壕，1940年6月发掘叶柏寿车站辽墓，7月发掘喀喇沁右旗张家营辽郑恪墓。9月调查发掘抚顺新城高句丽城址,同年再次调查吉林龙潭山高句丽遗迹,1941年9月发掘辽阳玉皇庙汉壁画墓,1942年7月调查珲春半拉城渤海城址,10月发掘沈阳南湖汉墓及辽墓,1943年3月调查辽阳北园汉壁画墓,4月调查和龙西古城子渤海城址,5月发掘巴林左旗辽祖洲城址,7月调查林东附近辽代史迹,11月发掘林东兴隆山辽墓和调查阿鲁科尔沁旗至青羊磴子金界壕,1944. 年5月发掘林东辽上京窑址,6月发掘赤峰缸瓦窑辽代窑址,8月发掘白塔子北山辽墓和调查白塔子至会通河金界壕,1950年5月发掘义县清河门辽墓,1955年5月发掘辽阳二道壕西汉村落遗址。就以上要者,已经可以看出,每年少则一两次,多则五次,可谓席不暇暖。由于他长期从事发掘工作,积累了丰富的经验,明敏的洞察力和高超的技术,我和他一起发掘过赤峰缸瓦窑辽代窑址,亲眼见他从第一号窑址的三层红烧土中,清理出窑址重建两次的经过,烟道做得更干净利落,轮廓昭然。发掘辽阳三道壕西汉村落遗址时,从铺石大路上能够清理出两排并列的车辙遗迹,尤属不易。这些,足证其发掘技术之高了。不仅如此,他还能绘图,他发表的文章中,较多的器物图是自己画的。同时对于壁画的速写,也颇有功力。所以他是一位非常全面的考古学家。

公符先生在考古学上的贡献,是多方面的,他研究过中国东北的青铜时代遗址,他研究过中国北方的长城,更研究过渤海的城址。但是主要的还是他对东北汉代、辽代和金代遗迹遗物的研究。

他在东北汉代的研究中,辽阳三道壕成万平方米的发掘规模是很大的,揭露的七个农户的居住址,每户多包括房址、土井、厕所、畜圈等成组的遗迹群,与铺石大路和窑址相配合,展现出西汉晚期辽东郡内处于自然经济状态下的、分散的、孤立的汉族农村的实貌。村落遗址上出土的铁铧、铁锹、铁锄、铁镰、铁锤、铁刀、铁车辖,数量既多,又十分普遍,充分证实当时生产力达到的水平与中原无大悬殊。出土的大半两、小半两、五铢、大泉五十等货币,也证实在经济上与中原是一体的。而在第一窑址与第二窑址前方发现的水井、炉址、土窑等成组的窑业生产系统,则表明当时从农民的副业生产进入到专业陶工，所以三道壕的发掘，无论对于襄平附近的农村原状以及农业、手工业、交通等研究上，都是非常富有学术价值的。

其次他着重研究过辽阳汉墓，无论五皇庙、南林子、北园，棒台子、三道壕窑业四场等瑰丽多彩的汉代壁画墓多经亲手发掘，造诣很深。特别是就北园壁画墓的外形与结构、壁画与题字、画艺与用色，均作过细致的考察，并援《释名》、《汉宫仪》、《汉宫旧仪》、《后汉书·舆服志》考定了壁画中的高车、安车、车帷裳、飞軨、车辕、鸟啄、防铇，扇汗、白马朱鬣等车舆之制，和通天冠、进贤冠、却非冠、却敌冠、黑介帻，赤帻、襦衣、裤袴等冠服之制，奠定了深厚的基础。同样也考证了棒台子壁画墓中的金钲车，鼓车、黄钺车、帷车、白盖车、黑盖车，丰富了车制的研究。还从三道壕窑业二场令支令张姓墓主人所戴二梁冠和夫人发髻前的花饰上，指出与棒台子壁画墓中服饰不同，时代应稍晚，当属一国时期的魏墓，为辽阳汉墓的编年，提供了新的尺度。此外他在吉林龙潭山发现的带"长"字残瓦当，印大泉五十钱纹陶片，耳杯、陶灶、方座圆钮残铜镜，五铢钱等器物，充实了对汉代玄菟郡的探索。他考察宁城县黑城汉代城资料之后，又提出属于西汉右北平郡治平刚的重要意见。这些无疑对于东北汉代的研究，都作出了巨大贡献。

公符先生考古成就的最大方面，我以为还是在辽代，因为他调查过辽上京临潢府白塔子庆州城址，发掘过祖州城址，对于辽城的特点，他是十分清楚的。又发掘过巴林左旗、喀喇沁右旗、叶柏寿、义县、沈阳等广大地区的辽墓，不但考察了辽墓的结构和随葬器物内涵，而且研究了一个地区辽墓之间的关系，他以清河门一号佐移离毕萧相公墓为中心，结合二号墓出土的可以释成"清宁三年一月一十七日"字样的契丹文墓志铭残石，结合四号墓出有嵩（崇）德宫铜铫与一号墓志铭所记"次日慎微崇德宫副部署"相符，证实是两次出使高丽的萧慎微的祖墓群。他接着把这个萧氏墓地与阜新腰衙门的辽圣宗钦爱皇后之妹的晋国夫人墓，翁山村的萧阿刺子国舅大丞相萧孝穆之孙的兰陵郡萧德温墓，义县盘道岭的辽圣宗孙女因八公主之女的太和宫副使耶律弘益妻萧氏墓联系起来考察，提出了辽皇后萧氏之族的分布地域，进而指出义县、阜新为萧氏所属投下州的史实。深入到如此程度，如果不是发掘过大量辽墓，如果不是对辽墓做过深入研究，如果不是熟悉辽史，是不可能达到这样的境地的。

正是因为他深于辽代城址和墓葬的研究，所以对于城址和墓葬中出土的辽瓷的研究，贡献更大。辽瓷在中国古陶瓷中，半个多世纪来是个新出现的学科。开始仅限于传世品，首次从墓葬中发现的，还是1939年叶柏寿车站辽墓的那件茶末绿釉鸡冠壶，而这座墓，是1940年由他清理的。同时他调查了辽上京南山三彩釉窑址，试掘了林东白音戈勒辽茶绿釉窑址，发掘了临潢府皇城内窑址和赤峰缸瓦窑址，一个人做过这么多处辽窑，在国内是罕见的。他把辽窑内出土的那种茶绿釉小口平底上粗下细、口旁刻有契丹文或年款的长体壶形器，定名为鸡腿罎。又把辽瓷区分成中原窑系和辽土窑系，将辽土窑系中反映契丹人生活的鸡冠壶、凤首长颈瓶、海棠式长盘以及贴塑花纹具有辽瓷特征的，作为狭义辽瓷的概念。据带"官"字款的瓷器和官窑馆的历史记录，提出了辽代官窑问题。依扁身单孔式、扁身双孔式、扁身环梁式、矮身横梁式等形式上的区别，确定了鸡冠壶的编年。从鸡冠壶周缘缝线针上，证明鸡冠壶源于革囊。因此，在辽瓷的研究中，他是一位拓荒者，也是很少有出其右者的第一人。

对于金代史迹的研究，他从阿鲁科尔沁旗乌兰坝起至林西板石房子村止，调查了临潢路四百余里长的一段金界壕边堡。金代的兴边堡浚界壕，是我国北方中世史上的伟大建筑工程。虽然有《金史·地理志》《蒙鞑备录》的著录，和王国维《金界壕考》的考证，但是记录界壕走向、边堡位置和出土器物的，在国人中还是以他的勘查为最详实，所以也颇有益于金代考古的研究。

公符先生除上述以外，对于铜器、陶瓷、书画、缂丝，乃至纸张和博物馆学，都有广博的知识，作出过不少贡献。他在学术上的成就和学泽，将永远滋润着我国考古学的前进。

1982年12月6日

（原载《辽宁文物》总5期，1983年）

悼念著名考古学家李文信先生

杨仁恺　阎万章　徐秉琨

李文信先生于1903年出生在辽宁复县一个贫苦的农家，十几岁就随父兄到吉林省谋生。他刻苦自学，后来有机会在美术学校学习，出校后从事美术教育工作。约在20年代后期至30年代初期，开始自行研究历史考古，在吉林市郊一带做了很多考古调查和一些发掘工作，积累了很多资料。解放后先后任东北博物馆和辽宁省博物馆的研究员、研究室主任、副馆长、馆长，被选为中国博物馆学会名誉理事、中国考古学会理事，辽宁省考古、博物馆学会和辽宁省历史学会的名誉理事长，并任吉林大学教授。1979年，先生以77岁的高龄光荣加入中国共产党。因多年积劳成疾，1982年10月5日在沈阳逝世，终年80岁。

先生是我国老一辈的考古学家之一，对新中国东北地区的考古和文博事业的发展有开创之功。在东北地区的历史考古研究、文博事业的建设和人才的培养方面有卓越的贡献。多年来，他的足迹及于东北三省和内蒙古东部地区，考查范围上自新、旧石器时代，下至明清，十分宽广。其中重要的考古工作有赤峰、围场一带燕、秦、汉长城址的调查，辽阳三道壕西汉遗址的发掘，辽阳北园、棒台子等地汉魏壁画墓群的清理和研究，依兰倭肯哈达洞穴的发掘，义县清河门辽萧慎微祖墓的发掘，辽上京窑及南山窑、赤峰缸瓦窑辽代窑址的发掘和调查等，大都有发掘报告和研究论文发表。先生对东北历史地理尤有深刻的研究。他根据亲身的调查并结合文献进行考证，多年以前就提出古燕、秦长城远在今长城以北数百里之外，其中段在围场、赤峰一线。他的这一观点早为历史考古界所公认。1979年他在《中国北部长城沿革考》中对这一研究作了系统的记述。他对右北平、居就、西安平等汉代郡县址的考定，也都十分精辟。60年代初，丹东瑷河尖汉城址刚发现时，他就指出此城址应是辽东郡的西安平县。至70年代，城中出土"安平乐未央"汉瓦当和"安平城"款陶片，证实他论断的准确。他调查赤峰猴头沟缸瓦窑村辽代窑址，根据宋人《行程录》中的官窑馆，指出这个窑址即当时的辽代官窑。至70年代，在窑址中果然发现带有"官"字款的窑具。他对元明时期的驿站、卫所也作过大量的考订与研究。鉴于《辽史·地理志》谬误之多，多年来，他计划做一项笺证工作，拟将他对东北历史地理的研究作一全面的系统的阐述，但终因卧病未能成文，实是一件很大的憾事。先生对博物馆藏品和传世文物的鉴定也有广博的知识和很高的水平，对陶瓷、尤其是辽代陶瓷的研究更有很深的造诣。他的《辽瓷简述》和与另一位同志合编的《辽瓷选集》及其《编后记》，至今还是研究辽瓷的最重要的著作。对于中国陶瓷史的研究著作有《陶瓷浅说》等。先生一生为文博事业培养人才不遗余力，在大学课堂和东北地区和辽宁省先后举办的几次文物训练班上主讲东北考古、陶瓷、铜器等课程。门墙桃李，遍布东北等地，有许多已是文博界骨干。

先生学识富赡，才思明锐，博学强记，熟悉故典，旁及民俗、工艺制作等无不考察了解，故能融此通彼，在考古与鉴定工作中常得心应手，言中腠理。他治学严谨，尤重实践，在东北历史地理研究中很多观点的形成，都是亲身实地考察所得，故能言之凿凿，信而有据。先生工作十分勤奋，至五六十年代外出调查时，仍不顾高龄，和青年同志一起爬山越岭，往往日行数十里；并亲自在现场步测绘图，归来灯下整理记录。在节假日之暇尤以远行作田野调查为乐事。他积累了大量调查资料，可谓充盈笥箧，但形之成文，则十分慎重。有些观点和提法常经一再推敲，遇有疑难，即和同志们讨论商量，不耻下问。先生奖掖后进，循循善诱，言传身教，诲人不倦。对求教者总是倾诚相告，尽量协助；对某些不同意的观点，不以个人意见强加于人。襟怀坦荡，感人至深。

先生热爱党，热爱社会主义，以文博事业为第一生命。他忠于职守，不畏强暴，不计个人利害。解放后努力学习辩证唯物主义与历史唯物主义，并用以指导学术研究，他不止一次地将自己早年珍藏的文物图书及国外赠书捐献国家，为祖国的文博事业鞠躬尽瘁，贡献了毕生精力。

李文信先生和我们永别了。高山仰止。他将永远活在人们的心里，激励我们在四化建设大路上为党的文博事业的发展，奋斗不息。

（原载《考古》1983年第2期）

成就卓著　遗范长存

——悼念老友、著名考古学家李文信

杨仁恺

　　我最后一次到医院去探望久病的老友李文信，他见到我十分高兴，话说得很多。话题最后落在他的病情上，他很乐观，自忖不会有大的变化。谁知在五天以后的黎明。惊悉文信同志竟已于10月5日3时40分长逝！这个突然传来的噩耗，使我老泪纵横，不能自持。

　　李文信同志出身贫苦，自学成为著名的考古学专家，解放后历任东北博物馆后改辽宁省博物馆的研究员、研究室主任、副馆长、馆长，一生尽瘁文博事业，成就卓著，遗范长存。

　　解放初期，文博事业受到党的重视，工作逐步开展。由于旧社会留下来的专业人员太少，文信同志竭尽全力，为培养新一代的文物考古人员废寝忘餐，风里来雨里去，以身作则，在田野中与年青人一起滚爬，数十年如一日，为东北和河北地区造就了不少人才，今天大多数已成为文博界的主要骨干。

　　文信同志一生治学严谨，不妄下结论。记得有一位著名学者肯定山海关一带长城为秦时所筑，要与文信同志争鸣。但文信多年从事野外调查发掘，对燕秦长城经昭盟穿辽西一段的走向，早已铭刻在胸，故能信而不疑，不为之动。近年在病中，他将多年积累的长城材料加以整理，撰成专文发表，对学术界影响不小。文信同志坚信史学家研究应辅以考古发掘、文献与地下资料，彼此印证，才能相得益彰。

东北考古工作，文信同志有首创之功。他学习和运用历史唯物主义观点，探讨古代史中生产工具的演进过程，有独到的卓越见地。特别是两汉、高句丽、辽金以来的历史地理，文献记载多语焉不详，且有误漏，他通过踏勘，多所补证。惜乎原始资料尽管积累丰富，但未及有系统地整理发表，诚属憾事！

文博工作，既重文献，更重实物。文信同志对古器物学有相当全面的素养，尤以陶瓷最为擅长。功夫来自艰苦的实践。他吃苦耐劳，锲而不舍。记得50年代初期，我们同去江西景德镇考察制瓷工艺，他为了弄清附近古窑址的情况，拉着我每天东方发白起床，带上干粮跑到杨梅亭、南市街、柳家湾和湖田等处查勘，经常不到夜幕降临不肯收兵，满袋瓷片窑具携回住处，还要在灯下作出记录，直到夜深。所以，他对辽墓出土的宋瓷窑口鉴定，能够游刃有余，信非偶然。说到辽瓷，则更为精到。60年代由他主编的《辽宁博物馆辽瓷选集》，至今还是研究辽瓷必具备的主要参考图籍。

无论在研究、陈列、器物学诸方面，我都受过文信的指点和帮助。学兼师友，情谊实深，我有时主观，为一个问题争执不下，他却幽默地向我泼冷水，有时面红耳赤，有时相顾而笑，事后毫无芥蒂。四凶乱国，彼此沦为楚囚，我们都被剥夺了工作的权利，成天写检讨，挨批斗，偶尔在批斗会上一见，咫尺天涯，无由诉说衷肠。后来我被逐放在辽东山区，一别数年，彼此音讯渺茫，生死未卜。当我调回单位时，我们见面抱头痛哭，泣不成声，这种感情局外人是无从体验得到的。文信同志在党的十一三中全会以来，满怀信心，干劲倍增，要把失去的时间夺回来。他力疾从公，给予我极大的鼓励。可是在今天，我们的事业最需要他的时候，一旦溘然而逝，这个损失是无法弥补的！

李文信同志生前撰写发表的论文和考古报告，我们将搜集汇编成书；未刊行的遗稿，也将尽快整理出来，一则作为精神财富以飨同业，一则也是后死者应尽的责任。死者已矣，悲悼曷殛。我们一定要学习李文信同志像春蚕吐丝那样的品德，为建设高度的社会主义精神文明，献出生命的最后一息。

（原载《辽宁日报》1982年11月13日）

沉痛悼念李文信先生

冯永谦

承《社会科学战线》编者雅意，李文信师之《西汉右北平郡治平刚考》即将与读者见面了。但是，万万没有想到，先生对他这篇文章尚未寓目，竟于1982年10月5日晨3时40分与世长辞了。

先生字公符，辽宁省复县李家大屯人，1903年10月23日生，终年80岁。先生是中国共产党党员，我国著名的老一辈考古学家。建国以来，历任东北文物工作队队长兼东北博物馆研究室主任，辽宁省博物馆副馆长、馆长，吉林大学教授，辽宁省历史学会副理事长，中国博物馆学会名誉理事，中国考古学会理事，辽宁省第一、二、二、五届人民代表大会代表。先生以他精深渊博的学识、正直无私与温厚待人的长者之风，赢得人们的敬仰与爱戴。

先生在青年时代，靠自学走上文物考古的工作岗位。东北解放后不久，即1949年6月，先生就开始主持东北地区的考古发掘工作，通过工作实践，组织起一支初具规模的队伍，奠定和开创了今天蓬勃发展的东北地区文物考古工作的基础。先生对博物馆事业的发展，也作出了卓越的贡献。东北博物馆在1949年7月7日正式对外开放，除基本陈列外，并举办了数十个特展，接待了百万计的国内外观众；50年代初期，创造了博物馆界文物整理的先进经验，中央文化部文物事业管理局曾加以推广。先生在人才培养上，更是不遗余力。无论是在中央考古训练班讲课，还是在辽宁大学和吉林大学历史系考古专业教学，也不管是对博物馆从事专业工作的同志，或是他处前来请教于先生的人，他总是循循善诱，诲人不倦。二十多年来培养出一大批考古专业人才，凡是了解请教过先生的人，无不为他的这种精神所感动。1982年先生又与国内专家、学者倡议、发起成立了中国辽金及契丹女真史研究会，这必将推动这一学科研究的深入发展。先生将他毕生的精力，都献给了党的文博事业，他勤勤恳恳地忘我工作，尤其是在博物馆的发展建设上，占去了他后半生的许多宝贵时间。晚年他想要整理自己一生的研究成果时，不料乌云压城，"十年浩劫"严重地损害了先生的健康，从此再没有握管之机，粉碎"四人帮"后，先生才又获得解放，但因体弱多病，致使先生许多宏愿，未能一一亲手完成，实在令人痛惜！李文信先生热爱党、热爱社会主义祖国，坚信马列主义，对未来始终充满信心，他一再对我们说："党的十一届二中全会以来的方针、政策，都是完全正确的，非如此，中国不能富强！中国从此走上康庄大道，富强有日了！"

李文信先生学识渊博，不仅擅长于田野考古，对古器物学与博物馆学也有精湛的研究，书画、铜器等都造诣很深，而对于古代陶瓷尤有成就，特别是辽代陶瓷的研究，此外，先生对东北地区的历史地理的研究，从考古入手结合文献进行考证，亦颇多创见。

先生一生治学严谨，著述颇丰，专著有：《辽瓷选集》《中国考古学通论》和《陶瓷概说》等，主编有：《辽宁史迹资料》《辽宁古诗选》和《辽宁名胜古迹》等书，并有数十篇论文。

李文信先生的不幸逝世，是博物馆、文物考古与历史学界的一个重大损失！作为李文信先生的学生和助手，我跟随先生从事文物考古工作二十九年，亲眼所见，亲耳所闻，先生的一言一行以及他的治学精神，无处不是我们的楷模。现在，一旦失去良师，痛何如也！万语千言，无法表达我们对先生的敬仰与爱戴之情！先生的道德文章与学术贡献，有口皆碑，故略而不书，仅述生平懿行，以飨读者，并藉以表示对先生之逝世的沉痛哀悼！

（原载《社会科学战线》1983年第1期）

306

无私奉献　勤奋一生

——李文信先生事略与学术贡献

冯永谦

　　我国著名的老一辈考古学家李文信先生，离开我们已经七年了。在辽宁省博物馆建馆40周年之际，我们更加缅怀把毕生精力都奉献给文博事业的李文信先生。他数十年如一日，不知疲倦，孜孜以求，勤奋一生，给后人留下了宝贵的精神财富。他对工作，满腔热情，认真负责；他做学问，实事求是，精湛严谨；培育人才，循循善诱，诲人不倦。在半个多世纪的时间里，他以自身的实践和卓越的学术贡献，成为东北地区考古与博物馆事业的开创者和奠基人之一，是一位在国内外具有崇高声望的考古学家；他以深邃的学术思想和成就，在东北史地科学园地中建立起一座璀璨的丰碑，永远值得我们景仰与纪念。

一

　　李文信先生，字公符，辽宁省复县（今瓦房店市）土城子乡李家大屯人。1903年10月23日（农历九月初四）生。先生是中国共产党党员。新中国成立后，先生历任东北博物馆研究室主任、研究员、东北文物工作队队长、吉林大学教授，辽宁省博物馆副馆长、馆长，辽宁省历史学会副理事长，辽宁省考古博物馆学会名誉理事长，中国考古学会理事，中国博物馆学会名誉理事，辽宁省一、二、三、五届人民代表大会代表。

先生出生于辽南地区的一个农民家庭，生活很贫苦，仅仅读了几年私塾，十余岁时为生活所迫，不得不跟随父兄外出谋生。不久定居在吉林市，并开始就读师范学校。后来又到"奉天美术专科学校"学习，得以进一步深造。出校后，在吉林市第二中学从事美术教育工作，后任该校教导主任。在此期间，先生培养出许多优秀的美术人才，我国著名的国画家关山月，最初就曾从学于先生，并且"关山月"这个名字就是先生为他取的。

由于先生从事美术教育，因而从世界美术史涉及原始艺术，欧洲原始人山洞中的壁画，使先生感到兴奋，对于那些原始人使用的矿石颜料，别具风格的石器、兽骨与牙齿制成的装饰品等，也都产生了浓厚兴趣。从此先生醉心于考古，开始走向山间，走向田野，在松花江畔，在龙潭山上，到处留下了先生的作为一名业余考古者的足迹。这是本世纪20年代初的事。此时东北还没有人从事考古工作。他放弃了假日，不顾酷暑严寒，捌查了龙潭山与东西团山等地的青铜时代、汉代和高句丽的史迹。先生以爱好者的身份，揭开了神秘的考古殿堂的帷幕，1937年，先生发表了长篇考古调查的研究成果《吉林龙潭山遗迹报告》，吉林史迹从此为世人所知。1938年，先生离开吉林来沈阳，开始了博物馆工作。由于田野考古工作繁忙，外出益频，他的足迹遍及了辽宁和东蒙地区，获得了大量珍贵文物，丰富了馆藏。1945年"九三"胜利，沈阳博物馆陷于没人管理，文物不断被盗、散失。先生不计其他，毅然地承担起保护博物馆的任务，每天亲自到馆内巡视，看好大门。当苏军进驻博物馆，担心馆舍与文物的安全时，先生不顾个人安危，冒死阻拦，结果被军用吉普车拉到北陵旷野，以枪胁迫收回前言。但先生仍然执意

不从，多亏随车的翻译从中斡旋，先生才免遭于难。先生为了正义，敢冒着生命危险，绝非仅此一事。早在吉林二中从事教育工作时，就曾掩护党

的地下工作者，他的家，成了落脚点，新中国吉林省民政厅的第一任李会之厅长，当年在日伪白色恐怖下，就常以"游学"为掩护进行抗日宣传、组织工作，住在先生家中。1948年沈阳解放前夕，沈阳博物院筹委会全体人员飞迁北平，给先生全家的机票都已买好，要先生同走，可当时他想的是博物馆和文物的安全，于是便拒绝了这样的安排；虽然当时沈阳城内居民生活极端困苦，物价飞涨，用一面袋法币只能买一斤玉米面，但先生仍是不为恶劣环境所动，每天尽心尽力看护好博物馆，迎接沈阳的解放，先生的这种把博物馆看成是自己的家，把文物当成自己的生命的高尚品格实在令人钦敬。

1948年11月2日，沈阳解放了，先生兴奋不已。他舍生忘死看护的博物馆和保护的文物，终于回到了人民手中，先生发自心内地笑了。从此，他全身心地投入考古发掘。博物馆建设和人才培养的繁重工作中去。

二

沈阳解放之初，原"国立沈阳博物院筹备委员会古物馆"已是馆舍残破，文物散失所存不及万件（9857件），陈列设备也多遭损毁。此时，我东北文物保管委员会从哈尔滨迁来沈阳，于是在原博物馆的基础上组建了"东北博物馆"，并由郭沫若同志题写了匾额。

与此同时又将解放战争期间在东北征集的文物资料和散在各地及私人捐赠的文物等集中起来，充实了馆藏，第一任馆长王修，是一位学者型高层次的文化界领导干部，对文物工作十分重视，决定尽快开展考古工作，也争取博物馆早日对外开放。在当时的条件下，建立一座尚无先例的完全新型的博物馆，困难是很大的。当时博物馆除了李文信先生之外，没有更多精通考古、博物馆业务的专门人才，因此这些艰巨繁难的任务，就落在先生的身上。先生首先和同志们一起夜以继日地工作，开始对全部馆藏品进行清点、整理、鉴定、登记，随后即组织布置展览，在这些不休少眠的紧张日子里，不知先生付出多少心智和汗水，和全馆同志一起，共同完成了新中国第一座以马克思列宁主义为指导，用辩证唯物主义和历史唯物主义思想原则，以社会发展史为主要内容的新型博物馆的陈列，并于1949年7月7日正式对外开放了。

1950年10月，朝鲜战争爆发后，为保证文物安全，在上级紧急指示下，博物馆全部藏品将撤离沈阳，疏散到二线。最后当文物运到北安期间，如何保管好文物，又是一个突出问题。为此，决定对馆藏品进行一次彻底的清理，它开创了全国博物馆成品保管、文物整理工作的先河。先生在当时处于关山阻隔，条件艰苦，生活困难，而又资料不全的一个战时环境，工作只能在没有任何成熟经验可资借鉴的情况下进行。前后费时年余，直至后来将馆藏品运回沈阳入库上架时为止，才算全部完成。这次整理工作，首先是鉴定，要甄别文物的真赝，然后进行文物与资料的分类。文物分成书画、丝绣、铜器、漆器、古地图、货币等十九类，资料分成标本、模型等六类。这些工作完成，最后是登记、建账。这次文物整理工作井井有条，达到了"安全保管、取用方便"的目的，取得了科学管理的成功经验。因此，为国家文物局所肯定，由先生等执笔写成《东北博物馆清理文物工作的一些办法和经验》一篇长文，发表于《文物参考资料》1953年第3期上，在该刊的"编者按"中强调文物保管的重要性和意义后，向全国郑重推广这一文物整理与保管工作的先进经验。

在博物馆的对外开放工作中，李文信先生做了大量细致的工作。新中国成立时期搞了《历史文物分类陈列》，50年代初又搞了《历史文物陈列》，而在60年代初又重新组织了《历史艺术陈列》。每次都是一项巨大工程，从编写"陈列设计大纲"开始，到各种不同层次的说明以及大量文物与辅助资料的选定，这里都饱含着先生的大量的深邃的思想与研究成果。先生在工作中，总是身体力行，不仅高屋建瓴从整体上规划陈列，而且一些细微小事，也亲手去做，从不摆架子，从不指手画脚光说不做。除了基本陈列外，从新中国成立后还举办了规模不等的数十个各种不同类型的临时性特展与历年的全省出土文物展览，这些"特展"都收到很好的效果，产生一定的影响。此外，自1954年开始，在我国还首创了"流动展览"，它小型多样，分别送到机关，厂矿、学校和其他城市以及偏远的农村，受到广大群众的赞誉和好评。先生还经常到这些展览地点，亲身为观众作解说，表现了一个老一辈学者的精神风貌。

博物馆的日常工作，千头万绪，先生以一个学者身份担任着行政领导职务，许多具体工作又要先生亲自动手，这不能不影响先生的学术研究活动。但先生深知自己的责任，不允许先生闭门不出，在家埋头写文章。在这种两难兼顾的情况下，必须作出牺牲。为了博物馆事业，先生忍痛放下科研，把全部精力投入到文博事业上。致使他耗费了无限心血，挤掉了他后半生的许多宝贵时间。先生的这种无私奉献，为我们树立了光辉楷模！

三

东北地区的考古工作，比博物馆对外开放还要早，先生在1949年6月就开始进行田野工作了。然而当时如何造就一批能适应工作需要的专业人才，则是当务之急。先生培养人才的方法，就是带领青年同志一道工作，让他们在实际工作中学习。他言传身教，在许多田野工作中，都要求年青同志必须参加，因而使他们边干边学，从实践中了解考古，增长才智。1953年与1954年在沈阳举办的"东北区文博干部训练班"中，先生主讲历史、考古与其他专业等课程，并亲身带领学员下田野实习，使学员的学习得到了事半而功倍的效果。在国家开办的考古训练班，先生也应邀前去讲课。1956年吉林大学历史系也开设考古专业课，聘先生为教授，讲授考古学课程。自1949年以来的二十多年中，先生在各种不同环境里培养大量人才，他们现在正驰骋于文物考古、博物馆、历史与民族学的广阔领域里，其中的很多人，已经成为各自学科的业务骨干或学科带头人。

先生在培养人才上是不遗余力的，言传身教感人至深。他平易近人，但总是带有一些幽默感，讲话深入浅出，觉得非常亲切。这不仅是在先生身边的人，就是其他所有接触过先生的人也都有这种共同的感觉。先生还善于抓紧时间，利用一切机会培养年青人。记得1954年发掘辽阳二道壕西汉村落遗址时，先生和我们都住在窑场的工房内，四周是空旷的田野，每当吃完晚饭在斜阳一抹的时候，先生就带领我们出去"散步"。但不是走平坦大道，而是沟坎河崖、漫岗荒地。先生边走边讲，如果发现或采集到遗物，那就借着它讲起来。其实地下遗物丰富得令人惊讶，每次出去都有各种新的发现。因此话题很多，我们都谈笑风生。虽然走出十多里路，谁也不觉得疲乏，反而兴致盎然。先生有时说一个笑话，引得我们哈哈大笑，可笑过之后发现，这笑话，却和刚才所谈话题相关，乃是一种形象的补充，加深了对他谈的话题内容的理解。可以说，我们现在拥有的许多宝贵知识和经验，都是先生这样面授的。

先生不仅在田野工作中手把手地教，就是在研究工作中，也是竭尽心力，诲人不倦。那时发掘，先生都是让我们独立整理材料，这是有意锻炼我们，先生只是从旁耐心指导。因此，无论是谁写出发掘报告，先生都是一丝不苟地进行批改，并逐条写出详细的意见来。在许多时候还亲自抄出大量有关文献史料，提供给我们研究参考。至今记忆犹新的，是我们于1965年秋在北票县西官营子发掘北燕冯素弗墓。此墓没有墓志，只发现金与铜鎏金的四颗印章，其印文是："车骑大将军章""大司马章""辽西公章""范阳公章"。虽有这样四颗印章，但一时还不知墓主是谁。将这一发现汇报给先生后，先生告诉我们：这是一座晋代的墓葬，它出在辽西地区，那么这一时期身任四职的只有北燕冯素弗，除此则没有别人了。先生精湛的论断，完全被后来的发掘与研究所证实。当徐秉琨和我编写冯素弗及其妻属墓的《北票北燕冯素弗墓》发掘报告时，先生曾多有指示，并给查找有关资料，使编写工作很快完成。书稿告竣，但"文化大革命"开始了，一切工作都陷于停顿，虽然文物出版社已决定出版，也不能付诸实现。几年过去了，书稿几经磨难，还幸而仍存。在1972年《文物》复刊时，因需稿件，就将这部书稿作了摘录，在该刊1972年第3期上发表。就是在出刊前，还是经过先生的精心审阅此时先生由于遭受"文化大革命"的摧残，身体很虚弱，他躬腰伏案尽心尽力看稿，并用他颤抖的手写出了非常中肯的意见。先生就是这样时时想着事业，时时想着他人！可以说，在辽宁省博物馆考古队所有同志发表的稿件，都浸润着先生的心血，甚至有的稿子，几乎是先生重写的。先生对任何人都毫无保留，就是外单位同志求教，也竭诚相助。如编绘《中国历史地图集》，中央民族学院郭毅生等同志来了解东北地区的历史地理研究成果时，先生本精于此项研究的，他不仅介绍已发表的论著，就是尚未发表或未形成文字的研究，也都无私地提供出来。先生这方面的事例是感人至深的，无须更多的赘述了。

先生在工作上对人要求很严格，他不允许马虎从事：有一次一位同志在拍照石经幢文字拓片时，他把八面幢文的拓片不按次序放置在一起拍照，这将无法衔接和研读，当被先生看到，就及时指出这是不科学的，是一种不严肃的治学态度，从事科研的人绝不允许这样做！使这位同志深受教育。从此这位同志严格要求自己，勤恳工作，业务进步很快，终于成为文物考古战线上的一个专业人才。

60年代初，文物工作队新进一批年青同志，他们没有经过专门训练，为了让他们能很快适应工作，提出文物队员必须做到"六能"，即：能发掘、能记录，能绘图、能照相，能修复，能编写简报或报告。这六条，包含着极其繁复的看来似平常的工作，但在实际工作中却都是非常重要的。如发掘时，要注意区分地层，仔细观察，否则就可能功亏一篑。这里边也蕴蓄着较为艰深的理论和学识水平。先生在坚持"六能"和付诸实现过程中，又不知花费了几多心血！但这却在"文化大革命"中被说成"业务挂帅""专家道路"，成为"罪名"，多么有负于先生的苦心孤诣！

先生为人师表，处处楷模。几十年来，受惠于先生者，实不知凡几。如今经先生之手培养、教育的英才遍及各地，可以说是"桃李满天下"，他们当前已成为祖国史学领域和文博学术研究的中坚力量。后继有人，先生"九泉有知应笑慰"了。

四

　　凡是熟悉和请教过李文信先生的人都会感到，先生学识渊博，知识领域极为宽阔。先生对我国古代文献从官修史书到私家著述，从政治经济到名物器用，事无巨细，了如指掌。我们都有这样的经历，即当向先生询及某一问题时，先生不仅给以详尽的解答，而且还指出资料的出处。先生说过："我们所从事的工作本身，就要求我们应该多知道一些。你知道地下出什么？历史上有多少问题没解决啊！有的你可以不搞，但不许你不知道，否则问题就不能圆满解决。不过还要有深度，都一知半解，那就不行了。每个人都要有自己的研究领域。"这是先生宝贵的治学经验。先生确实是这样，在许多方面都取得很大成就。另外，先生的美术功力很深，速写能力甚强，也写得一手好字，汉隶尤得其妙。这些对考古绘图、博物馆陈列展览等，都有莫大帮助。因而，李文信先生是一位非常全面的学者。

　　先生正是由于有这样深厚的基础，因此贡献是多方面的。他对博物馆学有精湛的研究，几十年来，在博物馆的发展建设、藏品保管、陈列设计、人才培养、学术研究等各个方面，都做了大量工作。他把后半生的许多宝贵时间都奉献给博物馆事业了。先生在50年代里曾访问过欧洲，回国后即写了《记瑞典和芬兰的几所博物馆》长文，足见其对国外博物馆的发展情况是很关注的，文中有许多对发展我国博物馆事业的精辟意见。即使时至今日，这些经过认真分析、思考而得出的结论，仍不失其光彩，甚至将来也还是应该办的。在我国博物馆界中，以学者从事博物馆工作，先生与南京博物院院长曾昭燏、四川省博物馆馆长冯汉骥同是齐名的我国老一辈博物馆学专家。先生对古器物学造诣很深，陶瓷、书画、铜器、甲骨、丝绣等，都很有研究，因此，在博物馆文物整理鉴定中，发挥了重要作用。同时，先生还发表了其他一些器物学方面的文章，如《沈阳故宫卤簿物小记》《古代的铁农具》《上京款大晟南吕编钟》等，都写得很有深度，受到学术界的重视。即使是像《沂南画像石古墓年代的管见》讨论墓葬年代的文章，也运用历代文物制度与比较研究，而得出正确的结论。此外，先生在从事博物馆工作之余还主编了《辽宁古诗选》与《辽宁名胜古迹》等书，这些对弘扬祖国文化都是很有意义的。

但先生贡献最大的，还应该说是考古学。

几十年来，先生不懈地、长期在东北地区从事考古调查、发掘和研究工作，成就卓著。他是开创东北考古学的奠基人之一。

先生在五十多年的考古生涯中，足迹遍及东北和内蒙古东部地区，而他所研究的方面，极为广泛，上溯远古的石器时代，下迄明清，并旁及壁画、工艺美术、历史地理和陶瓷等，这些都取得了巨大的成就。

先生重视对原始社会史的研究，因此他对旧新石器时代的考古发现非常关注。他主持东北文物工作队期间，凡是下面报上来的发现，他或亲自前去或立即派人前往调查或发掘。新民偏堡子新石器时代遗址、朝阳长立哈达新石器时代遗址等，都凝聚有先生的宝贵意见。当沈阳新乐新石器时代遗址发现后，在发掘时先生亲到现场，进行了解情况和观察、分析这处考古发现的巨大意义。

青铜时代的考古，先生做了很多工作，最著名的是新中国刚成立不久的1950年4月清理发掘的黑龙江省依兰县倭肯哈达洞穴。后写成《依兰倭肯哈达的洞穴》发掘报告，他在《中国考古学通论讲义》中论述这处洞穴文化时说："根据出土遗物和遗址地形上看，这种人似乎以狩猎为生产手段，大量佩用玉制品，是与汉族文化有关，使用篦纹陶器，是和南西伯利亚一样，穿用骨制铠甲，可能与古史所记挹娄（肃慎）人有关，时代可能晚于周秦。"这在当时极少考古发现的情况下，得出这样结论，对这一地区的历史与考古研究，无疑是非常重要的意见。

在东北地区的考古工作中，战国与秦汉时期是先生研究的重点之一。1953年调查发现鞍山羊草庄战国遗址。1955年由先生主持，发掘了辽阳三道壕西汉村落遗址，这在当时我们国家全面揭露达两万多平方米的考古发掘，是很少见的。发掘出分散的七个农户的居住址，包括房址、土窖、陶管井与土窖井、畜栏、厕所，还有七座窑址及可容双车并行的、有支线与干线的铺石大路，出土各种铁制犁铧、镰刀、锄、锤等农业生产工具，还有车辖、货币、陶磨和生活用具以及炭化高粱等。这处遗址，充分反映出西汉时期辽东郡首府襄平近郊一个农村的生产生活面貌，他们显然处于自给自足的自然经济状态下，各农户独立进行生产，也包括手工业（如窑业）和运输。先生在《辽阳三道壕西婆村落遗址》这篇发掘报告中，详尽叙述了这些重要发现，并说，这"对当时农民生活的了解、社会性质的研究"是非常可贵的地下出土的第一手实物资料，因此具有很高的学术价值。

在战国至汉魏时期墓葬的发掘与研究上，先生致力尤多。墓葬仅辽阳附近就发掘了鹅房、大林子、徐往子、三道壕、袁家堡子，北园、南林子、唐户屯、桑园子等，还有西丰西岔沟以及沈阳南湖等地，此外，还对辽阳迎水寺、玉皇庙、南林子、三道壕、焦化厂、棒台子、北园等处的汉魏壁画墓，也曾分别进行调查或发掘。辽阳壁画墓最为著名，近年发现已达十余座，都在发掘后即封闭保存。因这种类型墓葬，独具特点，别无二处，是难得的考古发现，值得珍视，现均已被国务院公布为国家级重点文物保护单位。先生在壁画墓研究上，连续写了多篇文章，如《辽阳北园画壁古墓记略》《辽阳发现的三座壁画墓》《辽阳三道壕两座壁画墓的清理简报》《辽阳市棒台子二号墓壁画》等。由于壁画内容十分丰富，涉及各种题材与内容，若能以此为基础结合古代文献记载，可解决许多古代名存实亡、早已失传或搞不清楚的问题。就以壁画研究来说，先生缘此旁征博引，结合《汉书》《后汉书》《魏书》《晋书》《宋书》《汉宫仪》《汉宫旧仪》《东观汉记》《诗经》《礼记》《释名》《方言》《说文》等书记载，考证了壁画中的"礼仪制度"，对车舆中的高车、安车、轿车、金钲车、鼓车、帷车、白盖车、黑盖车、车帷裳、飞幸拿、车辖、乌啄、防铊、扇汗、白马朱鬣等，一一分辨清楚；对冠服制度中的进贤冠、通天冠、却非冠、却敌冠，帻中的平帻、介帻、屋帻、赤帻与铠胄、襦衣、樿榜、百戏衣、辊鞣等，均区别其异同，仪仗中的栗载、鞘、幢、麾以及乐舞名物中的建鼓、舞节、舞盘、食案、酒盟等，也都加以说明，使人从而得以识出。总之，这样条分缕析，使一些有名而不知其结构或见其图形而难于定名者，经先生精心考证，而使问题得以解决。至于壁画中的其他许多内容，各从不同角度，如社会的和艺术自身规律的等，都有说明。此外，对墓葬的编年序列，也都作了精辟论断，从而对辽阳汉、魏、晋壁画墓的发展演变，有了一个较为清晰的轮廓。

对东北地区早期的历史地理，先生也做了大量工作，并卓有成就。在赤峰撒水坡和建平黑水等地发现不同线段的长城，这是过去从未为人所知的。并还调查了许多战国至汉代的城址，如建平达拉甲、凌源安杖子、台安孙城子、抚顺劳动公园等地的古城址，这对确定战国到汉代建置是非常重要的。《中国北部长城沿革考》将分布在我国北方战国时期的魏、秦、赵、燕与统一六国后的秦，以及其后的西汉、东汉、西晋、北魏、北齐、北周、隋和唐代长城等，都分别加以考证，更重要的是用考古发现的遗迹与文献相结合，使我国历代长城的研究面貌一新。先生此文发表后，中央有关部门即向原刊发的杂志索取原稿，可见对先生文章的重视。另在先生所主编的《辽宁史迹资料》一书中，经考定的汉代城址有多处，如辽阳亮甲山古城为居就县址、台安孙城子古城为险渎县址、丹东瑗河尖古城为西安平县址、抚顺劳动公园古城为玄菟郡第三郡治址；在《周汉魏晋时代的辽宁史迹》一文中，定北镇大亮甲古城为无虑县址、在《西汉右北平郡治平刚考》一文中，定宁城县黑城古城为西汉右北平郡治及倚郭平刚县等，都是前此未曾有人探讨过的。这些定点，填补了汉代东北历史地理研究上的空白。

两汉及以后时期，东北地区的民族随着社会的发展进步，相继建立地方政权，这是中国历史的重要组成部分，也是边疆史地研究中不可或缺的内容。但过去由于文献资料很少，又没有考古调查发现，因此一般多不涉及，进展缓慢。先生从考古调查入手，对此作出很大的贡献。高句丽是在西汉时期建国的，统辖范围包括辽宁、吉林两省的中部和东部，在此地区建有大量山城，不过多不为人所知。先生在五十多年的考古生涯中，调查许多高句丽山城，如新金吴姑山城、金县大黑山山城（为高句丽卑沙城）、复县（今瓦房店市）得利寺龙潭山山城、岫岩娘娘城山山城、桓仁五女山山城、辽阳城门口村石城山山城（为高句丽白岩城）、西丰城子山山城、吉林龙潭山山城等，都作了报导，同时在他主编的《辽宁史迹资料》一书中，对所调查过的山城都作了考证，并又新考出：盖县青石关高丽城山山城是建安城址、海城英城子山山城是安市城址、沈阳陈相屯塔山山城是盖牟城址、抚顺高尔山山城是新城遗址、凤城凤凰山山城是乌骨城址等，这些考证现在已为学术界所承认，从而结束了那种高句丽城址建置处于扑朔迷离的局面。继高句丽之后是渤海，它建国于唐代，统辖范围主要在今天吉林和黑龙江两省的中部和东部。渤海情况大致和前面谈过的高句丽相似，许多建置也是需要靠考古工作来解决的。先生调查和发掘了很多渤海时期的城址，如桦甸苏密城、珲春半拉城、和龙西古城等，同时并考证吉林东团山下的平地城为渤海涑州，直到现在，学术界仍多采纳先生的意见。

先生致力尤深的，是辽金考古，并且取得令人瞩目的成就。辽金时期，形成了我国历史上的第二次南北朝，此时北方得到进一步开发、建设，草原城市大批涌现出来，在三百多年的长期稳定发展中，使得我国北方及边疆地区出现了前所未有的繁荣。以契丹族和女真族为主体的辽、金两朝，为祖国的历史进步作出了应有的贡献。但由于这个时期的文献不足，加上正统观念作祟，认为只有两宋才是正统，影响了人们的视听。因此从辽金考古入手，解决其在中国史研究中的地位，就是一项非常必要而又有意义的事情了。先生在辽金考古工作中，走遍了北中国大部分地区，取得了十分宝贵的第一手材料。

对于辽代考古，先生深入到契丹族的发祥地东蒙地区，他调查过巴林左旗林东镇辽上京城址、宁城大明城辽中京城址、巴林右旗白塔子辽庆州城址、林西四方城、小城子以及其他地方的以数十计的辽代城址，还发掘过巴林左旗石房子辽祖州城址。这在四十多年前还未见有人用现代考古科学方法，调查过这许多重要的城址的。在其所编著的《辽宁史迹资料》一书中，对在辽宁境内的十数个辽代重要州城，如铁州、祺州，成州、榆州等都做了详细论证，或考于另地，或提出创见，皆为前此所未发之言。先生还发掘了大量辽墓，如沈阳、辽阳、阜新、建平、喀喇沁旗、巴林左旗、巴林右旗等地的辽墓，不仅结构很有特点，而且出土文物亦颇丰富，有的为过去所不见。其中李进、萧慎微祖墓群等出土有棺铭和墓志，有的并还出有契丹文，这无疑都是很重要的发现。辽代萧氏是后族，位高权重，世为显官，萧慎微亦复如此。先生结合墓中出土的汉文与契丹文残墓志所作的研究，考出西山村辽墓群均为葬于重熙年间，两次出使高丽的萧慎微父祖等家族墓地。这一成果写成《义县清河门辽墓发掘报告》（当时清河门属义县，现属阜新市），对以后辽墓的发掘与研究产生很大的影响。此外，先生对辽陵的调查和研究也很关心。他曾亲自调查过巴林左旗大布拉格山中的祖陵，发掘过巴林右旗白塔子庆云山中的永庆陵；还对位于北镇医巫闾山中不明地点的乾陵和显陵十分注意。60年代在桃园发现琉璃瓦，初步认为可能与此一陵有关，先生非常高兴，后在龙岗子发现辽圣宗之侄耶律宗政和耶律宗允的墓，出土墓志都载有"陪葬于乾陵"之语，进一步调查时又发现大型琉璃瓦、瓦当等，先生即肯定说："辽乾陵位置可以确定下来，这可是一个大事！"喜悦之情溢于言表。70年代我去昭乌达盟进行考古调查时，临行前先生嘱我："辽太宗的怀陵找不到，《辽史》记载有误，这次一定要把怀陵确址定下来啊！"此时先生身体很不好，抱病在床，但仍时时在念，可见对辽陵调查是多么关心！

金代的考古与研究，先生同样作出很大贡献。他写的《金临潢路界壕边堡址》这篇长文，是第一次以考古调查资料为基础而对金代"万里长城"进行研究的。他把界壕走向，边堡结构、出土遗物和山川河流、交通道路等都详述靡遗，使之对金代界壕有了明确认识，这与仅从书本上片言只语谈界壕完全不同，让人耳目一新。以后在50年代初由先生亲自主持的对鞍山陶官屯金代农家遗址进行的考古发掘，他在《东北文物工作队一九五四年工作简报》中，根据发掘所获，揭示出中古时期辽河平原上一户农家的生产生活面貌。这处金代农家遗址十分典型，发掘也是非常成功的。

　　李文信先生除了前面所谈他在博物馆学、古器物学、考古学和以考古发现人手结合文献记载进行历史地理研究取得巨大成就外，他还特别在陶瓷研究上有更多的建树，可以说他是一位博学多识的古陶瓷学家。先生研究陶瓷，很注意田野工作，他调查过辽阳江官屯瓷窑址、抚顺大官屯瓷窑址、巴林左旗林东镇南山三彩窑址、白音戈勒茶绿釉窑址，还发掘过赤峰缸瓦窑村瓷窑址、巴林左旗辽上京故城内瓷窑址等，都有极为重要的考古发现。发表的《林东辽上京临潢府故城内瓷窑址》，全面报道了辽上京城址内这处以烧制精美白瓷和瓷胎黑釉瓦为主要特征的窑址的发掘情况和研究成果。在陶瓷研究方面，先生著述很多。他的《关于我国陶瓷的几种新资料》这篇文章，是根据1954年在北京故宫举办的"全国基本建设出土文物展览"所展出的几件早期带釉器物写成的。在当时这虽仅是一两件，但却透露出瓷器起源的信息，慧眼识珠，为先生感觉到，即以此考古发现为依据，提出新说，否定了前此以为我国瓷器出现是在魏晋时期占统治地位的说法。在文章中，明确提出"商周高温硬质釉陶是瓷器的原始阶段"，中国瓷器出现时间，应该说是在商代，并进而由两件周代灰青釉陶豆的出土进一步说："它的出现给中国瓷器由殷商到周代的发展史上，添了一个重要链环。"这个结论，为后来大量考古发现所证实。而在另一本著作《陶瓷浅说》中，对学术界持否定态度的"柴窑"问题，先生不为人言所左右，力排众议，独辟蹊径，依据文献资料和考古发现，认为"柴窑"的存在，在历史上是不容抹杀的事实。在中国古陶瓷的研究中，先生对辽瓷的研究贡献尤大，除上面所述调查大量辽代瓷窑遗址外，还有《辽瓷简述》《辽瓷图录》等著作，在辽瓷的整理、研究中，提出许多重要论点，如辽瓷与中原各窑产品的区别，辽瓷的特塞、鸡冠壶的演变形式以及辽代确有官窑并进一步推定官窑就是赤峰缸瓦窑村瓷窑址等，这都是前此未曾有人论及的，从而把辽瓷的研究推向一个前所未有的新阶段。就是在考古发掘报告中，对辽瓷的论述，在博物馆的辽瓷收藏、鉴定与陈列展览等工作中，誓生都有定谳之功，为我国的辽瓷研究打下了深厚的基础。还有一点应该说的，就是在先生的多年培养教育下，如今已成长出了一批新的辽瓷研究学者，继承和进行着由先生升展起来而未竟的事业。

先生的学术贡献，有口皆碑，实难尽述，风范懿行，表率人群，足资楷模。常青的历史将永远麓记有功于社会者。先生不朽，事业不朽！

五

李文信先生光明磊落、刚直不阿，他将毕生的精力，都献给了祖国的考古和博物馆事业。及至晚年，先生想坐下来整理自己数十年的学术成果时，却碰上了那场史无前例的"文化大革命"，一夜之间，学者变成了"反动派学术权威"，批判、斗争无休止底进行，先生身心遭受严重的摧残，健康状况不断恶化，竟至抱病在床，从此失去握管之机。粉碎"四人帮"后，否定了那些强加给先生的不实之词，冤案得以平反。1979年，根据先生的请求，经上级组织同意，由姜念思和我作为助手，协助先生整理他的多年就想编写书稿的计划。可是未等进行这项工作，姜念思又另有委任，我也因开展全省文物普查，被调去负责辽宁省中部和西部地区的沈阳、阜新、锦州、朝阳四市及所属县的文物普查工作。先生此后不久，由于病情加重，即进中国医科大学住院就医，以至未能将经数十年来积存于先生头脑中的宝贵财富留给后人，竟于1982年10月5日晨3时40分赍志以逝。夙愿未了，天不假年，这是多么令人心痛啊！这难道仅是先生的不幸吗？不，这也是事业的不幸！

我自1954年3月起，即跟随先生从事文物考古工作，几三十年。在此漫长的时间里，先生的每一言一行，都亲眼所见，亲耳所闻，先生的伟大精神，高山仰止，实在令人钦敬。先生逝世，我悲痛难言，和泪写诗两首，以悼先生。今将当时所写《七律·悼文信师》录下，以为对先生的深切缅怀，

其一

一世辛勤忒倥偬，朔雪漠风路未停。

魂系塞垣抚残瓦，情依辽水觅荒城。

野莽泐碑识缪篆，灯昏古墓辨丹青[潮

铢累寸积盈箱箧，简未成编竟遄升。

其二

我哭先生赍志终，万千心愿付秋风。

精思凝就如椽笔，宏构拟撰等身书。

天不假年留时日，医曷无术挽危松。

多少新见随俱去，痛失人间太史公。

[注]文信先生在《辽阳北园画壁古墓记略》中说，他观看壁画时墓内黑暗，仅凭"烛光如萤，寸寸移览"，在此情况下获知全部的内容，其艰苦之状亦可想而知矣。

默默中的怀念与追忆

杨仁恺

　　岁月易逝，老友李文信同志离开我们已届十个寒暑了。他如健在，应是秩晋耄耋九十大庆之年。同舟共济三十余载，往事难于忘却，反而经常浮现眼前，为之欷歔不已。我亦垂垂老矣，来日无多，今天还能再次躬逢老友的十周年忌，思念故人之情有增无已，也许是老年人共同的怀旧心情所致。

　　正当此时，接到《辽海文物学刊》编辑部来函，为文信同志出版纪念专辑征稿，而且限期追切，尽管我刚从新加坡访问归来不久，又将启程赴美国堪萨斯城纳尔逊博物馆，出席《董其昌国际学术讨论会》，亟待处理猬集案头的稿件，却又不能借故推辞，有负老友，于心不安。因此，排除干扰，勉力撰成短篇，藉以表达一点微忱。

　　一个人的寿命就算是能活满一百岁，在人类活动的漫长岁月中，只不过短暂的一瞬，前哲早已有感于此，见诸诗文，以警来者。问题在于活着的意义，对社会是否有点裨益？这倒是值得每个人加以思考的大事。自然，裨益有大小之别，哪怕是涓尘之微。都值得为之奋斗、争取，不负平生。我认为李文信同志在东北考古事业上的开拓和发展上，作出了卓越的贡献，在人世上没有空走一趟，他的音容和业绩一直深深地印在人们的心里。

回顾建国初期，在东北四省考古专家阎文儒、傅振伦、佟柱臣、罗福颐诸人，先后去北京工作，严格说来，只留下李文信同志只身一人，而当时发掘清理任务又极繁重，全靠举办短期培训出来的年轻人，在他的带领下，经过几个月轮番开班学习，并从事现场发掘，言传身教，带出一支实干的队伍。记得在辽宁博物馆建馆40周年的特刊中，有一篇冗长的文字稿，阐述过有关事迹，但昔日曾亲承教诲者，竟无只字刊布，令人不无遗憾。李文信同志一生光辉的业绩，是客观存在，有目共睹，如能有一篇由他的更为直接受教的门人撰写的文章真实、全面、科学地反映出历史面貌发表出来，意义必定深远。

李文信同志的田野工作，认真负责，吃苦耐劳，尤其诲人不倦，早为人们所熟稔，我曾在十年前吊念的文稿中也曾提起过。此处还为填补另一方面的材料，就是他对文献的研讨，从不放松，有的放矢，即理论与实践相结合，箭不虚发。因此，他平生热爱图书，精心阅读，可以在他读过的图书中看到各种各样的批注，对我启发至深。可惜遗留下来的大批经他批览过的书本，本当加以整理，连同部分笔记、文稿予以刊布，启迪后昆。虽曾对此有过建议，征得有关方面的同意，但迄未实现，似将化为泡影。据闻这批珍贵的资料，早已易主，原计划付之东流。所幸他生前曾将明代天启年间胡日从《十竹斋书画谱》恒版木刻套印精本捐献给前东北博物馆，得以安然无恙，庋藏在辽宁省博物馆中。80年代初，我建议上海朵云轩进行复制，少数残缺部分，补入郑振铎先生逝世后捐赠北京图书馆藏本，以广流传。有赖于朵云轩木版水印车间的几位同志，热心钻研，努力以赴，寒暑几更，终于藏事，原谱面貌，又得重显于今日，深堪庆幸！更值得庆幸者，此种复制巨帙于1988年在德国莱比锡国际图书博览会上，荣获国家级大奖，高出金奖之上。如果没有李文信同志将原作无私地献给人民，就不可能有此殊荣，不仅为国争光，也为我民族短版木刻水印技术名扬世界争光！文信同志有知，必当含笑九泉之下。

本来还有不少事迹值得追忆，迫于行程，兼之思路不畅，力不从心。还是我在前面所说，亟待曾经接受过他本人亲自教诲的高足，撰写一篇全面而科学的评价文章，以飨文博界同仁，则不胜翘企之至！

1992年3月20日于沐雨楼中

（原载《辽海文物学刊》1992年第2期）

325

深切怀念李文信先生

干志耿　孙秀仁

当此李文信先生谢世十周年之际,《辽海文物学刊》给我们一个永志纪念先生的机会,谨表感谢。

李文信先生是我们的老师。师者,传道授业解惑也。我们之对于考古学能从启蒙知识开始,进而产生浓厚的兴趣,以致后来走上一生从事文物考古事业的道路,这不能不说是先生引导的结果。

那是我们在长春东北人民大学历史系读三年级的时候,系里教学计划要给我们开考古学通论课程。当时历史系尚在草创阶段,有几门应该学的课程,没有老师开课,系领导为此而焦虑。于是学校乃派人专程去沈阳,邀请辽宁省博物馆李文信研究员为我们开考古学通论课。1955年寒假过后,李文信先生应邀北上宽城,出任东北人民大学教授。我们还清楚记得上第一堂课的时候,先生步入教室,稳健地登上讲坛。他留着背发,穿一身藏蓝色哗叽制服。陪同进教室的系主任佟冬将李先生向同学们作了介绍。于是,我们脑际中闪过这样的念头——"哦,终于盼来了这位著名的东北考古专家!就这样,开始了我们的考古学通论课。

李先生当时大约五十多岁，中等略高的身材，谦虚朴实，平易近人，没有一点教授的架子。一开头，他就向同学们介绍自己从事考古与博物馆工作的经验。他说他是从学习美术而转向田野考古和研究考古的。讲到如何学习考古时，他说现在还没有一本教科书。他自己多年来则是勤于实地调查，勤于考古发掘，勤于口问手写作好科学记录。至于在阅读古文献时，是记笔记或是摘抄卡片，各有利弊不能绝对化，但他自己是习惯于经常抄卡片的，这对积累掌握和运用资料比较方便。他说考古这门科学永无止境，他自己就是从考古实践中不断增进兴趣和事业心的。他告诫同学们，从事文物考古工作的人，既使已对文物产生浓烈兴趣，但也不要"玩古董"，这是必须遵守的职业道德。他说考古是一种很辛苦的职业，要肯于吃苦耐劳。譬如他自己，"哪里都去，像一只野鸭子，到处飞，所以现在锻炼得比较结实"。当他说到自己像野鸭子这一风趣的比喻时，同学们都笑了。

在课堂教学中先生注意形象效果，为了弥补没有教科书，而先生临时赶编的《考古学通论讲义》（油印本）中又没有线图的缺欠，他每堂课都要在黑板上写出大量的地名和专业词汇，赶绘许多线图。无论是器物的平剖面图或遗址、遗迹示意图先生都嘶得既快又好，准确生动，几乎都是一笔成，这大概得力于他早年学过美术的功底吧。字也写得熟练而道劲。先生常是写满一板擦一板，粉笔灰也就纷纷扬扬地洒满了全身，我们前去帮助，但先生常坚持要自己擦净，他舍不得让年轻的我们多吃粉笔面子。先生于细微处严于律己，从中可见。先生告诉我们，将来如果有谁干上考古这行，必须得学会画素描和墨线图，这是考古专业的一项基本功。

先生用较多的时间给大家讲了辽阳三道壕汉代村落遗址的发掘经过和他的看法，他讲了对遗址中的水井和道路遗迹的辨认经过。今犹历历在目，余音犹存。在讲到先生主持发掘依兰倭肯哈达洞穴时，着意描绘了他称之谓"窝窝头"状石器，引起了同学们的兴趣。他联系到《后汉书·东夷传》中挹娄人"常为穴居，以深为贵，大家至接九梯。"先生认为这种"穴居"应是半地下式的房址，当于屋顶开口为门；所谓"九梯"不是九个梯子，指的是梯子的横蹬较多，因为"九"为数之极，当然不仅限于九个横蹬。至于说到挹娄人"冬以豕膏土涂身，厚数寸，以御风寒"，先生认为数"寸"应为数"分"之误，并形象地比喻说，这正像现代人往脸上涂抹雪花膏，用以护肤防裂并稍许防寒。

当讲课提到山顶洞人已有骨管等装饰品，先生从美学角度联系到先民审美观点的起源，指出近现代所用为装饰的项饰、耳环、手钏等都有悠久的历史渊源，进而引申美和艺术是人类进步和文明的有机组成部分。先生以图示意，形象地讲解辽代鸡冠壶如何脱胎于游牧民族的皮囊容器，并从器型变化上找出它们的演进规律，并可用其作为对遗址和墓葬进行断代的参考。先生以他渊博的学识，丰富的阅历和专业实践，以他的生动风趣，不乏幽默的语言，结合他的唯妙唯肖的随讲随画，把考古学这门课程发挥得淋漓尽致。考古学课程开在1956年的上半年，论季节正是"春困夏盹"之时，历史系的有些课程令人沉闷欲睡，但先生的考古通论课却能讲得引人入胜。

我们这班毕业后有些同学走上了长期从事文物、考古、博物馆工作的岗位，这与先生的榜样的感召和把考古学这颗科学种子植入一群年轻人的心田有直接关系。

星期天，学校常是给先生配一辆吉普车到长春郊区，主要是沿伊通河岸，有时也到东郊的净月潭作考古调查。同行的有王亚洲、王恒杰、孙进己、干志耿、孙秀仁、刘俊山等人。总是由先生慨然出资购置食品，在郊外席地围坐与学生共进午餐。在伊通河做过调查的有四门李、黑咀子等地点。先生说，搞这种调查是为了弄清楚细石器的分布范围，也是为了比较吉、长两地新石器时代文化的异同。结果证实在伊通河流域有相当数量的细石器的分布，其制作技艺也已达到纯熟的水平。干志耿在黑咀子伊通河古河道采集一件翠镞的尾部，李先生即说，这是翡翠，过去在吉林龙潭山上曾有人采集到一件翡翠小斧。这件翠镞尾部，据说至今仍陈列在吉林大学考古系文物室。现在有些介绍翡翠的文章，总说中国使用翡翠大约是从明代开始的，上述情况证明早在新石器时代晚期就有了翠制品，不过那时用它做工具或武器，而不做饰品使用而已。后来，我们和王恒杰、孙进己、才一正、金寿烈等同学，还分头去过石碑岭、红石砬子、石场山等地，采集许多石器、玉器和陶罐等标本。在李先生的热心指导和推荐下，王恒杰在校期间写过一篇考古文章问世。

1956年利用学校放春假期间，李先生带领全班同学赴吉林市进行田野考古实习。我们到过的地方有东团山、长蛇山、龙潭山、猴石山、西团山、骚达沟、土城子等地，大多在松花江沿岸。东团山紧靠松花江边，李先生让同学们瞭望地形，指着依稀可辨的土棱说，这一圈是古代城墙的遗迹，那两个对称的土墩子便是当时的门址。在龙潭山山城，他告诉大家，这是高句丽山城，城内的所谓"水牢"其实是个大贮水池，以供城中居民饮用，还足以应付长期被围困；门址两侧的墙用石块垒砌，外侧呈方形，里侧成锥状，这是高句丽建筑的特点。在猴石山，指引我们考察了山坡上的几处穴居坑。还说，过去采石场在这座山上崩石头，出土了大型磨制石斧。在西团山，他领同学们观察了东北师范大学杨公骥教授发掘过的现场，南部有遗址，北部有墓葬。同学们分散采集，又得到不少标本。有的同学在墓地采集到一件柳叶形细石器箭头。晚上回到市里请李先生过目，他说这是一枚细石镞，这位同学的识别力不错。过去只知道东团山有细石器，西团山从未发现过，这次证实了西团山也有这类遗物。他站在山腰上，把同学们集合起来，指点地形地貌说：大家看，西团山这西山坡呈弧形，下面原来不是陆地，而是河湾，当时人们在山阳居住，死后埋在山阴，而山下河湾便是他们的渔猎之处。在骚达沟，领我们看了山巅的石棺葬。此地已经过发掘，文物均存吉林省博物馆。但李先生说，这么大的石板从山下运到山顶，需要许多劳动力，能组织人力把石板运上去。而死者的地位又如此尊荣，说明当时人们的社会地位已出现分化，墓主人可能是一位部落联盟的首领。他还推测说，往山顶运石板，利用了杠杆原理，是用数根圆木填在底下，一步步倒到山上去的。什么是考古调查，如何分析考古现象，从宁静的课堂走向广袤无垠的田野，李先生亲自实践，现身说法，留给我们以终生难忘的印象。使我们具备了较为充实的考古学基础知识和初步的田野考古经验，在我们毕业后投身工作的最初年月，就是靠先生赐予的这些去完成考古工作任务的。在长春市郊的多次考古调查，以及在吉林市郊考古实习中采集和试掘所得的文物都被携回学校，在李先生指导下定名、分类、登记、编号。我班同学采集的这些考古文物，加上后来系里从京、津等地购得的一些传世文物，成了历史系文物室的最初藏品。当时由王亚洲老师负责筹建文物室，刘俊山同志协助。在他们的努力下，使得一些藏品得以及时在文物室中展示出来。显然，李先生来东北人大任教促进了历史系文物室的诞生，先生作为文物室奠基人之一，是当之无愧的。

这年暑期，李先生带领全班同学到北京实习（当时按高教部规定，即使是文科也统一称做生产毫习），借住在中国人大海运仓宿舍，午间到中国历史博物馆食堂就餐，因天气炎热，然后需在午门楼台内小憩。实>-j期间，重点参观了当时位于从天安门到午门的中国历史博物馆，看中国历朝文物，使同学们对中国通史有了一个形象的感性认识。

李先生亲自出面请北京的著名专家学者给同学们讲课。裴文中先生讲中国旧石器时代。佟柱臣先生讲中国新石器时代。郭宝钧先生讲中国青铜时代，他说发掘殷墟武官村大墓时，发现埋有数百人殉葬，不敢对外讲，觉得那时的中国人太落后了，杀那么多人殉葬。后来郭沫若先生指出，这正是殷商奴隶制的铁证，中国那时已是奴隶社会。经郭老这么一说，方觉释然。唐兰先生讲中国青铜器。沈从文先生讲丝绸、漆器、典章制度。姚鼐先生讲古钱书。傅振伦先生讲博物馆学。马非白先生讲中国近代史陈列，因为那时午门楼上的中国近代史陈列刚刚开馆。

北京之行，使同学们开阔了眼界，在学业上有了飞跃性的进步。三分之一世纪过去，今日老同学相聚时，还常以此行的闻见为话题。也可以说这是李先生重视教学与实践，亦即把课堂教学和实际考察紧密结合起来，这是他多年来授业育人的科学方法所凝结的硕果。

毕业后我们一同分配到黑龙江省博物馆历史考古部工作，由于工作关系时常到辽宁省博物馆办事。我们只要是到沈阳、到博物馆，就必定要去拜访、看望李文信先生。记得，先生住的是邻近博物馆的一个院落里的几间坐北朝南的青砖灰瓦房。先生和夫人的居室总是窗明几净，火炕上通常放一张炕桌。各种精、平、线装的、各种开本的书摆满了书架，有时地桌和柜上也摆满了分类堆放的书籍，那应是先生近日看的，或是为考究某一专题而从他的大量藏书中临时聚拢到一起的。书当然主要是考古、历史之类的，中文的多，日文的也不少。有一次我们去沈阳看他，谈到关于陶瓷鉴定方面的问题。李先生说他近年编写了一本《陶瓷图录》出版了，他把所得稿费的大部分用来买了一本《故宫博物院藏瓷》。先生说，我工作几十年什么也没有攒下，除了过日子用的，其余的钱都买了书。

建国以后，主要是六七十年代，先生可时常收到从国外寄来的一些考古学论著。一次我们在先生家里，刚好日本考古学家关野雄给先生寄来一本精装的考古学书籍。先生把书翻开，边看边说，我和关野雄以及他的父亲关野贞都有过学术交往，他是子继父业，也成为一位著名的考古学家了。我们知道先生的殷切用意在于勉励我们在考古与历史科研方面做出更多的努力。

1973年冬季，黑龙江省博物馆搞中国陶瓷陈列，因缺少辽瓷，馆里派我们一人到辽宁省文物商店购买辽瓷，我们便到先生家里看望。谈到买辽瓷的事，李先生说黑龙江省出土辽瓷不多，辽宁文物店的辽瓷都是真品，可以选购一些鸡冠壶，丰富你们省的馆藏。

又一年冬天，我们去看望先生。他病了，不能出屋，就坐在炕上同我们谈。他计划写一部东北历史地理，给我们看了他积累的一袋袋文字资料。他说，研究历史地理不能光凭书本，必须得与实地调查结合起来，要复勘每处城址，我是"不见兔子不撒鹰啊！"他无保留地把他多年研究心得告诉我们：为什么一条河流在不同时代有不同名称呢？这是因为居住在这条河流上游的民族，总是用他们居住地的河流的名字来称呼其下游的河流，这启发我们联想到，比如在唐代，粟末靺鞨称今第二、第一松花江为粟末水，而今洮儿河、嫩江下游、第一松花江则被称为太涌水或它涌河的原委了。他又说：

《汉书·霍去病传》有"禅姑衍临瀚海，封狼居胥山"句。经后来标点变成"禅姑衍，临瀚海，封狼居胥山"，这是不对的。一般说，瀚海指沙漠，但这里是不对的。正确的标点应为"禅姑衍临瀚海，封狼居胥山"。这里指的只是封山、禅海。"姑衍临瀚海"就是阔亮海、呼伦池。以后当70年代末，我们着手写《黑龙江古代民族史纲》，到沈阳征求他老人家意见。李先生对我们多所鼓励并当即慷慨出示他的提纲，题名为《东北考古讲授提纲》。其中一些精辟见解，给了我们很多启发。

我们最后一次见到他老人家是1982年夏，我们去沈阳参加中国辽金契丹女真史学会成立暨学术讨论会期间。一到沈阳，就从同学和朋友那里听说李先生因旧病转重住院的这一令人深感不安的消息。我们便互相约好，带一些想来先生可能喜欢的食品等，赶到巾同医科大学住院处。只见先生在床上半卧着，看见我们来了，便强撑着坐了起来，露出了亲切的笑容，吃力地却是高兴地同我们打招呼，久久地握手。我们在他的床边坐下来。先生果然是患了多年的气喘病和冠心病加重了，费力地呼吸着。先生依旧是关心地问这问那，问工作、问生活、问这次会议、问熟人、朋友、学生，接着还是不忘谈学问。担心先生过于劳累，这次没敢向先生过多请教学业，只是把我们在黑龙江工作二十五年后写成并出版的第一本书《黑龙江省古代民族史纲》，恭恭敬敬地用双手捧献给了先生。先生会心地笑了，高兴得几乎忘了自己的病痛。连连赞许说："好、好、就得这么干！"我们说，这是一本习作，这初步成果包涵许多先生的教诲呢，一定请先生严加指正。先生又是谦虚地说："哪里、哪里，等我病情稍见好时，我一定好好看看。"先生再三地端详了这本书，然后把它平平正正地放在了枕边。我们怕先生过累，恋恋不舍地告别了，先生倚靠在床上，目瞩我们一步步退出病房。先生的眼睛湿润了，充满闪动的泪花，我们也感伤不已。我们都预感到这可能是最后一面，但谁也不忍把这句话说出来。

先生溘然长逝于1982年10月5日。我们共献了挽联，以寄哀思，以慰先生。联曰："学冠古今，恩泽桃李；风范永存，门人悲辛。"

先生一生中写了许多考古学论著，还有大批手稿未及整理发表。先生论著中的丰富的考古发现和诸多真知睿见，都是他博览群书、勤勉实践、邃于深思的结果。每当重读先生遗著，聆其滔滔宏论，如侍先生侧，其音声笑貌宛然目前；而当我们企踵于先生的足迹复勘遗迹旧墟的时候，当年先生在微风、细雨和阳中英姿镬铄地带领我们实习的身影重又浮现于脑海。十年过去了，先生不死，依然活着，活在他的亲人、挚友和众多学生的心中，也活在相知、相识者的口碑中。先生在海内域外考古学界的盛名，将随他的考古名篇的永垂而不朽！

（原载《辽海文物学刊》1992年第2期）

李文信先生和《辽海丛书》批注

王绵厚

一、审读经史，订讹指误

由李仲元先生整理的《李氏<辽海丛书>批注》（以下简称《批注》），是一部集李文信先生几十年潜研东北史地之学，并以读书笔记形式留下的叙事考证体的皇皇文论。《批注》包括从宋洪皓的《松漠纪闻》，到《大元一统志》，凡涉猎至宋元明清史籍18部，计635条。其字里行间凝聚着先生多年读书治学的殚虑卓识和莘莘之劳。正如李仲元序中所言："先君子致力考古工作五十多年，……晚年更留心东北历史地理，颇具卓识，多有发明。"其蕴序所言，实不过誉。细读这部《批注》，第一个特点是审读经史，订讹指误。表现了先生对东北史地文献的精熟功力，足称垂范后学。举如关于《松漠纪闻》的几点批注：

（一）原文曰："（女真）后唐明宗时，尝寇登州，渤海击走之"。

先生批注云："后唐明宗时渤海已灭"。此注虽寥寥数言，却颇为精审，指出了洪皓对五代时渤海史所记的讹误。按《辽史·太祖本纪》：天显元年春正月，"拔渤海扶余城"；二月"大赦，改元：天显，以平渤海遣使报唐"[①]。从《辽史》可知，926年一月以前，渤海已为辽所灭，而五代后唐明宗即位并改元"天成"，应在926年四月以后。此时不仅已不复有"渤海国"，而且早在辽太祖神册二年（917），契丹已据有辽东，并"筑长城于镇东海口[②]"。所以不可能出现后唐明宗时已灭国的渤海，击走女真寇登州史事。

（二）原书说："渤海国去燕京、女真所都皆千五百里，以石累城足。"

先生对此批注："此渤海国（都）去燕京，去金上京皆千五百里，似误以东丹国的辽阳府为渤海京城也。"

先生此注深邃精辨，索隐钩沉而解《纪闻》之里距大惑。

按渤海国都"上京龙泉府"，在今黑龙江省宁安县渤海镇，其石城尚在；辽金之"燕京"即今北京，而金代"女真所都"应指金初上京、今黑龙江省阿城县白城子，其遗堞犹存。如以渤海上京龙泉府为坐标，其西北距"女真所都"，充其量不过五六百里，而且南距"燕京"却有近三千里之遥。这与"渤海国去燕京、女真所都皆千五百里"相去悖远。只有今辽阳市即辽初所设"东丹国''辽阳府（初称东平府），西南距燕京恰一千五百里，东北距女真所都（白城子）亦在一千数百里之遥，与辽金时"千五百"稍合。可见正如《批注》指出，洪皓虽以宋人出使女真，其《纪闻》一书亦颇富史料价值。但毕竟以汉人入旅北国，已不深察从渤海国灭亡，到金初兴起这二百多年间的东北建置变迁，竟误以东丹国之辽阳府为渤海国之上京，并载于《纪闻》中。类似的记载，通观辽、金二史和宋人笔记，把辽初之"东丹国"误记为渤海之都，史不乏例。《批注》订正的旧史千年之误，足见先生深研辨史之才。

①《辽史》卷一，太祖本纪。
②同注①。

（三）原书记云："虏（契丹）中丞唯掌公谍，若断狱会法，或春山秋水，从驾在外。"

先生此条批注："春山秋水，应为春水秋山"①。此注虽相涉二字位移之差，却辨清了辽史中一项重要史实。

按辽代帝王以兴起于漠北群牧之区，素有"四季捺钵"之制。即所谓"秋冬违寒，春夏避暑，随水草就畋猎，岁以为常；四时各有行在之所"②。其中"春捺钵"地在"鸭子河"一带，史称"春水"。《辽史》记曰："春捺钵，曰鸭子河泺。皇帝正月上旬起牙帐，约六十日方至（春水）。天鹅未至，卓帐冰上，凿冰取鱼。冰泮，乃纵鹰捕鹅雁，晨出暮归，从事弋猎"③。春捺钵所至的"春水"，又称"鸭子河"，指今洮儿河与嫩江交汇至松花江中游段。因之鸭子河流域的今黑龙江省肇源县茂兴泡又称"鸭子河泺"。而大安县境的月亮泡又称"鱼儿泺"，均是辽帝"春捺钵"的重要驻地。与"春水"相应的"春州"，一称"长春州"，则在今前郭旗塔虎城。当代考古发现已与《辽史》相印证，对"春水""春州"均可确指。

所谓"秋山"者，与"春水"略同，只是集于山地而围猎。如《辽史》记载："秋捺钵：曰伏虎林。七月中旬自纳凉处起牙帐，入山射鹿及虎。林在永州西北五十里"④。辽帝秋捺钵所在，应在上京境内的炭山、赤山和平地松林等处，是为"秋山"⑤。

上述辽帝四季捺钵，春会于水，秋聚于山，不仅行用的方式、仪礼有别，而且在地域上殊远数千里。诚如《批注》指出，实为治《辽史》者不可不详察也。

（四）再如关于曹廷杰《东三省舆地图说》和屠寄《黑龙江舆图说》

①以下凡引《批注》中有加重号，均为笔者加。
②《辽史》卷三二，营卫志。
③同注④。
④同注④。
⑤王绵厚、李健才：《东北古代交通》，沈阳出版社，1990年，页183。

等，先生也有多处精论指疵之见，仅略举一二。

《东三省舆地图说》"挹娄国越喜国条"。原书说："铁岭县南六十里懿路河，一作奥娄河，通志谓即挹娄国"。

先生就此条批注："此说沿辽史之误，毫无根据"。

按先生所辨极是。曹廷杰先生虽素以治东北史地著称于清代学林，但亦难免有千虑一失。《舆地图说》中，以今铁岭南六十里之"懿路"（今仍名懿路乡），为古之"挹娄国"之误，可追溯自辽、金二史，并几乎误传了近千年史志中。

《辽史》地理志：东京辽阳府"北至挹娄县，范河二百七十里"[①]。《金史·地理志》又记曰：沈州挹娄县"本挹娄故地"[②]。

辽、金二史中的辽阳北二百七十里的沈州（今沈阳）之"挹娄县"，正是指今沈北"懿路"镇的音转。元人所修辽、金二史的大误在于，把金、元以后的"挹娄县"，错当作古（东汉）时"挹娄国"。其致误的关键，是忽视了辽灭渤海以后，把大量渤海国遗民南迁辽沈的同时，也把诸多渤海州县南迁后重置。其中辽代之"定理府挹娄县"，就是契丹人把原来设于黑龙江省牡丹江流域（古称挹娄河）宁安县境的"挹娄国"故地的渤海人，迁至今辽宁铁岭南"懿路镇"设立新县。金、元以后，"挹娄县"，音转为"懿路"，明代于此没懿路千户所，地名沿传至今。诸如此类，南迁易地而重名的渤海州县，在《辽史》中比比皆是。如沈州、辽州、双州、韩州、咸州、龙州、海州等。元、明以后修志者，多不辨前因把南迁的"懿路"，误定为古"挹娄国"，进而把铁岭南之懿路河，也错当古"挹（奥）娄河"即今牡丹江。以至明、清两代官修的《通志》等概莫能辨，贻误古今。先生此注，一语中的，辨清了《辽史》以来的千年误传，功在学林，利在千秋。

（五）对曹著《东三省舆地图说》，《批注》除指出以今洮南古城子为辽上京说之误以外，更指出了曹著以辽之上京"广宁县"为金，元以来之

---

①《辽史》卷二四，地理志。
②《金史》卷三八，地理志。

"广宁县"之误，尤可谓精辟之见，鲜为学人所注意。《图说》的原文称：
"考之广宁（馆）即今之广宁县"。

先生批注云："以广宁馆为后之广宁县，疏为可怪。"《批注》一个
"怪"字，实际上指出了两处不同时代的"广宁"，相背千里之遥，监非
同地。

愚按，前者《图说》之"广宁馆"者，指辽代上京所属的一处交通馆
站，曾见于宋代著名科学家沈括的《熙宁使房图抄》等宋人笔记。《图抄》
说：过高州北，"自广宁馆东北行，五里至登州"。这是指从辽中京北行上
京之道。其中"高州"故地，在今赤峰县北哈拉木头城子[①]，而高州以北的
"广宁馆"，以方位，里距排定，应在今翁牛特旗境内。这处"广宁"，只
是辽中京至上京道中的一个驿站。而后代之"广宁县"者，则是辽西望平
郡。它始见于金代"广宁府"，府治即今辽宁北镇。金王寂《辽东行部志》
记曰："望平，本广宁府倚郭山东县也。"元、明以后继承了金代地名，在
今北镇置有"广宁县"和"广宁卫"。医巫闾山也因之一度称为"广宁大
山"。此为古今信史、金石所证，诚不疑之说。《图说》中把辽代上京道之
"广宁馆"，指为金、元以来辽西"广宁县"，相距千里之外的两地混为一
谈，此为治辽史者不可不详察也。

二、洞察毫末，屡树卓见

李文信先生在《批注》中，不仅发微阐奥，订讹指误，而且深虑洞察，
考辨精当，所论屡有创见。再试举四例为笔者所阅见者。

（一）如对辑本《大元一统志》批注。其书原文曰："黄龙府……即石
晋少帝初安置之地"。先生批注："安置石重贵之黄龙府为旧黄龙，地近扶
余城，非此后来北迁之黄龙"。

先生此注的精审独到之处在于：指出了辽、金以来在北国，有旧、新二

①王绵厚、李健才：《东北古代交通》，沈阳出版社，1990年，页196。

处黄龙府。

按迄今为止，几乎所有的东北史地论著，仍多以辽、金、元以来的黄龙府，俱在今吉林省农安城一处。殊不知农安古城，只是通常所说的"北迁之黄龙府"。而辽初所置之"旧黄龙府"，即是五代后晋末帝石重贵北徙之黄龙府，应在农安以南。李文信先生雩辨的二处黄龙府，从文献中可考见于《辽史·地理志》："龙州，黄龙府。本渤海扶余府。太祖平渤海还，至此崩，有黄龙见，更名。保宁七年军将燕颇叛，府废。开泰九年，迁城于东北，以宗州、檀州汉户一千复置"[①]。

先生上述批注，精要指出，所谓"旧黄龙府"，实际上即《辽史》中的"通州"。它是辽灭渤海后，以太祖所崩地''有黄龙见"，初置黄龙府，所以一度又称"龙州"。保宁七年（975）因黄龙府叛将燕颇兵变，废置黄龙府。辽圣宗开泰九年迁城于东北另置，这就是史传中的农安古城"黄龙府"。后晋末帝石重贵被掠北迁之t·黄龙府"，时在公元943年，早于北迁之黄龙府的开泰九年有七十多年。理当是"1日黄龙府，，今辽北地区无疑。

（二）又如对《东北舆地释略》中"曷苏馆"条的批注："曷撒罕酉当是曷撒罕关之误。即化成关，辽时苏州关。址在金县南关岭上，左右为长城"。

按上述仅三十余字的简短批注中，先生厚积而薄发。实际上论证了涉及辽金元三代乐北史地中的至少如下五个问题，试为释略于后。

其一，"曷撒罕酉当是曷撒罕关之误"，又称"哈思罕关""哈思关"——皆源女真语"曷苏馆"而来。"曷苏馆"本为辽代迁熟女真一部、善冶铁者居民于辽阳之南得名。金代以后"曷苏馆路"不断南迁，先迁今熊岳南"土城子"一带"宁州"，后其辖地更包括辽东半岛金州之境。故元明以后，以金州南之南关岭的镇海长城为"曷撒罕关"，俗称"哈思关"。辽宁省张成墓碑拓本上即有屯田镇守金州"哈思关，，的记载。

339

①《辽史》卷三八，地理志。

其二，"曷撒罕关即化成关"。这是指金代在金州设"化成县"后，金州南关岭也随之改称"化成关"。明昌二年王寂在《鸭江行部志》中写道："自永康次顺化营。中途望西南两山，巍然浮于海上。访诸野老云：此苏州关也。辽之苏州。今改为化成县"。

王寂所记十分详明。辽代"曷撒罕关"，所以在金代改称"化成关"，实因于金州设"化成县"。

其三，批注说"化成关辽时苏州关"。即如上条所见，指今日金州（金县）在辽金两代的建置变迁。按《金史·地理志》："化成县，辽苏州安复军。"北宋赵良嗣在《燕云奉使录》也记载："宣和二年春三月二十六日，自登州泛海，……四月十四抵苏州关"[1]。这里所记的苏州关，正是指辽代苏州，即金代化成县的南关岭一带沿海关墙。

其四，曷撒罕关、化成关、苏州关，均"址在金县南关岭上"，这是指辽金元以来无篓尊曷撒罕关、苏州关、化成关或哈思关，只有地名变化，关址都在金州南关岭上。经笔者实地考察，金州南十八里之南关岭，今地属大连市甘井子区土城子村一带，地处海陆要津，犹如蜂腰，为金州南沿海要隘，古今兵家必扼之地。宋太宗淳化年间，辽为阻断女真与北宋的贡道，"去海岸四百里置三城（栅），以兵三千绝其贡献之路"[2]。这"三城"的第一道关城，就是金州南关岭上的"苏州关"。其他一关应分别为旅顺口三涧堡土城和长岛县上的北隍城。其金州南关岭的"苏州关"的确认，系辽海史地的标志之一。

其五，曷撒罕关（南关岭）上"左右为长城"。这是指始筑于辽代的控扼海道的"苏州关长城"。经实地勘察，辽代长城尚有遗迹，即在今大连市甘井子区大连湾土城村北东西陆背的关城遗址附近，现尚存约二米高的土垅。这即是辽代为隔绝女真南通之路在"苏州关"上所筑的长城。可称为辽东南部的"扼海长城"。

---

① 《三朝北盟会编》政宣上帙四。
② 《大金国志》卷四？。

（三）再如先生对《东三省舆地释略》中金代蒲与路的批注，亦具卓识。原文记曰："蒲与路当即今之齐齐哈尔城一带"。先生批注云："蒲与路在（金）上京北六百七十里，指为西北之齐齐哈尔附近，误。按路旧址当在富裕尔河南，克东县境"。

此注中先生早年的点睛之笔，颇具慧见。核证近年考古发现，1975年在黑龙江省克东县城西北十五华里的金城乡古城村，确实调查发现和试掘了金代"蒲与路"故城，并且有"蒲峪路印"出土。其城址正在富（乌）裕尔河南岸，与《批注》指出的完全相合。

（四）诸如上述先生考证于前，考古发现裨证于后者，《批注》中不乏其例。其中对曹廷杰《东北边防辑要》一书"木底城"的批注，亦可为典型一例。

原书作："木底城在今复州东，高丽之南道也"。

先生批注："木底城不在复州，在新宾木奇村附近山上。当时高句丽都城国内城不在平壤，其南道自不在复州"。

谨按，关于古代辽东高句丽的南、北二道和木底、苍岩诸交通镇城的位置，一直是东北历史、考古中悬而未解的问题。旧志中多如《东北边防辑要》，记高句丽南、北二道及木底诸城，莫衷一是，歧议纷争。先生于十数年前《批注》的精要之处，不仅指明了"高丽南道自不在复州"，而且指明了木底城"在新宾木奇镇附近山上"。前者经近年深入研究和考古调查进一步证明了，所谓高句丽"南道"，就是晋、唐时期的"新城——木底道"。即沿着今浑河河谷，经沈阳、抚顺东，进入苏子河谷道，东行高句丽前期都城"国内城（今集安）和"丸都"（山城子）的"南陕之道"[1]。后者《批注》指出木底城"在新宾木奇村附近山上"，更可谓慧眼识珠、指点迷津。在先生谢世以后，经近年考古普查发现，在新宾县木奇镇西北十五里的新宾上夹河乡五龙村，确发现了一犀高句丽山城。其地理坐标为北纬41度52分，东经124度35分。与古今交通地理印证，应即《批注》中指出的高句丽"南

———

[1] 王绵厚、李健才：《东北古代交通》，沈阳出版社，1990年，页119。

道"上的"木底"城。先生早年的预见，堪称真知灼见，令人感佩。其中对"木底城"的指证，素为二十世纪五十年代以来，学界所认同。

三、广搜博证，不苟俗同

李文信先生垂毕生精力，从事东北历史考古和文物博物馆事业，数十年足迹踏遍白山、黑水和辽海，渤碣之间。所以《批注》的另一个特点是广搜博证，注重实地考察，考辨綦详，不苟俗同，多处纠正了旧史志中视为"定论''的误说。本节再撷拾数条，以佐为证。

其一，对高士奇《扈从东巡日录》。原文说："庚子，驻跸辽河。……河西为辽西河东为辽东"。高氏之说，极易为世俗所认同，然而却大有悖于东北史的实际，《批注》指出："以辽河划分辽东、辽西、实误"。

先生考辨精当。按近人或以为以辽水为限，划分古之辽东、辽西，当顺理成章。以至连清康熙时，扈从清帝东巡的饱学之士高士奇在《日录》中，也因缘旧说，而不能脱俗巢穴。先生此注一语破的，可谓不苟俗同、顿开茅塞。

按，从战国时在北方设郡伊始，历经秦汉、魏晋，辽东、辽西两郡，从未以辽河为界，而多以"北镇"医巫闾山和大凌河以东为限。当代考古发现证明，早在六十年代已勘定的著名汉代辽东郡"西部都尉"治所"无虑县"，即取名医巫闾山，故城已发现在今北镇县西南的大凌河以东一带。可见古代之辽东郡，尚包括医巫闾山东南的北镇县境。公元十二世纪以后的金王寂所著《辽东行部志》，也包括了辽河以西的广阔地界。

直至明代的"辽东都司"，仍包括山海关以东的整个关东腹地。质言之，古代"辽东"，非单以辽河为界，而有"辽远"之意，概指辽海全境。

其二，对同书"闾阳驿"条。原文称："丙午，过杏山，驻跸闾阳驿。……按《金史》闾阳本辽之乾州广德军，以奉乾陵故名"。先生批注："以闾阳驿为辽乾州，实误"。

按，以间阳为辽之乾州，实沿《金史》之误。《批注》的精辟考见，进一步辨清了千年史误，诚为治东北古代交通地理的卓然之见。辽代乾陵之奉陵邑乾州故址，已发现在今北镇县西南北镇庙前古城。而今之辽西间阳驿镇，实为金代迁置的"闾阳新县"。金章宗明昌元年，王寂出巡辽东，在所著《辽东行部志》中记载详明："早晨，次间阳新县。……去岁以县非驿路，移东南六十里旧南州寨为县治"。自此南迁的间阳新县，到了明代以后，专设为间阳驿站。清康熙时高士奇扈从东巡，出山海关经锦州去盛京大道，间阳驿为其必经之地。只是高士奇不辨辽、金二史上的新、旧两个"间阳县"之别，误把"间阳新县"定为"乾州"。先生不沿旧说，考辨详明，间阳驿非乾州，已为当代考古发现所证明。

其三，对杨伯馨《沈故》中所记辽代帝陵的考辨尤为精审。

原文作："辽太祖陵在广宁城北间山之麓"。

《批注》说："应是东丹王陵之误"。

按，先生一生亲自考察东北历史地理，多所创见。《批注》所指广宁（今北镇）城北间山之麓的辽陵非太祖之陵而为"东丹王陵"，早已为当代考古发现所证。前者太祖陵，在今内蒙古自治区巴林右旗白塔子，即"祖州"所奉之''祖陵'。后者"东丹王陵"，即"显陵"。《辽史·地理志》："（东丹王）人皇王（耶律倍）性好读书，不喜射猎，购书数万卷，置医巫间山绝顶，筑堂曰望海"[①]。世宗耶律阮继位后，感其父"爱医巫间山水奇秀"，乃葬其父于医巫间山之麓，并建"显州"以奉显陵。但葬于医巫间山的辽代"显陵"，在金初已遭女真人的毁掘。所以自辽代灭亡以后，乾、显二陵已湮闻了近千年。直至本世纪五六十年代，以李文信先生为首的辽宁考古工作者，才在文献记载的基础上，通过多年实际调查，使"显陵"重新为世人所瞩目。在他主编的《辽宁史迹资料》一书中，先生写道："1960年文物复查工作中，在桃园屯董家坟台地发现了一个辽代建筑遗址。……发现的砖瓦，特别是大量大型的绿釉琉璃瓦、兽面瓦当、大板瓦、筒

①《辽史》卷三八，地理志。

瓦、长条瓦等，造型、胎质，多与内蒙林东瓦尔曼哈辽永、庆陵遗物相同。由上述情况来看，这个遗址不是居住址，也决不是一般阶层，甚至一般贵族所能拥有的建筑设施，而是皇帝的陵寝无疑。结合文献初步考察，不是显陵，就是乾陵"[1]。

按照《史迹》提供的线索，经近年考古调查进一步探明，在北镇县富屯乡"龙岗"村西北约六华里的"琉璃寺"，又发现有占地约二万平方米的辽代建筑址。周围群峰环抱，遗址中发现有石筑墙基并有大量辽代琉璃瓦、板瓦等建筑饰件。特别是在"龙岗"发现的辽秦晋国妃墓志记载："有诏于显陵开魏国王玄堂而合附焉"[2]。进一步确证了所谓"龙岗"辽陵遗址，应是辽初东丹王耶律倍的"显陵"所在。对古迹遗闻的考察，贵在探奥发微预见未卜，并往往不是一代学人所能完成的。先生对辽代乾、显二陵的地望踏察和考证，在数十年后。仍惠泽于后人、而留下了最终寻证显、乾二陵的筚路褴缕之功。

其四，对博明希哲《凤城销录》的批注。原文："凤凰山麓有故山城。……相传为凤凰城，朝鲜人呼之曰安市城"。《批注》曰："指凤凰城为安市尤误"。

先生此注一语破的。明清以来史家或以今辽东凤凰山城为"安市"，皆因袭旧说之讹，贻误良久。

按凤凰山城，位于辽宁省凤城县东南十里，围筑于山脊，周围约十五公里，壁立千仞，为辽宁省内最大的高句丽山城。1980年夏，笔者偕徐秉琨同志考察这座山城，在山脊北门垒石积高尚存六十余层，高可七八米。从唐《翰苑》中等考察，这正是高句丽之"乌骨城"。

李文信先生早在三十年前主编《辽宁史迹资料》时已考定于此，言之确确。

而历史上真正的"安市"城，共有二处：一是汉代辽东郡"安市县"，

---

[1]《辽宁史迹资料》页14。
[2]《全辽文》卷八。

地在今营口县东北汤池堡乡英守沟古城或海城县析木古城^①。一是高句丽之"安市城"。故址在今海城市南十五里英城子山城为营口海龙川山城。

英城子为先生生前亲自调查确认。1979年修订《辽宁史迹资料》时，笔者曾亲聆先生指出：本世纪60年代初，调查该山城"在城址东南角的外面，还有人工堆起的小土山"。这正是《通鉴》中记载，贞观十九年唐太宗率人攻打安市城。"江夏王道宗督众筑土山于城东南隅，浸逼其城"^②。留下的遗迹。先生注重实地考察，不囿成说，广征博证印证历史的勤谨学风，于此窥一斑可见全豹。

其五，对《塔子沟纪略》中榆水、榆州的批注亦现先生之卓见。

原文为："利州长寿山玉京观地产传后弸讼碑……，跂利州之西，凭榆河之渡"。

先生批注云："利州榆河，即今凌源二十里铺河，辽榆州位于河北，汉字县亦在此流域"。

先生以山川水系，考证古地理亦十分精审。按上述短短的批注，所涉古今辽西古地理内容极多。余近年仰先生之尘，留意关东历史地理，恕为此略释如下条：

（一）"利州"者，指辽金元利州城，今喀左县东之大城子古城。"榆河''如先生所指，即今大凌河上源西支"凌源二十里铺河"。清代以凌源称"塔子沟"，又称"塔子沟河"，亦俗谓凌源南大河。古今为交通孔要和辽西名川，早在先秦时已有"俞人"居住于"榆（渝）水"上城为古今辽西^③。

（二）"辽榆州位于河北"，是指发现于凌源县西十八里堡的辽"榆州合众县"治。古城位于大河北，早在本世纪六十年代先生主编《辽宁史迹资料》时已索证于此。所谓"榆州"，实取名于大凌河上游古"榆水"而来。

①《东北历史地理》第一卷，页292。
②《资治通鉴》一九八。
③拙著《东北历史地理》第一卷，第二章。

（三）以古"榆水"名地，不限于辽。先生据此又推论："汉字县亦在此流域"。此说尤有见的。考古发现证明，1979年在凌源县西安杖子村，调查发现了大型汉代古城。城中发现有数十块封泥。其中有白狼、广城、当城、夕阳、延陵、无终、泉州等县，唯不见"字县"。证于《汉书·地理志》记载，右北平郡字县条："榆水出东"①。与今日地理印证，凌源南大河（古榆水），正从安杖子古城旁一泻东流而会大凌河干流。先生之考辨与考古发现和汉志记义俱相合。亦证先生对东北历史地理博闻而强辨，如数家珍。作为开创性的成果，此说已被吸收人《中国古代地图集》和国家"七五"，规划科研项目《东北历史地理》等专著中。

总之，如开章明义，《批注》作为一部厚积而薄发的力作，所涉东北史地领域极为广泛。作为后学者，不惟笔者之浅薄所能点评，更不是本文的有限篇幅所能囊括。本文的目的，只是扼要选择《批注》中之精要，聊当于先生学海证史中拾贝，以介绍给有志于此的后来学人。并以此纪念对我的从业有启蒙之功的李文信先生九十周年华诞暨逝世十周年。

（原载《辽海文物学刊》1992年第2期）

---

① 《汉书》卷二八，地理志。

纪念李文信先生

徐秉琨

辽宁省博物馆已经走过了50年。现在，政通人和，是可以大展鸿图，再创辉煌业绩的时候了。而回顾这50年不寻常的历程，人们不禁要深深怀念当年为本馆的创建和发展而倾注了大量的，甚至是毕生心血的一些老同志们。首先，是李文信先生。

先生字公符，辽宁复县人，自幼贫苦，在吉林省吉林市长大。后曾在美术学校学习美术，毕业后从事教育工作。由于热爱考古工作，早在20年代初期至30年代，即对吉林龙潭山等地遗迹作过多次调查。这在东北是时间最早的考古工作。1938年到沈阳，从此成为专业的博物馆考古工作者。1945年东北光复，几个无知的苏联军人曾进入博物馆，先生冒死保护馆舍文物，险遭不测。1948年沈阳解放以后，从东北博物馆建馆开始直至他1982年去世，在馆里工作了三十余年。历任研究员、研究室主任、副馆长、馆长，还兼任中科院考古研究所学术委员、《考古通讯》编委。1956年起兼任东北人民大学教授。拨乱反正以后，当选中国考古学会第一届理事会理事、中国博物馆学会名誉理事、辽宁省考古、博物馆学会和辽宁省历史学会名誉理事长。任辽宁省多届人大代表、全国政协第一届会议特邀代表。于1979年以高龄加入中国共产党，1982年去世，享年80岁。

在东北博物馆，从一开始他就是馆里所有业务工作的实际领导者、总大成者和决策人之一。不论是陈列、文物特展、藏品的鉴定和研究、考古调查、发掘及研究，都离不开他的策划，并往往是由他领导实施并最后完成的。他博学多识，善于解决业务难题，艾能团结同志，因而尽管初时没有什么具体官衔，却是一位实际的领导者。大家戏称，也是尊敬地、亲切地称他为"大法师"，所谓"玄奘法师者，法门之领袖也"。张拙之同志以其政治的敏感，1950年到馆伊始就紧紧地依靠先生和后来的几位研究人员，他知道，只有这样才能做好工作。那几年馆里的工作，真是开展得蓬蓬勃勃。例如，"二反运动"后的馆藏品整理登记工作，就是在1952年进行的。当时，t，TJ"件组的藏品，要逐一鉴定（包括不同意见的讨论和归纳）、登账、著卡，工程浩繁，业务和后勤工作量极大。张拙之同志在文物分类鉴定、登卡方面依靠以先生为首的业务人员，在保管制度的建立和一些账卡、凭证、报表的制定方面依靠曾学习和从事过会计专业的研究人员胡文效同志，团结大家，以非凡的拓展事业的魄力和很强的组织能力，倾全馆数十人之力，在艰苦条件下克服了重重困难完成了这项任务。这在当时的文博界是一项史无前例的、震动很大的工作，有深远的影响。藏品整理的核心是文物鉴定（时代、文化性质和真伪的鉴定），先生在这方面是起了重要作用的。我馆的保管工作也是从那时起打下了一个良好的基础。胡文效同志是一位才子型的学者，为人谦和而认真、善诗文，才华横溢。他对馆内的事业建设、一些重要藏品（如齐白石作品）的征集、陈列的筹划、学术成果的研究出版方面都作出过重要的贡献，可惜在70年代初，从下放的农村调回馆不久，即英年早逝，令人惋惜不止。

先生是一位著名的考古学家。对东北考古，他作了大量的调查、发掘与研究工作。几十年中，举凡东北地区的史前文化，东周秦汉、魏晋南北朝、辽宋金元以至明清各个时段，也无论居住址、墓葬、城址、塔建等遗址，都留有他工作的业绩和痕迹。他从事考古研究的一个重要特点是将考古实践和历史文献密切结合，精详考证，尽量将问题一次说透，或画龙点睛，只是一两句话，却已将最重要的论证揭示出来，而又往往是不易之论。对北园汉墓壁画的研究、沂南画像石的研究以及关于清代卤簿仪物的研究等，皆对照实物或图像逐项征引文献，其中关于一些冠式、服制、车制、舞乐百戏、庖厨宴饮、仪物用具之考证皆周细邃密，解决了很多对壁画内容的认识问题，俱见博洽和精深。而对辽萧慎微祖墓研究的结语中，谓此即出使高丽之萧慎微；在《上京款大晟南吕编钟》一文中指出刻有上京款的这一乐钟，即为靖康之祸的实物见证，亦一言而定谳。这类例子举不胜举。若不是对众多史籍眼熟能详，无以臻此。

他有自己独特的研究风格。1954年全国基建出土文物展览会在北京午门展出，各大区送展文物满目琳琅，各极其胜。党和国家的一些领导人也不断前来参观，影响很大。专家们纷纷著文介绍。当时先生应邀赴京参与展览工作，他置很多文物名品不去介绍。独独写了一篇《古代的铁农具》。他说各地出土如此之多的农具是前所未有的，这是重要的生产工具，是社会生产力发展的见证，是研究中国农业经济史的重要资料，其对历史的作用，较之其他文物更为重要。1956年先生受聘为吉林大学历史系教授，讲授考古。行前准备了讲义。他说，考古学的原意就是古物学，讲中国考古学，就应该远从宋代讲起。现在我们看他的《中国考古学通论纲要》，在《考古科学的起源与定义》一节中，果然是从欧阳修、吕大临的《集古录》《考古图》等讲起。现在称之为金石学，然而，这却是早期的考古学。这种独特风格是一种十分可贵的学风，应该得到继承和发扬。

先生博学多识，除考古外，对丰富多彩的博物馆藏品、古器物的研究与鉴定都有很高的水平，旁及古今民俗、服饰家具、器用工艺等等也无不作考察研究，是兼长于考古、博物馆两方面专业的少有的专家。先生是一位著名的古陶瓷专家，早在50年代即向馆内青年同志讲授过陶瓷，写有后来被冠名为《陶瓷浅说》的书稿。也是在1954年。全国基建出土文物展览会上，一些学者提出了"原始瓷"问题。或认为有，或以为无。有人提出一些器物的釉面只是高温下窑顶落下的灰汁造成的，并非人工施釉。先生说，这很好辨认，窑汁只能落在器物的口、肩处，腹部以下内收，应该无釉。如果腹下和足部也有釉，那就是人工施釉，而非自然造成的。他在辽瓷研究方面更是一位开创者。他对鸡冠壶的定名和分期，至今仍是辽瓷研究的一个重要基础。他早年调查赤峰猴头沟辽代窑址，根据宋人《行程录》中关于官窑馆和元《一统志》的记载，指出当地应即辽代官窑所在。这一论证至70年代在窑址中发现了带"官"字款的窑具而得到证实一在织品鉴定方面他也是独具慧眼。在东北博物馆建馆之初，原藏清官的织品梁贞明一年款"金刚经"和另一件"仪凤图"即入馆收藏。两件在《秘殿珠林》和《石渠宝笈重编》著录均作"刻丝"。先生仔细观察，认为是通纬所织，应属于织锦一类，不同于刻丝的通经断纬，又是专门织作的成件织品，应更名为"织成"。并将"仪凤图"的时代由宋改订为元。几十年后，经纺织专家对这两件织品又作观察并绘出部分组织图，除肯定两者都不是刻丝而属锦类织物外，还根据这些年来出土的众多可作断代比较的古代织物情况，认为"仪凤图"的年代改订为元是正确的。先生平时对书画鉴定也发表过不少意见，但留下者只有现在看到的《奇情逸趣，信手而得》评析高其佩指画一文。他在这方面深厚的学识基础和高水平的专业造诣从文中大体可见。当时馆里举办高氏画展，展馆门外挂着由他书写的"铁岭高其佩指头画展"汉隶榜题，古意盎然。

　　先生曾说，他下功力最多和最深的是历史地理和陶瓷两方面的研究。实际上，多年来他走过东北和内蒙大地很多地方，调查和勘察过大量的山川、道路、古代城址和建筑遗迹，他分析考察其位置、走向，用这些考古实践得出的认识和文献记载对照研究，因而对于东北历史地理情况再熟悉不过。故有时听说哪里发现了一处城址，可以当即指出应是某某城。50年代初一次从辽阳出差东行，途中跨过一条河，远远望见一道土丘，近前考察，原来是一座汉代城址，已仅存其半。先生当时就说，这应该是汉代的居就县，随口念了一条《汉书·地理志》的注文："室伪山，室伪水所出。"说这条河就是室伪水。60年代初，丹东瑷河尖发现了'汉城址，他指出应是辽东郡的西安平县。至70年代，城中出土了"安平乐未央"铭瓦当和"安平城"铭陶片，证实了他论断的正确。这些发现的成果后来都被反映在《中国历史地图集》中。他研究古长城几十年，早在50年代初就在馆内作过关于燕秦长城的学术报告。至70年代始有机会整理发表《中国北部长城考》一文。至1980年，因宁城黑城子发现新莽泉范，又发表《右北平郡治平刚考》。他多年积累了大量有关历史地理的实地勘察资料，惜无时间整理。60年代在一次闲谈中，他说及《辽史》的疏误，尤以《地理志》为甚。积累了多年的考古和文献资料，他的心愿是写成一部《辽史地理志笺证》，以将他对东北历史地理的研究作一全面系统的总结。"那就是可以传世的了"。我曾设想，先生的这本书如能完成，也许会是一部类似郦氏《水经注》那样的大著。可惜天违人愿，"文革"的到来把一切都打得天翻地覆，先生也备受折磨，"文革"过后，已是病弱难支。这一愿望终于未能实现，真是让人抱憾终身的遗憾了。现在我们能够看到的先生历史地理方面的论著主要是几位同志编辑的考古文集收录和列目的几种，还有就是《辽宁史迹资料》中省市建置沿革、辽东边墙、马市、柳条边、盛京牧厂几篇。建置沿革的几篇曾经是地图出版社编制《中国历史地图集》（谭其骧主编）东北地区部分时的重要参考资料。文中简要勾画了辽宁省境内几千年来的史地变迁的一个轮廓，并明确指出了历史上一些郡、州、府、县治所的所在。虽然只是几个字的地名，实际上凝结着先生多年调查考据的心血。另经李仲元兄整理发表的先生的《辽海丛书批注》，更是精彩异常，对所注书文指疵匡谬，比证释疑，言简意赅而一针见血。新见发明，纷见迭出。注者信手拈来，若不经意，读时则如见珍

珠散地，异彩纷呈，又如行山阴道上，应接不暇，时时一语破的，会心不远。先生东北史地之学的成就，于此可见一斑。可惜，已经不能看到全豹了！

我初见先生是在1950年。那时我刚刚进入东北博物馆，到馆才几天，先生拿来几件辽瓷，问我能不能画出器物图。因为我读过土木工程，学过制

图，就接受了下来，这就是后来发表的清河门萧氏族墓报告中的几幅辽瓷测图。我感到惭愧，因为那时还不懂得表现作为艺术品的文物测图和机械制图应有区别，应该注意保持器物造型的完整和美观；但这却是我接触考古工作之始。1952年我学习考古回来，又和先生一起，陪同谢辰生司志、常沙娜女士两位清理摹绘辽阳棒台子与窑业四场两处壁画墓。以后就是配合基建而进行的鞍山、辽阳两地汉墓的大发掘。在1954、1955年间，先生兼任考古队队长，工地具体由孙守道兄和我共同或轮流负责。他来工地时常趁节假日之暇，命我陪同出外调查。还有几次陪同他出差。就记忆所及，在此期间，调查过辽阳的岩州城、鞍山的旧堡、大石桥的耀州城、海城的析木城、汤池城、盖县的青石关城、熊岳城、归州城、团瓢等地，抚顺的高尔山城、承德的外八庙、天义的大明城，在吉林，他再次考察了西团山和龙潭山城等等。先生几乎是从不休息，在家时手不释卷，出外时足不停步，笔不停记，调查归来无论是多累多晚，一定要把笔记整理好。如果可以说有谁是视事业为生命，那么，先生是当之无愧的。1955年先生已经五十多岁，一次在朝阳火车站等候换车，时间只有4个小时，那时的朝阳还很荒凉，我们步行去凤凰山，直登山顶，看了上、中、下寺并寺塔，来回四十余里，回来时火车刚到。在辽中京大明城，我和热河的张平一同志陪着他，他硬是步量了几十里的城垣，当晚又赶回承德。不记得是哪一年，为调查辽代投下州城，在大巴火车站下车时已经天晚，投宿到一处农村的"大队部"，睡在队部光光的凉炕上，饥肠辘辘，时值严冬腊月，队里只找来一条窄窄的单人褥子，我为他盖在身上，他还一再推让，囫囵着和衣而卧，他笑说："又得当回'团长'了"。还是天寒地冻日子，半夜在叶柏寿下车，仅有的三家小店都已住满，"叶柏寿，夜难受"，候车室里连椅凳也没有，我们只好靠墙蹲下，如流浪汉一般，直到天明。这些情景回想起来还如昨日。先生的勤奋和吃苦耐劳的精神是我永远不能忘记的。先生平易近人，诲人不倦，讲课时深入浅出，时时引诗说典，谈笑风生，我们这一代人都曾深受教益。1965年底整理冯素弗墓简报时，面对2号墓四壁壁画摹本，众多的人物、动物、建筑，无头无尾从何说起？我就是按照辽阳壁画墓的记叙方法，一壁一壁、一段一段地逐次写来，先生看后笑了，说："这是北园的作法。"平时对大家一些研究考证工作中的随时指点、相互参详，更是书不胜书。先生的逝世，在辽宁和东北文博界引起了巨大的悲恸，有的唁电说，"痛彻心肺""痛失我师"，震悼与悲痛之情溢于言表。先生精神感人至深，这不是偶然的。

先生之风，山高水长；先生的道德事业，非一篇小文所能仿佛。博物馆的建设，是一项耗时费力的工作。要建成一家具有一定规模和特色的博物馆，需要几代人的努力和积累。前人筚路蓝缕，以启山林，不仅给我们留下了光辉的业绩，也留下了宝贵的创业和敬业的精神。希望这种精神能永远地昭示后来者继续地、勇敢地前进。

（原载《辽宁省博物馆五十年》，辽宁省博物馆编印，1999年）

考古学家李文信

王绵厚

李文信，字公符，享誉中外的我国著名考古学家和文物博物馆学家，辽宁省复县人。1993年10月23日生，自幼家境贫苦，在吉林省吉林市长大。早在20世纪30年代初，先生在奉天美术学校毕业后从事教育工作时，即对吉林省龙潭山等地的史迹进行过调查，并于1937年在《满洲史学》上发表《吉林龙潭山遗迹报告》一文。这是中国学者以现代考古学手段，最早发表的有关东北考古的专题报告。

1938年先生奉职于沈阳"奉天国立博物馆"（今辽宁省博物馆前身），开始专门从事文物考古工作，直至1982年10月逝世为止。在半个多世纪的岁月里，他毕生潜心于东北历史考古和博物馆事业的科学研究，足迹踏遍东北的白山黑水和松江辽土。他的考古学实践和研究成果，在国内外学术界产生了广泛的影响，并受到普遍尊重。生前历任文物工作队长、研究室主任、东北博物馆副馆长、辽宁省博物馆馆长。当选为中国考古学会名誉理事、辽宁省博物馆学会和辽宁省历史学会名誉理事长、吉林大学兼职教授。为辽宁省多届人民代表大会代表和全国政协第二届特邀代表。

从20世纪三四十年代开始，先生涉足东北三省和内蒙古东部，经他主持和参与调查、发掘的重要考古遗迹有：吉林省龙潭山、东团山高句丽、夫余等历史遗迹；辽宁抚顺高尔山和辽阳、鞍山、旅大、义县、北镇、朝阳等汉魏至耳代的大量遗址、墓葬和古城址。此外，吉林省的集安、和龙、珲春，乃至黑龙江的依兰倭肯哈达洞穴和渤海上京；赤峰巴林左、右旗的辽上京、祖陵等地，都留下了他艰辛跋涉的足迹。其子李仲元先生在《李氏〈辽海丛书〉批注》序中说："先生足迹遍南北，对辽、吉、黑三省的山川形势、地理沿革极为熟悉。晚年更留心东北历史地理，颇具卓识，多有发明。"此文言简意赅，诚为先生一生勤勉治学的写照。

李文信先生在注重考古调查和发掘的同时，也极端注重文献与史迹结合的综合研究。他在东北边疆史地和考古学研究中，特别在东北历史地理、汉魏墓葬和辽代陶瓷考古等诸多领域，都做出了多项开拓性的贡献。从20世纪30年代开始，他先后发表的《吉林龙潭山遗迹报告》（1937年）、《辽阳北园壁画古墓纪略》（1947年）、《辽阳二道壕西汉村落遗址》（1957年）、《义县清河门辽墓发掘报告》（1954年）、《辽瓷简述》（1958年）、《中国北部长城沿革考》（1979年）、《西汉右北平郡治平刚考》（1983年）和《中国考古学通论纲要》等，代表着先生倡导将考古发现与文献结合，善于见微而知著、厚积而薄发的严谨而精深的学识。如1947年发表的《辽阳北园壁画古墓纪略》，是第一篇对有影响的辽阳汉墓的系统研究。其中广泛涉及汉魏辽东的墓葬结构、壁画题记、冠服仪仗、乐舞饮食、车舆制度、坟山与建筑等几乎汉魏社会的所有方面。半个多世纪过去了，每拜读先生的这篇长达6万言的"纪略"，深感迄今仍是对汉魏墓葬考古最有系统深度的圭臬之作。由于特定的客观环境和先生晚年多病，他的许多考古和博物馆学成果，生前未能系统整理和出版。但李文信先生数十年在东北和辽宁地区文物考古学上的理论和实践，不仅使他成为这一学科公认的奠基人和开拓者，而且对21世纪的辽宁文物考古学和博物馆学的发展，仍具有跨世纪的重要指导意义。

文信先生又是著名的文物博物馆学家。他对东北博物馆（今辽博）的建设和发展以及全省文物工作的开展，作出了突出的贡献。从1949年开始，李文信先生就是百废待兴的东北博物馆的业务主持人和学术带头人。几十年来，由他主持的文物鉴定、陈列展览、文物征集不可胜数。至今仍是辽宁省博物馆乃至全省各博物馆藏品管理的基础。以李文信先生为代表的老一代文物工作者，在20世纪50年代后建立的辽宁博物馆业务工作体系和基本经验，在21世纪辽宁省博物馆事业的发展中，仍具有重要借鉴意义。

作为辽宁文物博物馆学的奠基人，李文信先生言传身教，极端重视文博人才的培养。从20世纪50年代开始，由他主持的东北三省考古训练班，是新中国成立后，东北地区从事文物考古工作专业人员的早期摇篮，许多青年正是从那里走向了新中国的考古事业并成为骨干。直至70年代初，先生已年逾七旬，仍坚持在辽宁文物干部培训班讲课，为我省考古事业和人才培养竭尽全力。我们这一代在辽宁文物考古实践中培养成长出来的专业人才，大多数人都受过先生的指授和教诲。直至80年代初，先生已近八旬，卧病在医院时，当谈起东北历史考古和古民族研究的某一课题如"高句丽"时，其关注和期望仍溢于言表，表现出其对后学的勉励、厚望和执著的事业心。

今天当新世纪的钟声敲响，他的继承者们在开拓辽宁文物考古学工作新局面时，李文信先生的广博严谨、缜密深邃的学风和勉励的献身精神，无疑应当成为新一代文物工作者的楷模。

（原载《二十世纪辽宁史学》，辽宁大学出版社，2001年）

356

怀念恩师李文信先生

孙进己

李文信先生是我国著名的考古学家、东北史地学家。李文信先生也是我的恩师，他在我一生的发展中起了决定性的作用。

我最初认识李文信先生是在1956年。当时我正就读于东北人民大学历史系，李先生被学校聘来教我们中国考古。当时中国考古学还是一个年轻的学科，根本没有参考书和教材可依据，李先生亲自编写了一本东北考古学教材供我们学习参考之用。李先生待人平易近人，但讲课却很严肃，复杂的考古资料却被他讲得生动活泼，非常吸引人。李先生还指导我们进行了考古实习，这为我们奠定了中国考古学的基础。但由于我的研究的重点不在考古，因此很遗憾未能多接近李先生。

我的进一步和李先生熟悉是在1961年，当时我刚摘掉右派的帽子，正想奋起，重新向科学进军。同时我从1959年开始从事海龙乡土历史地理研究，积累了不少关于东北史地考古的问题和体会，急需向名师请教。因此1961年10月，我就以过去东北人大学生的身份到沈阳辽宁省博物馆求见李先生。当时李先生是辽宁省博物馆馆长，我是一个乡村中学的教员，一去就得到了他的接见。当时他在传达室接见了我，对我说："我工作很忙，只有十多分钟的时间，你有问题可以直接表达和提出。"我就把两年来积累的有关东北历史地理的问题一一向他请教。李先生一直在研究东北史地的考古，对我提出的问题很感兴趣，也认为我多少也读了一点书，作过一些思考，就津津有味地和我谈论了起来。谈了一个多小时，李先生说："来吧，跟我去馆长室，我们接着谈。"在馆长室。我又向李先生请教了两个多小时。到了中午，李先生就说："走吧，跟我回家去，我们边吃边谈。"饭后还谈了好久，最后李先生鼓励我好好研究东北史地，这是一门很值得研究而又少有人研究的学问，并送了我一张十万分之一的海龙地图。从此我每年回上海度假，经过沈阳时就要去李先生处请教。

以后，我已逐渐地根据李先生的要求，把研究的范围从海龙扩展到吉林，后来更扩展到整个东北；时间上也扩展到从远古到近代。因为李先生一再教导我，搞学问必须上下左右融会贯通，不能单搞一时一地。我按照李先生的要求不断向上下左右扩展，就逐渐把自己的研究领域扩大了。李先生还根据我的请求，为我介绍了一些年轻朋友。一个是辽宁省博物馆的冯永谦。他一直师从李先生，从事东北考古和东北史地研究，勤奋好学，颇有见解。因为他常在李先生家，所以我很快就和他熟悉了。以后冯永谦同志成为了我的终身好友，给我以巨大帮助。另一个是吉林大学的林沄同志。是我以李先生的名义到吉大求见才认识的，以后也成为了好友。他在我写作《东北民族史稿》时给予很大帮助。

随着我研究领域的扩大和研究的深入，我要请教李先生的问题也越来越多，我每去李先生处一次，就把我近期的新的体会和自己解决不了的问题一一向李先生请教。李先生对我的一些体会从不简单地肯定或否定，都会提出一些重要的指导意见，或者是另一种看法，或是提供重要的史料让我去进一步研究、思考，自己最后作出结论。对我提出的问题也不仅是简单地给出答案是什么，而是提供给我一些思路、方法、新史料，让我去思考，自己求得解答。几年间，我的研究突飞猛进。1964年，谭其骧先生拟调我去复旦大学研究历史地理，李先生也为我高兴，并指示我搞历史地理研究离不了考古资料，今后还要加强这方面的研究。但是去复旦的事情因为政审不合格未去成。不久"文化大革命"开始，我被打入牛棚，被专政达六年之久，我和李先生的联系中断多年。1972年，我的历史被查清，获得了解放。1973年回上海，路过沈阳时我又得以见到了李先生。当时李先生也正是劫后重生，相对不禁唏嘘。当然李先生还是鼓励我今后会好起来的，不要泄气。1976年打倒"四人帮"后，我在"文革"中一直坚持撰写的《东北民族史稿》上卷经过10次修改基本完成，我向李先生汇报后，他也为我高兴，但不禁又为我担心：这种情况怎么可能出版？难道还能藏之名山？幸得我年老的父母为我刻写了书，我弟弟为我油印装订了50多本，得以散发全国同行征求意见。此书是在李先十多年间辛勤指导下才得以完成的，其中灌注了李先生的大量心血，对其中的很多章节、很多问题李先生都给予了认真的指导。没有李先生的指导，我是很难取得这样的成绩的。1978年，在拨乱反正中，各地"四人帮"的爪牙都得到了清算，我也总算得以在全县大会上彻底平反。这时我寄出的《东北民族史稿》也逐渐得到了一些著名专家的回信。当时中国社科院考古所佟柱臣先生及中国社科院民族所吕光天先生都代表该所给此书以好评。1978年夏天，我带了海龙县委的平反信及两位专家对我书的评定信来到了沈阳，李先生当即把我推荐给辽宁社科院的朱子方先生。先是由金殿士同志领我去见了朱先生，接着又由朱先生带我去见了牛君仙院长。牛院长听了朱先生介绍、李先生的推荐和北京两位专家的鉴定信及海龙县委的平反信，当即决定调我到辽宁社科院工作。1978年10月，我调到了辽宁社会科学院。我从1957年毕业后在劳动改造中，在中学教学中颠簸了二十多年，这时才正式走上了科学研究岗位，我的人生道路起了一个根本的转折。在这里李先生的推荐是起了决定性的作用的，是他帮助我实现了这个转折，我以后所取得的一切成就都是与这个转折分不开的。

但是我到辽宁社科院后不久，又出现了问题。在历史所内，传出了孙进己的《东北民族史稿》不是由他自己所写，而是抄袭的言论。所里让朱子方先生去询问李先生。李先生当时已住院，他在病床上回答朱先生："孙进己的东北民族史水平怎么样，我没法做定论，因为各人见解不一，但书确实是他自己写出来的。这十多年来他是怎样一步一步走过来，我是亲眼目睹的，再说要抄，抄谁的？过去有人写过这样的书吗？"后来我去医院探望李先生时，他把这个事情告诉了我，并嘱咐我回去不要再管这件事，自己认真搞学问就是了。要说李先生说的我不是抄袭确实是实话，但李先生也隐去了一部分事实，就是他在指导我的十余年间灌注的心血他没有提，在我的观点中渗入了许多他的观点他也没有提。他就是这样毫无保留地把自己的心得交给了自己弟子们，而从不想表明自己的功绩。但是我永远不会忘记李先生在指导我撰写《东北民族史稿》中所做的一切。80年代末，我和冯永谦在完成国家项目《东北历史地理》时，李先生已故去，但李先生的许多教导也通过我们注入到了《东北历史地理》中。我们始终公开宣称《东北历史地理》的完成是与李先生等老一辈学者的指导分不开的。李先生一生的著作并不多，但他的心血却撒遍了大地，灌注培养了一代人。他的许多精辟见解都在他学生的著作中流传了下来。李先生的成就是伟大的，李先生的精神也是伟大的，他的成就和精神将永垂不朽。

2008年4月于沈阳

李文信学术年表

1903年（光绪二十九年癸卯）1岁

　　10月23日，出生于复县（今辽宁省瓦房店市）土城子乡李家大屯。

1918年（民国七年戊午）16岁

　　2月，随父母迁往吉林县大水河屯。

　　3月，入吉林县大水河屯高小四年级。

1921年（民国十年辛酉）19岁

　　由吉林县大水河屯高小毕业。

　　任九台县古榆树屯小学教员半年。

1922年（民国十一年壬戌）20岁

　　7月，考入吉林县立师范讲习所二年级班。

1924年（民国十三年甲子）22岁

由吉林县立师范讲习所毕业。

任吉林市东团山小学教员。

1925年（民国十四年乙丑）23岁

入奉天美术专科学校国画科。

1927年（民国十六年丁卯）25岁

由奉天美术专科学校毕业。

7月，与姜云乡女士结婚。

1928年（民国十七年戊辰）26岁

在吉林市第二中学任美术教员，后改教国文与历史，曾兼任教导主任。

1933年（民国二十二年癸酉）31岁

长子仲元生。

1934年（民国二十三年甲戌）32岁

在吉林市第二中学执教期间，利用假日不断调查吉林市郊龙潭山、龙潭山车站、东团山、帽儿山等地青铜时代遗址、汉文化遗物、高句丽史迹与辽金遗存等。

1935年（民国二十四年乙亥）33岁

8月，与日本学人黑田源次、竹岛卓一等，前往调查辽庆陵。因天气恶劣，路况不好，同行的金毓黻滞留赤峰。

长女叔元生。

1937年（民国二十六年丁丑）35岁

7月上旬，藉桦甸县小学讲习会之便，探查了辉发河东南岸的苏密城址。

11月，调"奉天国立博物馆"，任"学艺官佐"。

发表文章：

《吉林龙潭山遗迹报告》，《满洲史学》第一卷第二号（1937年）。

1938年（民国二十七年戊寅）36岁

发表文章：

《吉林龙潭山遗迹报告》（续），《满洲史学》第一卷第三号（1938年）、第一卷第一号（1938年）。

1939年（民国二十八年己卯）37岁

6月，发掘沈阳塔湾辽金墓。

7月，发掘沈阳砂山子辽金墓。7月底调查巴林右旗辽永庆陵和庆州西北金界壕。

次女奉元生。

发表文章：

《奉天昭陵附近出土之石棺》，《满洲史学》第二卷第四号，1939年。

《苏密城址踏查记》，《满洲史学》第三卷第一号，1939年。

《满洲史前考古学之基础知识》（1—22），《盛京时报》1939年5月6日—28日。

1940年（民国二十九年庚辰）38岁

6月，发掘建平县叶柏寿车站辽墓。

7月，发掘喀喇沁右旗张家营子辽郑恪墓。

9月，调查发掘抚顺市高尔山高句丽山城址。

再次调查吉林市龙潭山高句丽遗迹。

发表文章：

《叶柏寿行纪》，《国立中央博物馆时报》第九号，1940年。

1941年（民国三十年辛巳）39岁

9月，发掘辽阳玉皇庙汉代壁画墓。

发表文章：

《汐子行记》，《国立中央博物馆时报》第十二号，1941年1月。

《东蒙古辽代之史迹》，《盛京时报》1941年4月24日—27El。

《辽开泰七年古坟出土青釉瓶》，（日文）《陶瓷》12卷4期，1941年。

1942年（民国三十一年壬午）40岁

7月，调查珲春县半拉城渤海城址。

10月，发掘沈阳南湖汉墓及辽墓。

调查热河省赤峰县老哈河沿岸"哈拉木图"古城址，并在途中发现了燕国的长城和古城址。

三女春元生。

发表文章：

《吉林龙潭山汉代文化》，《盛京时报》1942年1月1日—11日。

《辽阳汉代文化调查通信》，《盛京时报》1942年5月27日—6月2日。

《契丹小字故太师铭石记之研究》，《国立中央博物馆论丛》第三号，1942年。

1943年（民国三十二年癸未）41岁

3月，调查辽阳北园汉代壁画墓。

4月16日—5月21日，调查和龙西古城子渤海城址。有《和龙县西古城子调查日记》。

5月，发掘巴林左旗辽祖州城址。

7月，调查林东附近辽代史迹。

11月，调查并发掘林东县乌尔吉村兴隆山屯辽墓，调查阿鲁科尔沁旗至青羊碴子金界壕。

发表文章：

《祖州城现况》，《盛京时报》1943年7月10日。

1944年（民国三十三年甲申）42岁

5月，发掘林东辽上京瓷窑址。

6月，发掘赤峰县缸瓦窑屯辽代瓷窑址。

8月，发掘巴林右旗白塔子北山辽墓和调查白塔子至会通河金界壕。

11月11日，赴"锦州省"土默特左旗翁山村新丘屯，调查辽兰陵萧公墓地及附近遗迹，并作调查笔记《十日记》。

1945年（民国三十四年乙酉）43岁

8月，抗日战争胜利。

主动担负起保护沈阳博物馆文物之责。

1946年（民国三十五年丙戌）44岁

5月，任沈阳博物馆学术部搜集组组长。

6月上旬，日本友人上原之节东归。以隶书《鸿云芳踵》诗为其饯行，诗云："人生多聚散，何须溢言表。云水两悠悠，古城鸣画角。"

小女复元生。

发表文章：

《林东附近之古坟》，《中央日报》1946年10月14日。

《吉林市附近之史迹及遗物》，《历史与考古》沈阳博物馆专刊第一号，1946年10月。

1947年（民国三十六年丁亥）45岁

2月23日，携长子仲元调查沈阳八家子遗迹。

4月，任"国立沈阳博物院"编辑、考古组组长。

本年，于市上购回原伪满博物馆佚出的胡永年藏泉及其拓本《匏斋泉考》四卷，使其成为馆藏。

发表文章：

《金临潢路界壕边堡址》，《辽海引年集》，1947年7月17日。

此文首次以考古调查资料为基础，对金代"长城"进行了研究，详述了界壕走向、边堡结构、出土遗物和山川河流、交通道路等情况。

《沈阳清故宫卤簿仪物小记》，《东北文物展览会集刊》，1947年10月10日。《辽阳北园壁画古墓纪略》，《国立沈阳博物馆筹备委员会汇刊》第一期，1947年10月。

沈阳解放前夕，在沈阳博物院筹委会成员都将迁飞北平的情况下，尽管环境极为恶劣，但为保护博物馆和文物的安全，毅然留在沈阳，坚守护馆，等待解放。

11月3日，沈阳解放后次日，由哈尔滨迁至沈阳的东北文物保管委员会接管"国立沈阳博物院筹备委员会古物馆"，接收文物资料8572件，加上在解放战争期间征集的文物1746件，馆藏总数达10318件组。

参与对藏品进行清点、整理、鉴定、登记等，筹建新馆。

本年，罗福颐自北京寄《燕京学报》（第二十三期）。封面题云："公符兄惠存。弟颐寄自故都，时距邮亭话别，将逾半载矣。"

1949年（民国三十八年己丑）47岁

春，东北人民政府将原"国立沈阳博物院筹委会古物馆"正式定名为

"东北博物馆"，下设研究室、保管科两个业务部门，与杨孟雄、于世杰、沈延毅、张亮采等同在研究年工作，负责发掘整理、展览设计、馆藏文物研究及其他各项业务活动。

7月7日，东北博物馆正式对外开放。与佟柱臣、阎万章等共同设计"历史文物分类陈列"在开馆时展出。

7月9日—12日，主持发掘沈阳小西边门外辽开泰四年李进墓，出土一具石棺及随葬陶瓶等入藏本馆。此为新中国诞生前夕东北地区的第一次考古发掘。

11月5日—20日，主持"十月社会主义革命32周年纪念照片展览"的设计和陈列工作。

1950年（庚寅）48岁

2月7日—3月7日，主持"春节风俗展览"和"馆藏珍品特展"的设计和陈列工作。

3月10日—11月，与佟柱臣共同设计并主持"生产工具演进特展"的展出。

3月，主持"中国古代重要发明创造展览"的设计和陈列工作，并有日记。

4月20日，主持"货币演进特展"的设计和陈列工作。

4月23日—5月1日，主持清理发掘黑龙江省依兰县倭肯哈达洞穴。

5月9日—24日，主持发掘义县清河门西山村辽萧慎微族墓群，有《义县史迹文物调查日记》。

7月7日，主持"庆祝开馆一周年特展"的设计和陈列工作。

9月，因有的学者谓山海关长城就是古秦长城，在博物馆前院露天作关于"燕秦长城"的学术报告，用考古发现论述了燕秦长城的地理位置。

9月20日—10月15日，参加由裴文中率领的中国科学院"东北考古调查团"考察活动，并有考古调查日记。

本年，与沈延毅、于世杰、张亮采等被东北人民政府文化部定为研究员。

1951年（辛卯）49岁

2月6日—3月6日，主持"春节特展"的设计和陈列工作。

10月22日，与阎万章、曲瑞琦等调查沈阳八家子遗址。

发表文章：

《阜新契丹萧氏墓调查报告》，《文物参考资料》二卷九期，1951年。

《北票县天乌兰区莲花山村古墓情况》，《文物参考资料》二卷九期，1951年。

《辽李进墓发掘报告》，《文物参考资料》二卷九期，1951年。

《辽西省义县清河门西山村"辽佐移离毕萧相公"族墓发掘报告》，《文物参考资料》二卷九期，1951年。

《义县奉国寺调查报告》，《文物参考资料》二卷九期，1951年。

《松江省依兰县倭肯哈达史前遗址调查报告》，《文物参考资料》一卷九期，1951年。

《日寇在东北文化侵略的罪行》《文物参考资料》二卷九期，1951年。

1952年（壬辰）50岁

1月，主持"春节特展"的设计和陈列工作。

2月19日，与张拙之、杨孟雄等赴黑龙江省讷河县，查点本馆疏散存放的文物。

3月26日，向本馆捐赠明版《十竹斋画谱》、北宋景德镇影青瓷碗、辽三彩印花扁壶等文物57件。

4月20日，又向本馆捐赠埃及绿釉灯、辽印花三彩碟、宋白瓷印花小碟等文物52件。

5月13日—8月12日，与张拙之、杨孟雄等全馆业务人员前往黑龙江省北安县，整理本馆疏散保存的文物。至年底，对馆藏文物进行了彻底清理。对文物和资料行鉴定、分类、登记、建账，创全国博物馆藏品保管、文物整理之先，取得了科学管理的成功经验。后中央文化部文物局将此经验向全国推广。

1953年（癸巳）51岁

春，受东北文化部指派，与徐秉琨陪同中央文化部社管局谢辰生并常沙娜赴辽阳，调查处理辽阳市文教局擅自批准五万名小学生进入棒台子壁画墓参观造成文物损问题。

春，东北人民政府文化部委托东北博物馆举办的"东北地区文博干部训练班"，为期二个月。主讲历史、考古与其他专业等课程，并亲自带领学员下田野实习。为傅新华赠言："用批评与自我批评的马列主义武器装备自己，全心全意为人民服务到底。新华同志学习结业纪念。李文信于东博。"又手绘辽阳汉墓壁画骑士图相赠，后记："东北博物馆研究室，李文信，一九五一（按：应为一九五三）年四月十日。"

4月21日—8月9日，与张拙之、朱子方、李致琴、杨仁恺、胡文效等赴关内各博物馆观摩学习，并有观摩学习日记。

发表文章：

《东北博物馆清理文物的一些方法和经验》（与张拙之、胡文效合写），《文物参考资料》1953年第4期（编者为此文加有按语）。

《学习"文物的分类、编号及处理程序"及"谈文物登记编目方法"后的一些看法》，《文物参考资料》1953年第11期。

1954年（甲午）52岁

2月，赴北京参加中央人民政府文化部主办的"全国基本建设出土文物展览会"（当时东北区出土文物89700余件，此次参展出土文物735件）的设计与布展工作。在工作期间，得以接触全国各地出土的大量珍贵文物，其后据此提出许多重要学术见解与观点并写成文章发表。

3月1日—5月24日，在东北文化局举办的"东北地区第一届文博干部训练班"，主讲历史、东北考古与其他专业等课程。其间，训练班学员曾参加鞍山沙河东地汉墓群的发掘实习。在工作间隙，带领学员调查发现了羊草庄战国遗址，有大批战国铁农具发现。

东北地区第二届文博干部训练班田野实习结束，带领全体学员赴北京参观学习。参观了在故宫午门举办的"全国基本建设出土文物展览会"及故宫、景山、颐和园、八达岭长城等，并听取了郑振铎等领导与专家的学术报告。

6月9日，经中央人民政府文化部文物事业管理局批准，任东北文物队副队长。

8月3日—10月14日，主持鞍山陶官屯金代农家遗址的清理发掘附带清理了汉墓两座。

9月，东北大区建制撤销，东北文物队并入东北博物馆。任文物队队长。

10月1日，主持的"中国原始社会陈列"正式展出。

10月16日—11月13日，主持清理辽阳市北郊三道壕汉墓，其间发现了小型壁画残墓3座，因当时条件不够，尚待发掘。此外还有一部分汉代墓葬，也待清理。

11月23日，任研究室主任。

本年，主持"一九五四年全省出土文物展览"的设计和陈列工作。

发表文章：

《依兰倭肯哈达的洞穴》，《考古学报》第七册，1954年。

《义县清河门辽墓发掘报告》，《考古学报》第八册，1954年。

《古代的铁农具》，《文物参考资料》1954年第9期。

《关于我国陶瓷的几种新资料》，《文物参考资料》1954年第10期。

《古代的铁农具》与《关于我国陶瓷的几种新资料》二文，系据1954年

2月参与"全国基本建设出土文物展览"所见展品写出。《关于我国陶瓷的几种新资料》一文，以考古发现为依据，否定了前此"我国瓷器出现是在魏晋时期"之说。明确提出"商周高温硬质釉陶是瓷器的原始阶段"，并进而由两件周代灰青釉陶豆的出土指出："它的出现，给中国瓷器由殷商到周代的发展史上，添了一个重要链环"。在中国陶瓷史研究上，首次前瞻性地指出，中国瓷器出现时间，应该是在商代。这一结论，为后来大量考古发现所证实，至今已为学术界所采用。

本年，与徐秉琨、吕遵禄、傅新华访问吉林市博物馆，并重新考察了龙潭山、东西团山等遗迹地。

1955年（乙未）53岁

春，应聘任东北人民大学历史系兼职教授。

5月1日，主持"辽宁省一九五四年基本建设工程中出土文物展览"设计和陈列工作。

5月11日—8月22日，主持发掘辽阳三道壕西汉村落遗址。

5月23日—6月3日，主持解放前曾遭严重破坏的辽阳北园汉壁画墓的保护工程。

16月25日，调查辽阳江官屯辽金瓷窑址。

10月，国庆假日期间，与徐秉琨调查了几处辽南文物：辽阳高句丽岩州城址，？官屯辽金址，海城辽析木城址与金银铁塔并姑嫂石石棚；大石桥辽耀州城址，盖县青石关高句丽城址，辽熊岳城址，许家屯，归州石棚等。

11月23日，再赴阜新县调查辽萧氏墓，之后写有《阜新县东新村辽萧德温墓调查报告》（草稿）。

冬，与徐秉琨赴热河博物馆访问，考察了避暑山庄、外八庙；又在热河博物馆张平一陪同下，调查和步量了辽中京城址。归途调查了朝阳凤凰山上、中、下三寺并寺内的辽代塔建及阜新辽半截塔等遗迹。

本年，当选为辽宁省第一届人民代表大会代表。

发表文章：

《辽阳三道壕两座壁画墓的清理简报》，《文物参考资料》1955年第1期。

《东北文物队一九五四年工作简报》，《文物参考资料》1955年第3期。

《辽阳发现的三座壁画古墓》，《文物参考资料》1955年第5期。

《辽阳市三道壕清理了一处西汉村落遗址》，《文物参考资料》1955年第12期。

《贯彻"重点发掘"方针是作好基建工程中文物清理发掘工作的关键》，《文物参考资料》1955年第12期。

1956年（丙申）54岁

1月30日，应邀赴北京列席全国政治协商会议，并作书面发言。

2月10日，被聘为中国科学院考古研究所学术委员会委员及《考古》杂志编委会编委。

2月21日—27日，出席在北京召开的全国第一次考古工作会议。

2月，在京期间，拜访金毓黻。

5月21日—26日，与张拙之馆长出席在北京召开的全国博物馆会议。

6月，赴西丰县调查城子山高句丽山城，并在凉水泉子村东山发现青铜时代遗址。

6月—9月，去长春，为吉林大学历史系新开设的考古专业学生授课，讲授《中国考古学通论》，后带领学生进行田野考古调查实习。

9月4日—10月23日，由文化部安排，随"中国古代艺术展览"，与故宫博物院唐兰出访芬兰、瑞典等国。

11月，在北京与陈梦家同访金毓黻。

发表文章：

《辽宁省新发现两座石棚》（署名"符松子"），《考古通讯》1956年第2期。

《让考古科学在祖国社会主义建设高潮中壮大》，《文物参考资料》1956年第3期。

《中国考古学通论纲要》，吉林大学历史系印行，1956年8月。

1957年（丁酉）55岁

5月7日，任本馆副馆长。

8月5日，兼任研究室主任。

发表文章：

《辽阳三道壕西汉村落遗址》，《考古学报》1957年第1期。

此文指出，该处遗址充分反映出西汉时期辽东郡首府襄平近郊一个农村的生产生活面貌，当时处于各农户独立进行生产，也包括手工业（如窑业）和运输。详尽叙述了这些重要发现，并认为，这些"对当时农民生活的了解、社会性质的研究"是非常可贵的地下出土的第一手实物资料，具有很高的学术研究价值。

《记瑞典和芬兰的几所博物馆》，《文物参考资料》1957年第2、3、4期。

《沂南画像石古墓年代的管见》，《考古通讯》1957年第6期。

《博物馆事业和考古工作应得到重视》，《沈阳日报》1957年6月3日。

1958年（戊戌）56岁

2月，摘录《参考消息》1月31日第2版《埃及古代木乃伊怎样制作和保存》一文。

2月—5月，为本馆专业人员业务学习，讲授中国古代陶瓷，写成讲义《陶瓷浅说》，每周开课，用以提高专业人员的业务水平。

5月8日，将个人所藏白玉雕花螭耳瓶、碧玉雕花鸟巧作双环杯、白玉雕人物山子等捐赠本馆入藏。

6月5日，又将个人所藏两面刺绣《宫扇册》、《汪氏列女传》捐赠本馆。

发表文章：

《辽瓷简述》，《文物参考资料》1958年第2期。

《林东辽上京临潢府故城内瓷窑址》，《考古学报》1958年第2期。

《关于辽代懿州城址的讨论》，《考古通讯》1958年第8期。

《陶瓷浅说》，东北博物馆1958年油印本。

1959年（己亥）57岁

1月，本馆馆名由"东北博物馆"改为"辽宁省博物馆"。

12月，当选为辽宁省政协第二届委员会委员。

手录并批注《北蕃地理——武经总要边防一》，后记："李文信据沈阳文溯阁本钞，并加眉上附注。又一九五九、一九六二又较。"

本年，主持第二次清理发掘桓仁水库和沙尖子水库淹没区高句丽墓葬20座，并在桓仁水库调查了高句丽古城址1座。

1960年（庚子）58岁

主持"历史文物展览"的设计与陈列工作。

1961年（辛丑）59岁

5月6日，经辽宁省委领导研究，本馆的性质由原地志性质博物馆恢复为历史艺术性质博物馆。依据省文化厅指示，主持制定《辽宁省博物馆历史艺术陈列大纲》（初稿）。

5月10日，向本馆捐赠个人所藏清张问陶、邹一桂等书画扇面4页。

主编：

《辽瓷选集》（与朱子方合编），文物出版社，1961年5月。

《辽宁名胜古迹》，辽宁人民出版社，1961年6月。、

1962年（壬寅）60岁

春，手录并批注《古今图书集成·职方典》中有关盛京城池、奉天山川、奉天府部记考等部分。

9月20日，手抄《金虏图经》一册。首页记："此本由民国二十八年宋学研究社排印本《三朝北盟会编》炎兴下帙144（绍兴三十一年十一月一十八日丙申）录出。讹脱简漏恐不能少，俟得善本当重校对。李文信钞，1962年9月20日。"

发表文章：

《金马令史墓壁画》，《辽宁日报》1962年3月4日。

《原始时代的辽宁考古新发现》（与孙守道合写），《辽宁日报》1962年5月30日。

《周汉魏晋的辽宁史迹》（与孙守道合写），《辽宁日报》1962年7月21日、24日。

《古代辽宁境内的匈奴鲜卑和高句丽族的文化遗存》（与孙守道合写），《辽宁日报》1962年9月11日。

《辽宁喀左县辽王悦墓》（与朱贵、李庆发合写），《考古》1962年第9期。

主编：

《辽宁史迹资料》，辽宁省博物馆印行，1962年1月。

此书对辽宁地区历史沿革、历史遗存、文物古迹、风景名胜等，钩沉索隐，都有翔实考证，为此后的许多研究者所征引，实用性强，学术价值很高。书中考证的汉代城址有多处，如辽阳亮甲山古城为居就县址、台安孙城子古城为险渎县址、丹东瑷河尖古城为西安平县址、抚顺劳动公园古城为玄菟郡第三郡治址。对在辽宁境内的十数个辽代重要州城，如铁州、祺州、成州、榆州等都做了详细论证。还考证了五十多年的考古生涯中调查过的许多高句丽山城，如新金吴姑山城、金县大黑山山城（为高句丽卑沙城）、复县

（今瓦房店市）得利寺龙潭山山城、岫岩娘娘城山城、桓仁五女山山城、辽阳城门口村石城山城（为高句丽白岩城）、西丰城子山山城、吉林龙潭山山城等。又新考出盖县青石关高丽城山城是建安城址、海城英城子山山城是安市城址、沈阳陈相屯塔山山城是盖牟城址、抚顺高尔山山城是新城遗址、凤城凤凰山山城是乌骨城址等。这些考证已为学术界所承认。

1963年（癸卯）61岁

4月20日—6月20日，文物队分组调查与发掘清理朝阳、北票、辽阳等地的古墓葬、古遗址、塔址以及古钱出土地等。

7月20日，与朱子方等受辽宁省文化厅指派前往旅大、锦州、鞍山、本溪、抚顺、营口、朝阳等7个市的重点遗迹地进行深入了解，为中朝联合考古队来我省考古发掘做准备。

发表文章：

《关于辽尚暐墓志的意见》，《文物》1963年第2期。

《上京款大晟南吕编钟》，《文物》1963年第5期，香港《大公报》"艺林"版转载。

1964年（甲辰）62岁

春，从省图书馆借回《开原图说》影印本，让长子仲元抄录并摹图，又写出"抄写说明"并加批注。因该书稀缺，于专业学术价值颇高，故将该抄本转交本馆资料室入藏，便利研究使用。

本年，当选为辽宁省史学会副会长。

1965年（乙巳）63岁

9月1日，与胡文效同为辽宁省文化厅文物鉴定小组成员。

同月，北票县西官营子因农民盗掘而发现北燕冯素弗墓，先后由徐秉琨、陈大为、冯永谦主持清理发掘和回收墓中出土文物。在徐秉琨、冯永谦整理简报过程中，就"全趄附蝉""敧器"等问题发表了指导性意见。

1966—1969年（丙午—己酉）64—67岁

文化大革命期间，身心备受摧残，健康状况恶化。

1970年（庚戌）68岁

1月，作《帝俄喀兹洛夫盗掘黑城文物记》摘录。后记："喀兹洛夫盗掘黑城，掠走很多我国古代重要文物。这是帝俄对我国文化侵略和史迹破坏中比较重要的一次。因为我不懂俄文，喀兹洛夫的原报告又没有中译本，所以就依据这篇游记作了这个摘录。李文信1970年1月。"

1971年（辛亥）69岁

主持"文化大革命出土文物汇报展"的设计和陈列工作。

1972年（壬子）70岁

1月，在本馆举办"辽宁省文物考古干部培训班"中，主讲古代陶瓷和东北古代民族史等课程。学员为抽粤回沈的下乡知识青年及省内各市地文物干部。

1973年（癸丑）71岁

4月，任本馆"革命领导小组"副组长。

夏，接待老朋友、日本学者杉村勇造来访。

10月6日，给朱贵回信，就来信中言及的几件昭乌达盟出土的红山文化玉器提出意见。

11月22日，外出田野考古的冯永谦自西丰县来信，汇报关于去法库、康平、西丰等县调查辽金城址及法库八虎山是否有战国长城址等相关的情况。

1974年（甲寅）72岁

6月，与曲瑞琦谈及沈阳市内新发现的辽胡化石棺题字一事，后作记录留存："辽州观察判官儒林郎试大理直云骑尉胡化，重熙七年。石棺出土于沈阳市沈河区第七中学校内。墓室砖筑圆形，横置火葬石棺，附葬白瓷粗碗数件，时为19746月。（曲瑞琦谈）"

7月，见《人民日报》本月21日第3版载《沈括和他的〈梦溪笔谈〉》一文，遂作剪报一页。

1975年（乙卯）73岁

接待日本学者鸟居绿子（鸟居龙藏之女，曾任北京故宫博物院副研究员）来本馆参双访问。

1976年（丙辰）74岁

6月30日，许明纲自旅顺历史博物馆来信，感谢指出对其所录碑文中错误之处，又附有花儿山汉代城址的简单情况及草图。

8月29日，河北省文管处郑绍宗来信，忆及1954年端午节在辽阳沙坨子发掘375厂汉墓情景。又提及古长城和辽北安州瓷窑址等情况。

1977年（丁巳）75岁

1月9日，陈大为自朝阳来信，谈及水泉遗址、桃花池古城址情况。

3月，草拟《陶瓷史》上册编写大纲。

12月，当选为省第五届人民代表大会代表。

3月—7月，为辽宁大学历史系文博专业学生讲授"中国古代陶瓷"课程，辽宁大学于6月印行其讲义。

9月7日，辽阳市博物馆邹宝库来信："两次寄来的有关辽东边墙的史料均早已收到，对我们辽阳境内明边墙的调查指导帮助很大，使我们少走了弯路。"又谈及曹雪芹先世碑刻等情况。

发表文章：

《辽阳市棒台子二号墓壁画》，《艺苑掇英》第3期，1978年。

《陶瓷概说》，辽宁大学历史系印，1978年6月。

此文对我国古代陶瓷作了全面的阐述，简明而系统，多有创见，论证充分。文中依据文献资料和考古发现，提出许多新的论点，如认为"柴窑"的存在，是历史上不容否认的事实。

1979年（己未）77岁

3月，当选为中国考古学会理事。

5月3日，馆领导班子恢复馆长制。担任馆长。

4月29日—11月9日，为研究东北历史地理，委派冯永谦、姜念思二人前往昭乌达盟赤峰县、喀喇沁旗、宁城县、翁牛特旗、林西县、克什克腾旗、巴林右旗、巴林左旗、阿鲁科尔沁旗等地古城址进行考古调查。

夏，在沈阳会见友人、日本学者三上次男。

发表文章：

《中国北部长城沿革考》，《社会科学辑刊》1979年创刊号、第2期连载。

此文因1950年举办"中国古代重要发明创造展览"时，为说服不同意展出长城者而写出的文稿，事过近三十年，仍不减其学术价值，遂经整理发表。文中将分布在我国北方战国时期的魏、秦、赵、燕与统一六国后的秦以及其后的西汉、东汉、西晋、北挚、北齐、北周、隋和唐代长城等，分别加以考证，更重要的是用考古发现的遗迹与文献相结合，使我国历代长城的研究面貌一新。此文发表后，国家有关部门曾向原刊发的杂志索取原稿，进行研究，颇为重视。

1980年（庚申）78岁

4月，任本馆七人学术委员会主任。委员会负责馆内初、中级职称的评定、高级职称的推荐及其他有关业务学术活动。

6月，见《参考消息》本月10日第3版有《从天空考古》一文，遂作剪报一责。

本年，金景芳寄赠所作《中国奴隶社会的阶级和阶级斗争》（《中国社会科学》

1980年第3期）一文抽印本，首页题："文信同志指正"。

1981年（辛酉）79岁

8月11日，当选为辽宁省考古博物馆学会名誉理事长。

1982年（壬戌）80岁

3月23日，当选为中国博物馆学会名誉理事。

10月5日，晨3时40分，在沈阳中国医科大学第一附属医院病逝。

1983年（癸亥）81岁

发表文章：

《西汉右北平郡治平刚考》，《社会科学战线》1983年第1期。

1985年（乙丑）83岁

发表文章：

《李氏<辽海丛书>批注》，《辽海丛书》，辽沈书社，1985年3月。

1992年

12月，《李文信考古文集》由辽宁人民出版社出版。

（李琼碌整理）

原后记

今年是著名考古学家李文信先生诞辰九十周年，逝世十周年。为了纪念这位中国东北考古学的开拓者，我们编辑了这本《李文信考古文集》。

李文信先生从事东北考古几五十年，足迹踏遍白山黑水、沙漠草原。他博闻强记，研究领域涉及历史学、考古学、博物馆学、古器物学等学科，尤其在辽史、东北历史地理、中国陶瓷史研究上有很高的造诣。在研究方法上，他注重文献资料和考古资料相结合，因此在学术问题上多有创见。但遗憾的是，先生留下的著作和他的学识相比，实在是太少了，很多研究成果生前没有来得及整理发表。

《文集》收入先生的考古报告、论文、论著等凡29篇，其中大部分发表过，有一部分尚未正式发表。需要说明的是，有个别文章的观点或结论，用今天学术研究进展的眼光看来，又有新的突破，但它们仍不失其资料和学术价值，并且也反映了老一辈考古学家在学术上的探索过程，所以我们也都依原作未做改动。

有些文章当时发表时编排和印刷质量都比较差，这次编辑时做了一些加工整理工作，但有少数图版却无法弥补，个别字句底稿不清，这次都尽力予以填补，错误恐怕是难免的。

　　《文集》的编辑工作是由姜念思、冯永谦、姚义田、李宇峰等同志组成的编辑小组完成的。其中未发表的论著，《中国考古学通论纲要》系根据1956年吉林大学历史系油印本、《陶瓷概说》系根据1973年辽守大学历史系油印本整理的。再有冯永谦同志还根据当年他手抄笔记中，检出补充了先生《奇情逸趣，信手而得——高其佩指头画琐谈》一文，尤为难得。此外，申国俭同志在校对方面也做了一些工作。在此，一并致谢。

辽宁省文物管理委员会办公室

辽宁省文物考古研究所

辽宁省博物馆

辽宁省考古学会

辽宁省博物馆学会

1992年12月10日

跋　珍文博雅风范长存

先君李文信逝世三十七年之后,《李文信考古与文博辑稿》结集出版了。这令海内学界又忆起一位曾为东北考古文博事业做过开拓工作,有过巨大贡献的老人。读了书稿,令人思绪万千,引起许多回忆和感慨。一篇篇论文,一段段札记、批注,一部部手钞文献资料,是他历时五十余年的心血和驿动的精魂。

我父生于清末,求学于民国,受厄于日伪统治,成就事业于新中国,却又经历"文革"浩劫。可说是饱经劫难,痛苦多于快乐的一生。也是醉心于学术以求解脱的一生。他家境清贫,自幼一心向学而始终缺少学资,只能旋工旋读,断续求学。几番奋斗之后,才取得一个美术专科的学历。后来的学养完全是靠自学修炼完成的。他一生发奋读书,数十年如一日。直至晚年病重,榻旁依然堆放许多图书,时时披览,考证研究。最后在病榻上撰成《中国北部长城沿革考》《西汉右北平郡治平刚考》两篇名文。可谓鞠躬尽瘁,死而后已。遗憾的是,正当他进入学术丰收的时期,却逢十年浩劫,深受迫害,身心交瘁,资料散失殆尽,研究被迫中断,计划中关于东北古代民族、东北历代郡县、东北古代交通等多部著作都没有完成，便赍志而没，抱憾终古。实是东北考古学术上的一大损失。

我父选择从事并非所学专业的考古事业，完全出于对自己乡土的热爱和对现代学术的向往。他感叹东北学术开发迟晚，现代考古无人的现状，遂将个人身心全部投入，耗尽了他一生的精力。也成就了他作为东北第一个以现代科学手段开拓考古事业的先驱地位。他学识渊博，功力深厚，多才多艺。于考古学、文物学、博物馆学都有很深的造诣。尤对东北历史地理、古陶瓷学多具卓识。著作丰宏，享誉国内外。是公认的东北考古事业的开拓者和学术奠基人。他如一个志存高远的先行者，披荆斩棘，开辟新路，在漫漫长途之上，执著刚毅地前行。渐渐地进入他向往的圣地，开发出丰富的宝藏。通过新编文集，可以窥见一个将毕生精力献于学术事业的世纪老人的一生步履。

我父为人正直耿介，诚厚谦和。一生老老实实做人，踏踏实实做事。不求虚名，不慕名利。从不拜谒公卿，趋炎附势。对那些篡改历史，编造故事，欺世盗名者，不齿为伍。而对晚生后学，皆热情关怀，精心培养，亟令成才。他是为东北考古文博事业培养众多人才的教育家。门墙桃李遍于东北三省和热河、东蒙地区。许多人成为文博事业骨干和知名学者。他是我的慈父，也是我崇拜的偶像。我一生向学从业之路，处世为人之遭，都以他为榜样，在他指导下成长。这是铭心永志之恩。

斯人远去，风范犹存。此次辽宁省博物馆组织人力，搜求佚文，整理手稿，考订年代，排比编次，使这部《李文信考古与文博辑稿》以更加丰富、精致的面貌问世，实是嘉惠后学，保存学术成果，充实东北文献宝库的盛事。在此，向辽宁省博物馆、万卷出版公司和为该书编辑出版付出辛勤劳动的人们表示深深的谢意。作为嗣息，谨以一首与老父合影的题照小辞缀于文末，以申感恩怀念之情。

生我育我诗书博古

垂训趋庭德艺相承

李仲元

2018年11月于缘斋